Piccola Biblioteca Oscar

CHRISTOPHER McDOUGALL

# BORN TO RUN

*Un gruppo di superatleti, una tribù nascosta e la corsa più estrema che il mondo abbia mai visto*

Traduzione di Dario Ferrari

OSCAR MONDADORI

Titolo originale dell'opera: *Born to Run*


I edizione Strade blu febbraio 2014
I edizione Piccola Biblioteca Oscar marzo 2016

ISBN 978-88-04-62818-7

Questo volume è stato stampato
presso ELCOGRAF S.p.A.
Stabilimento - Cles (TN)
Stampato in Italia. Printed in Italy

Anno 2017 - Ristampa 1 2 3 4 5 6 7

Born to Run

*A John e Jean McDougall,*
*i miei genitori,*
*che mi hanno sempre dato tutto*
*e continuano a farlo*

Il miglior corridore
è quello che non lascia tracce.
TAO TE CHING

# I

Vivere con i fantasmi richiede solitudine

ANNE MICHAELS, *In fuga*

Avevo battuto per giorni la Sierra Madre messicana alla ricerca di un fantasma chiamato Caballo Blanco, Cavallo Bianco. Ero giunto ormai alla fine del mio cammino ed ero nell'ultimo posto in cui mi sarei aspettato di trovarlo: non sperduto nelle terre selvagge che si raccontava frequentasse abitualmente, ma nella hall poco illuminata di un vecchio albergo ai bordi di una polverosa città del deserto.

«*Sí, el Caballo está*» disse la ragazza alla reception, annuendo. Sì, il Cavallo è qui.

«Davvero?» Dopo averlo perso per un soffio così tante volte e in così tanti posti bizzarri, avevo cominciato a sospettare che Caballo Blanco non fosse altro che una leggenda, la versione locale del mostro di Loch Ness, un'invenzione per spaventare i bambini e per prendere in giro i *gringos* creduloni.

«Rientra sempre intorno alle cinque» aggiunse la ragazza. «È una specie di rituale.»

Non sapevo se abbracciarla per il sollievo o darle il cinque in segno di trionfo. Guardai l'orologio. Finalmente potevo vedere con i miei occhi il fantasma, bastava aspettare appena... ehi! Un attimo!

«Sono le sei passate.»

La ragazza scrollò le spalle. «Forse se n'è andato.»

Mi lasciai cadere su un vecchio divano. Ero sporco, affamato, sconfitto. Le mie energie erano esaurite, e così le piste che potevo battere.

Alcuni dicevano che Caballo Blanco era un fuggiasco; secondo altri era un pugile che si era autoesiliato per punizione dopo aver ucciso un uomo in un incontro clandestino. Nessuno sapeva il suo nome, né la sua età, né da dove venisse. Era come un pistolero del Far West, le cui uniche tracce erano storie inverosimili e lo sbuffo di fumo di un sigaro. I suoi avvistamenti erano segnalati su tutta la mappa della zona; persone che vivevano a distanze inverosimili l'una dall'altra giuravano di averlo visto gironzolare a piedi lo stesso giorno e le descrizioni che davano di lui spaziavano da «simpatico e divertente» a «eccentrico e gigantesco».

Tutte le versioni della leggenda di Caballo Blanco, però, riportavano immancabilmente alcuni dettagli: era arrivato in Messico diversi anni prima, dopo aver viaggiato a lungo, a piedi, addentrandosi nelle selvagge e impervie Barrancas del Cobre (i Copper Canyon) per vivere in mezzo ai Tarahumara, una tribù semileggendaria di superatleti primitivi. I Tarahumara sono forse il popolo più sano e sereno al mondo, oltre che i più grandi corridori di tutti i tempi.

In fatto di ultradistanze, niente e nessuno può competere con un corridore tarahumara: né un cavallo da corsa, né un ghepardo, né un maratoneta olimpico. Pochissime persone esterne alla tribù hanno visto un Tarahumara in azione, ma le incredibili storie sulla loro resistenza e la loro serenità d'animo hanno varcato i confini dei canyon per secoli. Un esploratore giurò di aver visto con i propri occhi un Tarahumara cacciare un cervo a mani nude, inseguendo l'animale fino a farlo stramazzare a terra, o meglio «fino a fargli cadere gli zoccoli». Un altro avventuriero impiegò dieci ore per scalare le pendici di un Copper Canyon a dorso di mulo, mentre un corridore tarahumara fece lo stesso percorso a piedi in novanta minuti.

«Assaggia questo» disse una volta una donna tarahumara a un esploratore esausto che era crollato per la stanchezza ai piedi di un monte, passandogli un recipiente colmo di un liquido denso e scuro. Lui ne ingoiò alcuni sorsi e rimase stupefatto dall'energia che improvvisamente cominciò a pulsargli nelle vene. Si rimise in piedi e raggiunse la vetta del monte come se fosse stato una guida sherpa sotto anfetamine. La donna – avrebbe raccontato in seguito lo stesso esploratore – custodiva anche la ricetta di uno speciale cibo energetico che manteneva i Tarahumara in forma, forti e inarrestabili: pochi bocconi assicuravano a un Tarahumara un pieno di energia che gli permetteva di correre tutto il giorno senza sosta.

In ogni caso, quale che fosse il segreto dei Tarahumara, hanno saputo tenerlo ben nascosto. Ancora oggi i luoghi dove vivono si trovano più in alto di quelli in cui i falchi costruiscono i loro nidi, sulle pendici di dirupi di una terra che pochi sono riusciti a vedere. Le Barrancas sono un mondo sperduto nel posto più selvaggio di tutto il Nordamerica, una sorta di Triangolo delle Bermude sulla terraferma, famoso per inghiottire gli emarginati e i fuorilegge che vi cercano una via di fuga. Da quelle parti vi potrebbero capitare (e probabilmente vi capiteranno) una notevole quantità di orribili incidenti: anche se riusciste a sfuggire ai giaguari che mangiano carne umana, ai morsi letali dei serpenti corallo e alla canicola feroce, dovreste ancora vedervela con la «febbre del canyon», una pazzia potenzialmente fatale provocata dall'inquietante desolazione che impera nelle Barrancas. Più vi addentrate in quei luoghi e più avrete l'impressione di trovarvi in una cripta che si sta chiudendo sopra di voi. Le pareti si stringono, le ombre si ingrandiscono, echi spettrali cominciano a sussurrare; ogni sentiero che sembra portare all'esterno conduce a un'insormontabile parete rocciosa. La follia e la disperazione degli esploratori che si smarriscono in questi posti possono spingerli a tagliarsi la gola da soli o a buttarsi giù da un dirupo. Non c'è da stupirsi se solo pochi stranieri sono riusciti a vedere la terra dei Tarahumara (e ancor meno hanno visto un Tarahumara in carne e ossa).

In qualche modo, però, Cavallo Bianco era riuscito a trovare la strada che porta nel cuore delle Barrancas. E lì, si dice, fu adottato dai Tarahumara, che riconobbero in lui un amico e uno spirito affine: un fantasma tra i fantasmi. Di sicuro condivideva alcune delle loro abilità (invisibilità e resistenza straordinaria) perché, anche se molti lo avevano visto in giro per i canyon, nessuno sapeva dove vivesse o dove sarebbe apparso la volta successiva. Se c'era qualcuno che poteva svelare gli antichi segreti dei Tarahumara, mi fu detto, quello era proprio Caballo, il viandante solitario della Sierra Madre.

La ricerca di Caballo Blanco mi aveva ossessionato a tal punto che, mentre sedevo esausto sul divano dell'hotel, cominciai perfino a immaginare di sentirne la voce. «Qualcosa di simile all'orso Yoghi che ordina dei *burritos* in un Taco Bell» pensai. Un tizio del genere, un viandante che può andare ovunque a patto di non fermarsi da nessuna parte, probabilmente vivrà isolato dal mondo e non avrà molte occasioni di sentire il suono della propria voce. Immaginai che facesse battute strampalate e scoppiasse a ridere da solo. Immaginai che avesse una risata esplosiva e uno spagnolo atroce. E che fosse chiassoso, ciarliero e... e...

Un attimo... Non me lo stavo sognando: *lo stavo sentendo sul serio*. I miei occhi si aprirono di colpo per vedere un cadavere polveroso con indosso un lacero cappello di paglia che scherzava con la ragazza della reception. Tracce di polvere striavano il suo volto scavato come segni mimetici un po' sbiaditi, e dal cappello spuntavano alcune ciocche di capelli schiariti dal sole che solo un machete avrebbe potuto tagliare. Aveva l'aria di un naufrago finito su un'isola deserta, anche a giudicare da come sembrava smanioso di scambiare quattro chiacchiere con l'annoiata ragazza della reception.

«Caballo?» gracchiai.

Il cadavere si voltò e sorrise; e io mi sentii un idiota. Non sembrava affatto diffidente: piuttosto sembrava confuso, come lo sarebbe stato un qualsiasi turista di fronte a uno squilibrato steso su un divano che grida al vento: «Cavallo!».

Non era Caballo. Caballo non esisteva. Tutta questa storia era una bufala e io ci ero cascato come uno scemo.

Poi il cadavere parlò. «Mi conosci?»

«Ehi!» esplosi, scattando in piedi. «Sono davvero felice di averti trovato!»

Il suo sorriso scomparve. Lo sguardo del cadavere puntò la porta, e fu subito chiaro che un secondo dopo il resto del corpo l'avrebbe seguito.

# II

Tutto era cominciato con una semplice domanda a cui sembrava che nessuno sapesse rispondere.

Fu un rompicapo di sei parole a condurmi alla foto di un uomo molto veloce che indossava un gonnellino molto corto, e da quel momento in poi la faccenda si fece sempre più strana. Nel giro di poco tempo avrei avuto a che fare con un omicidio, con guerriglie tra narcotrafficanti e con un uomo senza un braccio che correva tenendo una ciotola di formaggio spalmabile sulla testa. Avrei conosciuto una bella guardia forestale bionda che un giorno si sfilò i vestiti e trovò la salvezza correndo nuda per le foreste dell'Idaho, e una giovanissima surfista con le trecce che correva nel deserto, dritta tra le braccia della morte. Un giovane corridore di talento sarebbe morto. E altri due si sarebbero salvati la vita per un pelo.

In seguito mi sarei imbattuto in un Batman Scalzo... nel Nudista... nei Boscimani Kalahari... nel Mutilato delle Unghie dei Piedi... in un culto consacrato alla corsa sulla lunga distanza e alle feste a sfondo sessuale... nel selvaggio dei monti Blue Ridge... e, infine, nell'antica tribù dei Tarahumara e nel loro tenebroso discepolo, Caballo Blanco.

Alla fine ho ottenuto la risposta che cercavo, ma solo dopo essermi trovato nel bel mezzo della corsa più grandiosa che il mondo abbia mai conosciuto: lo Scontro Podistico Definitivo, una resa dei conti clandestina in cui alcuni dei migliori ultramaratoneti dei nostri tempi avrebbero affrontarono i migliori ultracorridori di *tutti* i tempi, in una corsa di 80 chilometri su sentieri nascosti che solo i piedi dei Tarahumara avevano mai battuto. Sarei rimasto sbigottito dalla scoperta che l'antico detto del *Tao Te Ching* per cui «Il migliore corridore è quello che non lascia tracce» non è una semplice storiella zen per boccaloni, ma è anzi un consiglio assolutamente reale e concreto su come allenarsi.

E tutto ciò mi è capitato solo perché nel gennaio del 2001 feci al mio medico una semplice domanda: «Perché mi fa male il piede?».

Mi rivolsi a uno dei massimi luminari di medicina sportiva degli Stati Uniti, perché a un tratto sembrava che un punteruolo invisibile mi si stesse conficcando dritto nella pianta del piede. La settimana precedente ero uscito per una tranquilla corsetta di 5 chilometri su una strada di campagna innevata quando all'improvviso esplosi in un nitrito di dolore e cominciai a rotolarmi nella neve, afferrandomi il piede destro e gridando improperi. Superato lo shock iniziale, controllai il piede per vedere quanto sangue stavo perdendo. Dovevo averlo messo su un sasso appuntito, pensai, oppure su un vecchio chiodo conficcato nel ghiaccio. Ma non vidi neanche una goccia di sangue, né buchi nella scarpa.

«Il problema è la corsa» fu la conferma che arrivò dal dottor Joe Torg quando, alcuni giorni dopo, entrai zoppicando nel suo ambulatorio di Filadelfia. Di lui ci si poteva fidare: il dottor Torg non solo aveva contribuito a creare il campo della medicina sportiva, ma era anche co-autore di *The Running Athlete* (L'atleta corridore), l'analisi radiografica definitiva di ogni immaginabile infortunio podistico. Dopo avermi fatto una radiografia e avermi guardato arrancare per un po', stabilì che avevo un problema al cuboide, uno degli ossicini paralleli alla volta plantare di cui non avevo mai sospettato l'esistenza fino a quando non aveva deciso di trasformarsi in uno strumento di tortura interno.

«Ma se non corro quasi mai» dissi. «Faccio qualcosa come tre-cinque chilometri un giorno sì e uno no. E non corro nemmeno sull'asfalto, ma quasi sempre su strade sterrate.»

Non importava. «Il corpo umano non è fatto per questo tipo di abusi» rispose il dottor Torg. «Soprattutto il *suo* corpo.»

Sapevo esattamente cosa voleva dire. Con il mio metro e novantacinque di altezza per 95 chili, mi era stato ripetuto già diverse volte che la natura ha disposto che la gente della mia stazza se ne stia sotto un canestro da basket oppure a beccarsi un proiettile al posto del Presidente, anziché sbattere ripetutamente la sua pesante mole sul selciato. E, da quando avevo passato i quaranta, cominciavo anche a capirne il motivo: nei cinque anni trascorsi da quando avevo smesso di giocare a basket e avevo provato a darmi alla maratona, avevo subito uno strappo al tendine del ginocchio (due volte), stiramenti al tendine d'Achille (svariate volte), distorsioni alle caviglie (entrambe, prima una poi l'altra), avevo sofferto di dolore alle piante dei piedi (regolarmente) e mi ero ritrovato a scendere le scale al contrario e in punta di piedi perché avevo i calcagni letteralmente in fiamme. E adesso, a quanto pareva, anche l'ultima parte del piede che sembrava non avermi tradito si era unita alla ribellione.

La cosa strana era che da qualsiasi altro punto di vista sembravo indistruttibile. In qualità di giornalista di «Men's Health» e di columnist della rubrica «Uomini irrequieti» della rivista «Esquire», il mio lavoro consisteva perlopiù nello sperimentare sport semiestremi. Avevo affrontato rapide di classe IV su una tavola da body, avevo praticato snowboard su gigantesche dune di sabbia, ero andato in mountain bike tra i calanchi del North Dakota. Avevo anche fatto il reporter da tre diverse zone di guerra per l'Associated Press e trascorso mesi in alcune delle regioni più fuori controllo dell'Africa, il tutto senza mai procurarmi un graffio. In compenso, bastava una corsetta di qualche chilometro ed ecco che cominciavo a rotolarmi a terra come se mi avessero sparato in pancia da una macchina in corsa.

In un qualsiasi altro sport, un tipo d'infortunio come questo avrebbe dimostrato che in me c'era qualcosa che non andava. Nella corsa, questo dimostrava invece la mia perfetta normalità. I veri mutanti sono i corridori che *non* s'infortunano. Otto corridori su dieci si infortunano *ogni anno*. Non importa se siete robusti o mingherlini, veloci o lenti, maratoneti professionisti o arrancatori della domenica: avete altrettante probabilità di chiunque altro di rovinarvi le ginocchia, gli stinchi, i tendini, le anche e le caviglie. La prossima volta che vi disponete sulla linea di partenza di una qualche gara podistica, guardate a destra e a sinistra: statisticamente, solo uno di voi sarà abbastanza in forma da poter partecipare a una gara il mese successivo.

Nessuna invenzione, finora, è riuscita a rallentare il massacro; al giorno d'oggi potete anche acquistare scarpe da corsa con molle d'acciaio inserite nelle suole o Adidas che regolano l'ammortizzazione grazie a un microchip, ma ciò nonostante negli ultimi trent'anni non c'è stato modo di ridurre il tasso di infortuni. Anzi, in realtà è perfino un po' cresciuto: i problemi al tendine d'Achille per esempio hanno subito un incremento del 10 per cento. La corsa sembra la versione sportiva della guida in stato di ebbrezza: per un po' vi può anche andare liscia, e può anche darsi che vi divertiate, ma la catastrofe è sempre dietro l'angolo.

«Ma guarda un po' che sorpresa!» ci deride la medicina sportiva. Be', non proprio così, magari con qualcosa del tipo: «Gli atleti la cui attività comporta la corsa stressano enormemente le gambe» (secondo quanto dichiarato dal «Bollettino degli infortuni sportivi»). Oppure: «Ogni passo di corsa carica una gamba con una forza pari a più del doppio del peso corporeo. E proprio come un martellamento continuo, finirà prima o poi per ridurre in polvere anche la roccia apparentemente più impenetrabile: il carico di sforzo associato alla corsa può finire per rovinare ossa, cartilagini, muscoli, tendini e legamenti». Un rapporto dell'Associazione americana di chirurgia ortopedica conclude quindi che la corsa sulla lunga distanza è «un'oltraggiosa minaccia all'integrità del ginocchio».

Purtroppo, questo «oltraggio» non colpisce una roccia impenetrabile, bensì uno dei punti più sensibili del corpo umano. Sapete che tipo di nervi avete nei vostri piedi? Gli stessi che avete nei genitali. I piedi sono come un secchio pieno di neuroni sensibili che si agitano alla ricerca di una sensazione. Stimolate solo un po' questi nervi e l'impulso si diffonderà sfrecciando in tutto il vostro sistema nervoso; è lo stesso motivo per cui quando vi fanno il solletico ai piedi vi si sovraccarica la centralina del cervello e tutto il corpo viene scosso da spasmi.

Non c'è da stupirsi quindi se i dittatori sudamericani si trasformavano in feticisti del piede quando avevano a che fare con i dissidenti più ostinati; il *bastinado*, la tecnica per cui si legano le vittime e si colpiscono sulle piante dei piedi con una verga, fu sviluppato dall'Inquisizione spagnola ed entusiasticamente adottato in tutto il mondo dai sadici più sfrenati. I Khmer Rossi e l'inquietante figlio di Saddam Hussein, Uday, erano fan sfegatati del *bastinado*, e questo perché erano ottimi conoscitori dell'anatomia: solo la faccia e le mani possono competere con i piedi, quanto a capacità di stimolare immediatamente il cervello. Quando si tratta di sentire la morbida carezza di un minuscolo granello di sabbia, le vostre dita dei piedi sono altrettanto ultrasensibili delle vostre labbra o dei vostri polpastrelli.

«Quindi non c'è niente che si possa fare?» chiesi al dottor Torg.

Lui scrollò le spalle. «Può anche continuare a correre, ma finirà col tornare qui e implorarmi di dargliene ancora» disse, dando un colpetto con l'unghia alla gigantesca siringa piena di cortisone che stava per infilarmi nel piede. Inoltre avevo bisogno di un tutore su misura (400 dollari) da inserire nelle scarpe da corsa con sistema *motion-control* (dai 150 dollari in su, e visto che avrei dovuto alternarne due paia facevano come minimo 300 dollari). Ma tutto ciò sarebbe servito solo a rimandare l'articolo più costoso: il mio prossimo immancabile ritorno in questa sala d'aspetto.

«Vuole sapere qual è il mio consiglio?» concluse il dottor Torg. «Si compri una bicicletta.»

Lo ringraziai, promisi di seguire il suo consiglio e non appena gli voltai le spalle decisi di consultare un altro medico. L'esimio Torg comincia a essere anzianotto, mi dissi; forse il suo suggerimento era stato un po' troppo conservatore, e la sua iniezione di cortisone un po' troppo affrettata. Chiesi consiglio a un mio amico medico, e lui mi indirizzò da un podologo sportivo (che per di più era anche un maratoneta) col quale fissai immediatamente un appuntamento per la settimana successiva.

Il podologo mi fece un'altra radiografia e poi mi esaminò il piede tastandolo coi pollici. «Sembra che abbia una sindrome del cuboide» concluse. «Possiamo eliminare l'infiammazione con un po' di cortisone, ma poi avrà bisogno di un tutore.»

«Maledizione» mormorai. «È la stessa cosa che mi ha detto Torg.»

Il podologo stava uscendo dalla stanza per andare a prendere la siringa, ma si fermò di colpo. «È già stato da Joe Torg?»

«Sì.»

«E le ha fatto anche un'iniezione di cortisone?»

«Be'... Sì.»

«Allora perché è venuto qui?» chiese. Sembrava diventato improvvisamente impaziente e un po' diffidente, come se pensasse che ci provavo gusto a farmi conficcare dei grossi aghi nella zona più delicata del piede. Forse sospettava che fossi un masochista drogato, con dipendenza congiunta da dolore *e* antidolorifici.

«Lei sa che il dottor Torg è il padre della medicina sportiva, vero? Le sue diagnosi di solito sono tenute in grande considerazione.»

«Lo so. Volevo solo un secondo parere.»

«Non le farò un'altra iniezione di cortisone, ma possiamo organizzare una seduta per prendere le misure per il tutore. E dovrebbe anche cominciare a pensare seriamente a qualche altra attività, oltre alla corsa.»

«D'accordo» dissi. Era un corridore migliore di quanto io fossi mai stato, e aveva appena confermato il verdetto di un medico che aveva immediatamente riconosciuto come il guru dei medici sportivi. La diagnosi non si poteva più discutere. Fu così che decisi di cercare un terzo dottore.

Non che io sia così incredibilmente testardo. E non sono neanche così appassionato di corsa. Facendo la somma di tutti i chilometri che avevo corso in vita mia, la metà era stata di una fatica lancinante. Eppure c'era qualcosa che non mi andava giù, in questa storia, e anche se erano vent'anni che non leggevo *Il mondo secondo Garp*, c'era una scena minore che non avevo mai scordato (non quella a cui state pensando): continuava a tornarmi in mente il modo in cui Garp schizzava fuori dalla porta, nel bel mezzo di un giorno lavorativo, per farsi una corsa di 8 chilometri. C'è qualcosa di veramente universale in quella sensazione, nel modo in cui la corsa fonde i nostri due impulsi primordiali: la paura e il piacere. Corriamo quando siamo spaventati, corriamo quando siamo in estasi, corriamo via dai problemi e corriamo per divertimento.

E quando le cose sembrano volgere al peggio, ecco che ci mettiamo a correre più che mai. L'America conta tre momenti d'oro della corsa di fondo, e tutti e tre hanno coinciso con una grande crisi nazionale. Il primo picco si verificò durante la Grande Depressione, quando più di duecento corridori lanciarono la moda della corsa di fondo partecipando alla Great American Footrace, una gara che attraversò il paese con tappe di 65 chilometri al giorno. La corsa poi andò un po' in letargo, per risvegliarsi di nuovo nei primi anni Settanta, quando ci azzuffavamo per il Vietnam, per la Guerra fredda, per le rivolte razziali, per un presidente criminale e per gli assassinii di tre amati leader. E il terzo boom della distanza? Un anno dopo gli attacchi dell'11 Settembre la corsa di fondo è diventata improvvisamente lo sport all'aperto in più rapida espansione nel paese. Forse si tratta solo di coincidenze. O forse c'è un grilletto nella psiche umana, una risposta codificata che attiva la nostra prima e più grande abilità di sopravvivenza quando sentiamo che i predatori ci sono alle calcagna. La corsa (prima di avere l'età per cominciare a fare sesso) è la principale fonte di piacere per i sensi e di sollievo contro lo stress. L'equipaggiamento necessario e il desiderio ci vengono forniti di serie: tutto quello che dobbiamo fare è lasciarci andare e goderci il viaggio.

Era quello che stavo cercando; non qualche costoso pezzo di plastica da ficcarmi nella scarpa, non un mese di antidolorifici: solo un modo di lasciarmi andare, magari senza cadere a pezzi. Non ero un fan sfegatato della corsa, però *volevo* correre. E fu questo a portarmi a bussare alla porta del Medico Numero Tre: la dottoressa Irene Davis, esperta di biomeccanica e direttore della Clinica per infortuni podistici dell'Università del Delaware.

La dottoressa Davis mi mise su un tapis roulant, prima a piedi nudi e poi con tre tipi differenti di scarpe da corsa. Mi fece camminare, trotterellare e poi correre come un matto su una piattaforma di forza, per misurare i traumi da impatto dei miei passi. Poi mi sedetti e guardai con orrore il video dei miei esercizi che lei trasmetteva su un monitor.

Se chiudo gli occhi e cerco di immaginarmi durante una corsa, mi vedo come un leggero e agile cacciatore navajo. Il tizio che vedevo sullo schermo, invece, sembrava un Frankenstein che provava a cimentarsi con dei passi di tango. Mi muovevo in modo così scoordinato che la testa ogni tanto usciva dall'inquadratura. Le braccia si aprivano e si chiudevano come quelle di un naufrago su un'isola deserta che cerca di attirare l'attenzione di una nave, mentre i piedi (numero 49) sbattevano al suolo con un rumore che faceva sospettare che il video avesse un sottofondo di bonghi.

Come se non bastasse, la dottoressa Davis fece ripartire il filmato, stavolta al rallentatore, in modo che potessimo rilassarci e apprezzare con calma il modo in cui il piede destro puntava verso l'esterno e il ginocchio sinistro verso l'interno; i muscoli della schiena invece si contraevano così malamente che sembravo un epilettico cui si dovesse mettere al più presto una penna tra i denti mentre veniva chiamata d'urgenza un'ambulanza. Era difficile capire come diavolo riuscissi anche solo a muovermi, visti tutti quei sussulti, sobbalzi, sbilanciamenti e ciondolamenti in perfetto stile «pesce all'amo».

«Ok» dissi. «Qual è il modo giusto per correre?»

«Questa è l'eterna domanda» rispose la dottoressa Davis.

E quanto all'eterna risposta... be', era piuttosto complicata. Avrei potuto aggiustare l'andatura e ammortizzare un po' i traumi poggiando sul centro del piede, dove si trova un po' più di carne, anziché sull'ossuto tallone, *mappurtroppo...* avrei solamente sostituito una serie di problemi con altri. Correre ai ripari modificando l'andatura poteva caricare all'improvviso il tendine d'Achille di uno stress a cui non era abituato e provocare nuove lesioni.

«Per le gambe la corsa è un'attività molto dura» disse la dottoressa Davis. Aveva un'aria come se volesse scusarsi, e io dedussi ciò che in realtà stava pensando: «specialmente per le *tue* gambe, omaccione».

Ero tornato al punto di partenza. Dopo mesi di visite specialistiche e ricerche online di studi di fisiologia, la mia domanda iniziale mi era rimbalzata addosso:

Perché mi fa male il piede?

*Perché correre ti fa male.*

E perché correre mi fa male?

*Perché ti fa male al piede.*

D'accordo. Ma *perché*?

Le antilopi non si fanno ingessare le zampe. I lupi non si mettono la borsa del ghiaccio sulle ginocchia. Dubito fortemente che l'80 per cento dei cavalli selvaggi siano colpiti ogni anno da infortuni podistici. Tutto ciò mi fece pensare a un proverbio, attribuito a Roger Bannister, il quale (mentre studiava medicina, lavorava come ricercatore clinico e inventava efficaci storielle) fu il primo uomo a rompere il muro dei 4 minuti al miglio: «Ogni mattina, in Africa, una gazzella si sveglia e sa che dovrà correre più veloce del leone più veloce, altrimenti sarà uccisa. Ogni mattina, in Africa, un leone si sveglia e sa che dovrà correre più veloce della gazzella più lenta, altrimenti morirà di fame. Non importa se sei un leone o una gazzella: non appena il sole si leva, è meglio se ti metti a correre».

Quindi, per quale motivo ogni mammifero sulla faccia del pianeta dovrebbe essere in grado di fare affidamento sulle proprie gambe, eccetto noi? Pensateci: come ha fatto un tizio come Bannister a precipitarsi ogni giorno fuori dal laboratorio, andare a correre su una dura pista da atletica indossando unicamente sottili pantofole di pelle, e non solo diventare sempre più veloce, ma non farsi mai male? Come è possibile che alcuni se ne stiano là fuori, a correre in maniera leonesca (e bannisteriana) ogni mattina non appena sorge il sole, mentre il resto di noi ha bisogno di una dose di ibuprofene prima di poter poggiare un piede sul pavimento?

Erano ottime domande. Ma avrei scoperto presto che gli unici a possedere le risposte (o meglio: i soli a *vivere* quelle risposte) non parlavano.

E, soprattutto, di certo non con uno come me.

Nell'inverno del 2003 ero in Messico per lavoro quando mi ritrovai a sfogliare una rivista di viaggi in spagnolo.

Improvvisamente, una foto di Gesù che correva giù per un pendio roccioso attirò la mia attenzione.

Un'ispezione più accurata rivelò che probabilmente non si trattava di Gesù, anche se di sicuro era un uomo in toga e sandali che si lanciava di corsa giù da una montagna di macerie. Cominciai a tradurre la didascalia, senza capire come mai fosse scritta al presente; sembrava una nuova leggenda di Atlantide che riguardava un impero estinto abitato da esseri superiori illuminati. Ci misi un po' a capire che non mi stavo sbagliando, fatta eccezione per «estinto» e «leggenda».

Il «New York Times Magazine» mi aveva mandato in Messico con lo scopo di seguire le tracce di una popstar scomparsa e del suo culto segreto con annesso lavaggio del cervello, ma l'articolo che stavo scrivendo improvvisamente mi sembrò di una noia mortale rispetto a quello che stavo leggendo. Le bizzarre popstar in fuga vanno e vengono, mentre i Tarahumara sembravano esistere da sempre. Lasciata in pace nei misteriosi canyon in cui aveva trovato rifugio, la piccola tribù di eremiti sembrava aver risolto praticamente ogni problema noto all'uomo. Qualunque argomento scegliate – mente, corpo, anima – scoprirete che i Tarahumara sono sulla via della perfezione. È come se avessero segretamente trasformato le loro grotte in incubatori per premi Nobel, che lavoravano sodo per debellare l'odio, le malattie cardiache, le ingessature e l'effetto serra.

Nella terra dei Tarahumara non esistono crimini, né guerre, né furti. Non ci sono corruzione, obesità, dipendenza da droghe, avidità, violenze domestiche, pedofilia, disturbi cardiaci, pressione alta o emissioni di anidride carbonica. Non hanno il diabete, non si deprimono e non invecchiano neppure: un cinquantenne può correre più veloce dei giovani, e un bisnonno ottantenne può farsi delle passeggiate in montagna lunghe quanto una maratona. I loro tassi di tumore sono a malapena rilevabili. I geni tarahumara si sono dati anche all'economia, creando un sistema finanziario unico basato sugli alcolici e su atti casuali di gentilezza: anziché moneta, scambiano favori e grossi boccali di birra di mais.

Potreste immaginare che un'economia alimentata da alcol e gesti di generosità inneschi una spirale di festini in cui gente ubriaca cerca di arraffare tutto il possibile e in cui tutti sgomitano per il proprio tornaconto, come giocatori d'azzardo rimasti al verde attorno al buffet di un casinò, e invece no: nella terra dei Tarahumara questo sistema funziona alla perfezione. Forse il motivo è che i Tarahumara sono laboriosi e onesti in modo non umano; uno studioso arrivò a pensare che dopo tante generazioni di sincerità assoluta, il cervello tarahumara fosse diventato chimicamente incapace di formulare bugie.

E, come se essere il popolo più gentile e felice del pianeta non fosse abbastanza, i Tarahumara erano anche il popolo più forte: l'unica cosa che poteva competere con la loro serenità sovrumana sembrava essere la loro sovrumana tolleranza al dolore e alla *lenchuguilla*, una terribile tequila fatta in casa, ottenuta dalla fermentazione di cadaveri di serpenti a sonagli e linfa di cactus. Secondo uno dei pochi osservatori esterni che abbiano mai dato testimonianza di un classico *rave* tarahumara al completo, i partecipanti erano così devastati che le donne a un tratto si strappavano le vesti a vicenda e davano il via a un enorme wrestling a petto nudo, mentre un vecchio schiamazzante girava loro intorno cercando di colpirle sul didietro con un tutolo. Gli uomini, nel frattempo, restavano immobili a guardare lo spettacolo con occhi vitrei. Gli sfrenati festeggiamenti degli studenti universitari durante lo *spring break* a Cancún non offrono niente di più delle Barrancas sotto la luna piena d'autunno.

I Tarahumara possono festeggiare in questo modo tutta la notte e poi alzarsi la mattina dopo e gareggiare in una corsa che può durare non 3 chilometri, non due ore, ma *due giorni interi*. Secondo lo storico messicano Francisco Almada, un campione tarahumara una volta corse per 700 chilometri, che sarebbe come uscire di casa a New York e correre finché non si è arrivati dalle parti di Detroit. Altri corridori tarahumara si dice abbiano corso quasi 500 chilometri in una volta sola, l'equivalente di dodici maratone, una dietro l'altra, mentre il sole sorgeva, tramontava e sorgeva di nuovo.

I Tarahumara per di più non si spostavano comodamente su strade lisce e asfaltate, ma si inerpicavano per i canyon su scoscesi sentieri creati dai loro stessi piedi. Lance Armstrong, uno degli atleti più dotati di resistenza di tutti i tempi, non sarebbe riuscito ad arrivare al termine della sua prima maratona se non si fosse aiutato succhiando un gel energetico praticamente ogni miglio. (Dopo la maratona di New York, Lance mandò il seguente messaggio alla sua ex moglie: «Oh. Mio. Dio. Ahi. Terribile».) E questi tizi riuscivano a farsi dodici maratone alla volta?

Nel 1971 un fisiologo americano andò a piedi nei Copper Canyon e restò così impressionato dall'atleticità dei Tarahumara che dovette risalire a duemilaottocento anni prima per avere una scala ragionevole sulla quale valutarli. «Probabilmente una condizione fisica del genere non si era raggiunta dai tempi degli antichi Spartani» concluse il dottor Dale Groom, pubblicando le sue scoperte sull'«American Heart Journal». A differenza degli Spartani, però, i Tarahumara sono innocui come un popolo composto solo di Dalai Lama: non usano la loro superforza per prendere a calci la gente, ma per vivere in pace. «La loro cultura è uno dei grandi misteri irrisolti» dice il dottor Daniel Noveck, un antropologo dell'Università di Chicago specializzato nei Tarahumara.

I Tarahumara sono talmente misteriosi, in effetti, che sono conosciuti con uno pseudonimo. Il loro vero nome è Rarámuri: il Popolo Corridore. Furono soprannominati Tarahumara dai *conquistadores* spagnoli, che non capivano la loro lingua. Quel nome imbastardito restò loro attaccato perché reagirono come c'era da aspettarsi: corsero via, invece di fermarsi a mettere i puntini sulle i. Risposero all'aggressione con le loro gambe, come avevano imparato dall'atavica tradizione dei Rarámuri. Da quando gli invasori armati al seguito di Cortés arrivarono a far tintinnare le armature nella loro terra, passando per le invasioni successive dei domatori di cavalli di Pancho Villa e quelle dei signori della droga messicani, i Tarahumara hanno sempre risposto agli attacchi correndo più lontano e più veloci di chiunque li inseguisse, e ritirandosi sempre più all'interno delle Barrancas.

«Dio, devono essere incredibilmente disciplinati» pensai. «Concentrazione totale e massima dedizione. Una specie di monaci Shaolin della corsa.»

Be', non esattamente. Quando si tratta di fare delle maratone, i Tarahumara preferiscono un approccio un po' più carnevalesco. In termini di dieta, stile di vita e postumi da sbronza sarebbero l'incubo di qualsiasi personal trainer. Bevono come se l'Ultimo dell'anno avesse una cadenza settimanale, ingurgitando abbastanza birra di mais da passare alticci o con i postumi da sbronza un terzo della loro vita da adulti. Al contrario di Lance, i Tarahumara non riforniscono il loro organismo con bevande sportive energizzanti ricche di elettroliti. Non integrano l'alimentazione, tra un allenamento e l'altro, con barrette proteiche; in effetti, quasi non mangiano proteine, nutrendosi di poco altro oltre al mais accompagnato dalla loro prelibatezza preferita: topo alla griglia. Nei giorni che precedono le corse, i Tarahumara non si allenano né adottano strategie di riposo pre-gara. Non fanno stretching né riscaldamento. Passeggiano fino alla linea di partenza, ridendo e scherzando... e poi corrono come indemoniati per le successive quarantott'ore.

«Com'è possibile che non si facciano mai male?» mi chiedevo. È come se ci fosse stato un errore di trascrizione e qualcuno avesse scritto i dati nella colonna sbagliata: ma come, scusate, non dovremmo essere *noi* (quelli con scarpe da corsa all'avanguardia e tutori su misura) a non avere problemi, e i Tarahumara (che corrono molto di più, su terreni rocciosi, con scarpe che difficilmente si possono definire tali) ad avere costantemente dei problemi?

«Hanno gambe più forti, dato che hanno corso per tutta la vita» pensai, prima di accorgermi da solo di aver detto una stupidaggine. «Questo significherebbe che dovrebbero essere colpiti *di più* e non di meno: se la corsa fa male alle gambe, allora correre molto dovrebbe essere molto peggio che correre poco.»

Misi da parte l'articolo, sentendomi tanto intrigato quanto disturbato. Tutto ciò che riguardava i Tarahumara sembrava far capo a un mondo alla rovescia, beffardo e inafferrabile in modo irritante come l'enigma di un maestro zen. I tizi più duri erano anche i più gentili; le gambe più tartassate erano le più dinamiche; la gente più sana era quella che mangiava schifezze; la razza analfabeta era la più saggia; i tizi che lavoravano più duramente erano quelli che si divertivano di più...

E cosa c'entrava la corsa con tutto questo? Era una coincidenza che il popolo più illuminato del mondo avesse i corridori più stupefacenti? Un tempo gli americani che erano alla ricerca di questo tipo di saggezza andavano a scalare l'Himalaya: e pensare che avrebbero potuto trovarla anche a due passi dal confine del Texas...

# III

Capire esattamente *dove* al di là del confine, tuttavia, non era affatto semplice.

La rivista «Runner's World» mi dette l'incarico di avventurarmi nelle Barrancas in cerca dei Tarahumara. Ma prima che potessi iniziare la mia ricerca dei fantasmi, avevo bisogno di trovare un cacciatore di fantasmi. Salvador Holguín, mi dissero, era l'unico che poteva fare al caso mio.

Di giorno, Salvador è un trentatreenne impiegato municipale a Guachochi, una città di frontiera vicino ai Copper Canyon. Di notte frequenta i bar in qualità di cantante mariachi, e ne ha tutta l'aria; con la sua pancetta alcolica, gli occhi neri e lo sguardo di uno che tiene una rosa tra i denti, è il ritratto sputato di un uomo che si divide tra la scrivania dell'ufficio e lo sgabello di un bar. Il fratello di Salvador, invece, è l'Indiana Jones del sistema scolastico messicano; ogni anno carica un asinello di matite e sussidiari e si apre la strada attraverso la boscaglia fino alle Barrancas per rifornire le scuole che si trovano in fondo al canyon. Siccome Salvador è pronto praticamente a tutto, qualche volta ha mollato il lavoro per accompagnare il fratello in queste spedizioni.

«*No problem, hombre*» mi disse, quando alla fine riuscii a scovarlo. «Andremo insieme da Arnulfo Quimare...»

Se si fosse limitato a questo, sarei andato in estasi. Mentre ero in cerca di una guida, avevo saputo che Arnulfo Quimare era il più grande corridore tarahumara vivente e veniva da un clan di cugini, fratelli, cognati e nipoti che erano forti quasi quanto lui. La prospettiva di andare dritto nelle capanne nascoste della dinastia Quimare era il massimo a cui potessi aspirare. Il problema era che Salvador non aveva ancora finito la frase.

«... sono *quasi* sicuro di sapere la strada» continuò. «Non ci sono mai stato, in realtà. *Pues lo que sea*. Be', vedremo. Lo troveremo. Prima o poi.»

Normalmente una frase del genere sarebbe suonata piuttosto scoraggiante, ma rispetto a tutto quello che mi era stato raccontato, la risposta di Salvador mi parve di uno sfrenato ottimismo. Da quando si erano dileguati in una terra di nessuno quattrocento anni fa, i Tarahumara avevano passato il tempo a perfezionare l'arte dell'invisibilità. Molti Tarahumara vivono ancora in caverne che si aprono su dirupi e che possono essere raggiunte solo con lunghe pertiche; una volta entrati, tirano su le pertiche e scompaiono nella roccia. Altri vivono in capanne così ingegnosamente mimetizzate che il grande esploratore norvegese Carl Lumholtz rimase sbigottito quando scoprì di aver attraversato un intero villaggio tarahumara senza notare un solo indizio della presenza di case o di esseri umani.

Lumholtz era un tipo tosto, un vero intenditore di luoghi sperduti; aveva passato diversi anni in compagnia dei cacciatori di teste del Borneo prima di spostarsi nella terra dei Tarahumara alla fine degli anni Novanta del XIX secolo. Ma vi potete immaginare come perfino la sua forza d'animo vacillò quando, dopo aver sfidato la morte attraversando deserti e scalando temibili dirupi, arrivò nel cuore della terra dei Tarahumara e vi trovò...

Be', nessuno.

«Guardare questi monti è una sensazione che rinfranca l'anima; ma viaggiare al di là di essi è un'esperienza che sfinisce i muscoli e la pazienza» scrisse Lumholtz in *Un-*

*known Mexico: A Record of Five Years' Exploration Among the Tribes of the Western Sierra Madre* (Messico sconosciuto: resoconto di cinque anni di esplorazione tra le tribù della Sierra Madre occidentale). «Nessuno, tranne chi ha viaggiato tra le montagne messicane, può capire e apprezzare le difficoltà e l'ansia che un viaggio del genere può provocare.»

E questo ammesso anzitutto che riusciate ad arrivare alle montagne. «In primo luogo, la regione dei Tarahumara appare inaccessibile» si lamentava negli anni Trenta il drammaturgo francese Antonin Artaud, dopo aver sudato sette camicie per farsi strada fino ai Copper Canyon alla ricerca della saggezza sciamanica. «Al massimo, potrete imbattervi in qualche pista segnata a malapena, che ogni venti metri scompare nel terreno.» Quando Artaud e le sue guide infine trovarono un sentiero praticabile, dovettero faticare un bel po' prima di riuscire a imboccarlo: in base al principio per cui il miglior trucco per togliersi di dosso gli inseguitori era passare dove solo uno scriteriato li avrebbe seguiti, i percorsi tracciati dai Tarahumara si snodano su pendii così scoscesi da rasentare il tentativo di suicidio.

«Un passo falso» annotava nel suo diario un avventuriero di nome Frederick Schwatka durante una spedizione nei Copper Canyon del 1888 «potrebbe spedire direttamente lo scalatore sessanta o novanta metri più giù, in fondo al canyon, probabilmente ridotto a un corpo maciullato.»

E Schwatka non era un lezioso poeta parigino: era un tenente dell'esercito americano sopravvissuto alle guerre di frontiera cui aveva assistito tra i Sioux come antropologo dilettante; ne sapeva parecchio, quindi, di corpi maciullati. Aveva anche viaggiato per le terre più selvagge e pericolose dei suoi tempi, compresa una terrificante spedizione di due anni al Circolo polare artico, ma quando arrivò ai Copper Canyon dovette rivedere le sue tabelle. Analizzando l'immensa natura selvaggia che lo circondava, Schwatka sentì un breve fremito di ammirazione («Il cuore delle Ande o le creste dell'Himalaya non offrono scenari più sublimi di queste selvagge e sconosciute forze della Sierra Madre messicana»), prima di essere assalito nuovamente da un estremo sconcerto: «Come riescano ad allevare i bambini su questi dirupi senza perderne il cento per cento ogni anno è per me uno dei misteri più impenetrabili legati a questo strano popolo».

Anche oggi che internet ha ridotto il mondo a un villaggio globale e i satelliti di Google vi permettono di spiare il cortile di uno sconosciuto dall'altra parte del paese, i Tarahumara restano una presenza inafferrabile quanto lo erano quattrocento anni fa. Verso la metà degli anni Novanta un gruppo di esploratori, durante una spedizione nel profondo delle Barrancas, furono improvvisamente colti dall'inquietante sensazione di essere osservati da occhi invisibili:

«Il nostro piccolo gruppo si era inerpicato per ore nella Barranca del Cobre (il Copper Canyon) senza notare alcuna traccia della presenza di esseri umani» scrisse un membro della spedizione. «Adesso, nel cuore di un canyon perfino più profondo del Grand Canyon, sentivamo il rimbombo dei tamburi dei Tarahumara. Il loro semplice battito all'inizio era debole, ma presto cominciò ad acquistare forza. Dato che riecheggiava tra le pareti rocciose, era impossibile stabilire quanti fossero i tamburi e da dove provenisse il suono. Chiedemmo aiuto alla nostra guida. "*¿Quién sabe?*" rispose. "Chissà. Non è possibile vedere i Tarahumara, a meno che non siano loro a volerlo."»

La luna era ancora alta quando ci accomodammo nel fidato pick-up quattro per quattro di Salvador. Prima dell'alba ci eravamo lasciati alle spalle l'asfalto e stavamo procedendo a fatica lungo una stradicciola sterrata, più simile al letto di un torrente che a una strada vera e propria, sempre in prima, tra beccheggi e rollii degni di un vaporetto sperduto in mezzo all'oceano in tempesta.

Cercavo di calcolare la nostra posizione con l'aiuto di

una mappa e di una bussola, ma non avrei saputo dire se Salvador facesse apposta a girare in tondo oppure se stava cercando di evitare un ostacolo. Presto diventò indifferente sapere dove ci trovavamo: eravamo fuori dal mondo conosciuto, e continuavamo a fare una serpentina dopo l'altra su uno stretto viottolo tra gli alberi, in una zona in cui la mappa mostrava solo una foresta incontaminata.

«*Mucha mota por aquí*» disse Salvador, turbinando un dito a indicare le colline che ci circondavano. C'è un bel po' di marijuana, da queste parti.

Poiché per la polizia è impossibile presidiare le Barrancas, queste si sono trasformate nella base per due cartelli della droga rivali, Los Zetas e i New Bloods. Entrambi erano composti da ex militari delle forze speciali ed erano assolutamente spietati. Gli Zetas erano famosi perché erano soliti immergere i poliziotti che non si mostravano abbastanza compiacenti in barili di gasolio in fiamme e usavano dare in pasto alla mascotte della gang (una tigre del Bengala) i prigionieri delle gang rivali. Una volta che le vittime smettevano di urlare, le loro teste, bruciate o rosicchiate dalla tigre, venivano accuratamente raccolte e conservate come gadget. I cartelli della droga avevano anche il vezzo di marcare il loro territorio; per esempio una volta misero le teste di due poliziotti infilzate su due pali di fronte a un edificio governativo, aggiungendo un cartello con la scritta IMPARATE UN PO' DI RISPETTO. Qualche giorno dopo fecero rotolare cinque teste sulla pista di un'affollata discoteca. Anche a una certa distanza da lì, ai margini delle Barrancas, ogni settimana spuntavano all'incirca sei cadaveri.

Tutto ciò, però, sembrava non scalfire Salvador, che continuava a guidare per il bosco, canticchiando con voce roca qualche storia su un reggiseno pieno di brutte notizie di nome Maria. Improvvisamente, la canzone gli morì in gola. Spense subito l'autoradio e fissò lo sguardo su un pick-up Dodge rosso con i vetri posteriori oscurati, che spuntò dalla polvere davanti a noi.

«*Narcotraficantes*» mormorò.

Salvador si accostò più che poteva al precipizio sulla nostra destra e rallentò ulteriormente, scendendo con deferenza dalla media di 15 chilometri all'ora che avevamo tenuto lungo tutto il percorso fino a fermarsi per concedere al grosso Dodge rosso ogni centimetro disponibile della strada.

«Non vogliamo creare nessun problema» era il messaggio che cercava di mandare. «Pensiamo solo ai fatti nostri, che non riguardano affatto la vostra *mota*. Non fermatevi, per favore...» E in fondo cosa avremmo potuto dire se ci avessero tagliato la strada e si fossero avventati fuori dal Dodge chiedendoci di spiegare lentamente e con chiarezza perché diavolo eravamo nel bel mezzo delle loro piantagioni di marijuana?

Non potevamo nemmeno dire loro la verità; anche se ci avessero creduto, saremmo stati comunque uomini morti. Se c'era una cosa che i narcotrafficanti messicani odiavano più dei poliziotti, erano i cantanti e i giornalisti. Quando dico che odiavano i cantanti non mi riferisco a qualche gergo locale per indicare gli spioni e gli informatori della polizia: mi riferisco proprio ai *veri* cantanti, gli strimpellatori di chitarra che cantavano canzoni melodiche sull'amore guadagnandosi un odio feroce da parte loro. Quindici cantanti erano stati giustiziati dalle gang di narcotrafficanti negli ultimi diciotto mesi, compresa la bellissima Zayda Peña, la ventottenne cantante e leader degli Zayda y Los Culpables. A Zayda avevano sparato dopo un concerto ma, dato che era sopravvissuta all'attentato, la squadra dei sicari la seguì fino all'ospedale per ucciderla non appena uscita dalla sala operatoria. Il giovane idolo Valentín Elizalde fu invece ucciso da una raffica di proiettili di un AK-47 poco oltre il confine con McAllen, Texas, mentre Sergio Gómez fu ammazzato poco dopo aver ottenuto la nomination per un Grammy; prima gli dettero fuoco ai genitali, poi lo strangolarono a morte e lo scaricarono in strada. A quanto ne sappiamo, ciò che li aveva condannati era stata la loro fama, la loro avvenenza e il loro talento; i cantanti sfidavano l'importanza di cui i signori della droga amavano fregiarsi, e questo era sufficiente a condannarli a morte.

Ma se la bizzarra *fatwa* contro i cantanti era emotiva e imprevedibile, la questione dei giornalisti era invece decisamente professionale. Gli articoli sui cartelli della droga venivano ripresi dai giornali statunitensi, mettevano in imbarazzo i politici e questi finivano per far pressione sulla DEA (la polizia specializzata nella lotta alla droga) perché usasse la mano pesante. Gli Zetas, infuriati, lanciavano bombe a mano nelle sedi dei giornali e una volta mandarono perfino dei sicari oltre il confine con gli Stati Uniti per far fuori alcuni giornalisti ficcanaso. In sei anni furono uccisi trenta giornalisti, dopo di che l'editore del giornale di Villahermosa si trovò davanti all'ufficio la testa mozzata di uno spacciatore di poco conto di un cartello della droga, con un biglietto che recitava: «Il prossimo sei tu». Il numero delle vittime era così alto che il Messico era secondo solo all'Iraq quanto a numero di giornalisti uccisi o rapiti.

E ora noi due potevamo risparmiare un po' di lavoro alla gang: un cantante e un giornalista erano appena andati dritti in bocca ai feroci leoni della droga. Infilai il taccuino nei pantaloni e cercai rapidamente altre cose da nascondere. Era una battaglia persa; cassette del gruppo di Salvador erano sparse ovunque, io avevo nel portafoglio il mio tesserino rosso di giornalista e davanti a me c'era uno zaino pieno di registratori e penne, oltre a una macchina fotografica.

La Dodge rossa si affiancò a noi. Era un glorioso giorno di sole, con una brezza fresca che profumava di pino, ma i finestrini del pick-up erano ermeticamente chiusi e nascondevano nel mistero dei vetri oscurati l'equipaggio della macchina. Il veicolo rallentò rumorosamente.

«Non vi fermate» salmodiai dentro di me. «Nonvifermate, nonvifermate, vipregononvifermate...»

Si fermarono. Volsi rapidamente gli occhi a sinistra e vidi Salvador che guardava fisso davanti a sé, con le mani paralizzate sul volante. Mi misi anch'io a guardare davanti a me senza muovere un muscolo.

Restammo fermi.

Loro restarono fermi.

Rimanemmo in silenzio.

Anche loro.

«Sei omicidi la settimana» pensavo. «Gli hanno dato fuoco alle palle.» Vedevo distintamente la mia testa rotolare tra i piedi dei ballerini presi dal panico nel bel mezzo di una discoteca di Chihuahua.

Improvvisamente, un ruggito squarciò l'aria. I miei occhi diedero nuovamente un'occhiata a sinistra. Il Dodge rosso stava tornando alla vita e passò oltre in mezzo ai suoi borbottii.

Salvador guardò nello specchietto retrovisore finché la Macchina della Morte non scomparve in un vortice di polvere. Poi schiaffeggiò di gioia il volante e fece ripartire la sua audiocassetta, con tutta la sua interminabile serie di *ay-ya-ya-yay*.

«*¡Bueno!*» gridò. «*¡Ándale pues, a más aventuras!*» Magnifico! E ora via, verso nuove avventure!

Anche la parte di me che aveva rischiato più seriamente di andare in pezzi cominciò lentamente a rilassarsi. Ma non per molto.

Poche ore dopo, Salvador frenò di colpo. Fece retromarcia, girò risolutamente a destra uscendo dalla strada segnata e si avventurò in mezzo agli alberi. Vagavamo sempre più lontano, addentrandoci nel bosco, facendo scricchiolare sotto le ruote gli aghi di pino e passando sopra buche così profonde che continuavo a battere la testa sull'asse di protezione del pick-up.

Più la foresta si faceva scura, più Salvador diventava taciturno. Per la prima volta dopo l'incontro con la Macchina della Morte, spense perfino la musica. Pensavo che si stesse godendo la solitudine e la quiete del luogo, e mi misi comodo per fargli compagnia. Ma quando finalmente aprii la bocca per fare una domanda, mi azzittì con un grugnito risentito. Cominciai ad avere il sospetto di sapere cosa stava succedendo: ci eravamo persi e Salvador non voleva ammetterlo. Lo guardai più da vicino e notai che stava rallentando per analizzare i tronchi degli alberi, come se da qualche parte nella corteccia cuneiforme ci fosse una mappa stradale da decifrare.

«Siamo fottuti» conclusi. Avevamo una possibilità su quattro di arrivare a destinazione, il che lasciava aperte le altre tre possibilità: tornare nella tana degli Zetas, finire dritti dentro un burrone nell'oscurità o continuare a vagare nella foresta selvaggia finché le provviste non sarebbero finite e uno dei due avrebbe mangiato l'altro.

Poi, al tramonto, ci ritrovammo in un posto che sembrava il confine estremo del nostro pianeta.

Emergemmo dalla foresta per trovarci davanti a un oceano di vuoto, una fenditura nella terra così vasta che sull'altra sponda poteva esserci un fuso orario differente. Sotto di noi si vedeva come un'esplosione apocalittica congelata nella roccia, come se un dio adirato, nel bel mezzo della distruzione del mondo, avesse cambiato idea e deciso di limitarsi a un semi-armageddon. Stavo fissando 50 mila chilometri quadrati di natura selvaggia, che senza un criterio finiva dentro gole vorticose più profonde e più grandi del Gran Canyon.

Camminai fino al bordo del precipizio e sentii il cuore che palpitava. Una goccia lasciata andare nel vuoto sarebbe caduta all'incirca per... sempre. Molto al di sotto di noi gli uccelli volavano in cerchio. Potevo a malapena distinguere l'imponente fiume in fondo al canyon; sembrava una minuscola vena blu nel braccio di un vecchio. Mi si chiuse lo stomaco. Come diavolo avremmo fatto ad arrivare là sotto?

«Troveremo il modo» mi rassicurò Salvador. «I Rarámuri lo fanno in continuazione.»

Vedendo che la cosa non sembrava avermi convinto molto, Salvador cercò di mostrarmi il lato positivo. «Sai cosa ti dico? Così è anche meglio» disse. «È talmente ripido che i *narcotraficantes* non ci verranno di certo dietro.»

Non sapevo se ci credesse sul serio o se stesse solo cercando di rincuorarmi. In ogni caso, ero nelle sue mani.

# IV

Due giorni dopo, Salvador mollò lo zaino, si asciugò il sudore sul viso e disse: «Siamo arrivati».

Mi guardai intorno. Non c'era nient'altro che rocce e cactus.

«Siamo arrivati dove?»

«*Aquí mismo*» disse Salvador. «Proprio qui. È qui che vive il clan di Quimare.»

Non capivo di cosa stesse parlando. Per quanto vedevo, poteva essere il lato oscuro di un pianeta sperduto su cui avevamo camminato a piedi per giorni. Dopo aver abbandonato il pick-up sull'orlo del burrone, eravamo discesi in fondo al canyon, un po' scivolando un po' saltando. Era stato un sollievo arrivare finalmente a camminare in pianura, ma non era durato a lungo; dopo aver cominciato a risalire il fiume, la mattina seguente, ci eravamo ben presto ritrovati stretti tra muri di rocce che si innalzavano imponenti sopra di noi. Proseguivamo tenendo gli zaini sopra la testa, dato che l'acqua ci arrivava al petto. Il sole veniva lentamente eclissato dalle pareti di roccia mentre ci addentravamo lentamente nella gorgogliante oscurità con la sensazione di avventurarci a piccoli passi verso il fondo dell'oceano.

A un certo punto, Salvador individuò un passaggio nella roccia viscida e ci arrampicammo, lasciandoci il fiume alle spalle. Prima di mezzogiorno avevo già una tremenda nostalgia della deprimente oscurità di prima; con un sole cocente sulla testa e nient'altro che nuda roccia intorno, mi sembrava di arrampicarmi su una liscia lastra di metallo. Salvador alla fine si fermò e io mi lasciai andare contro un masso per riposare.

«Maledizione, Salvador è davvero forte» pensai. Il sudore colava dal suo viso bruciato dal sole, ma lui restava in piedi. Aveva un'espressione strana, come se aspettasse qualcosa.

«*¿Qué pasa?*» domandai. «Tutto a posto?»

«Sono qui» disse Salvador, indicando una collinetta.

Balzai subito in piedi. Lo seguii in una fenditura della roccia e mi trovai di fronte a un'apertura buia. La collinetta era in realtà una piccola capanna, fatta di mattoni di fango e costruita seguendo il fianco della collina naturale, in modo da essere completamente invisibile finché non ti ci trovavi letteralmente sopra.

Mi guardai intorno ancora un attimo, per vedere se mi fossero sfuggite altre case mimetizzate, ma non c'erano tracce di esseri umani da nessuna parte. I Tarahumara amano l'isolamento, anche tra loro, a un punto tale che gli abitanti di uno stesso villaggio preferiscono non vedere il fumo uscire dalla capanna del vicino.

Aprii la bocca per provare a dire qualcosa, ma poi ci ripensai. C'era già qualcuno, nel buio, che ci stava osservando. A quel punto Arnulfo Quimare, il più temuto corridore tarahumara, fece la sua apparizione.

«*Kuira-bá*» disse Salvador, usando le uniche parole che conosceva della lingua dei Tarahumara. «Siamo tutti una sola cosa.»

Arnulfo adesso guardava me.

«*Kuira-bá*» ripetei.

«*Kuira*» sussurrò Arnulfo, con una voce debole come un sospiro. Ci tese il braccio per fare con noi la stretta di mano tarahumara, un leggero sfregamento dei polpastrelli. Poi scomparve di nuovo all'interno. Aspettammo un po'; quindi... aspettammo ancora. Era già tutto finito? Dalla capanna non si sentiva provenire un bisbiglio, né altri suoni che indicassero la sua intenzione di uscire di nuovo. Arrivai fino all'angolo della capanna per vedere se per caso fosse sgusciato via dal retro. Un altro Tarahumara stava schiacciando un pisolino all'ombra del muro sul retro, ma di Arnulfo non c'era traccia.

Mi voltai verso Salvador. «Tornerà?»

«*No sé*» disse lui, scrollando le spalle. «Non lo so. Può darsi che lo abbiamo fatto incazzare sul serio.»

«Di già? E come?»

«Non saremmo dovuti venire qui in questo modo.» Salvador si stava battendo il petto. Si era lasciato prendere la mano e aveva violato la regola fondamentale del galateo dei Tarahumara. Prima di avvicinarsi all'abitazione di uno di loro, bisogna sedersi a terra a qualche decina di metri di distanza e aspettare. Poi bisogna guardare nella direzione opposta per un po', come si fosse capitati lì per caso, vagando da quelle parti senza avere nient'altro da fare. Se a quel punto qualcuno esce e vi invita a entrare, bene. Altrimenti ci si rimette in piedi e si alzano i tacchi. Non si deve arrivare fino alla porta di casa, come avevamo fatto io e Salvador. Ai Tarahumara piace essere visibili solo se sono loro a deciderlo; posare gli occhi su di loro senza essere invitati è come entrare in bagno mentre c'è qualcuno dentro nudo.

Per fortuna, scoprimmo che Arnulfo era un tipo disposto a perdonare. Tornò poco dopo, con un cesto di limette dolci. Eravamo arrivati in un momentaccio, ci spiegò; tutta la sua famiglia aveva l'influenza. Il corpo disteso contro il muro del retro era suo fratello maggiore, Pedro, che a causa della febbre era troppo debole anche solo per alzarsi. In ogni caso, Arnulfo ci invitò a fermarci e riposare un po'.

«*Assag*» disse. Sedetevi.

Crollammo nel primo fazzoletto d'ombra che trovammo e cominciammo a sbucciare le limette, guardando il fiume che scorreva turbolento. Mentre masticavamo e sputavamo i semi, Arnulfo fissava silenzioso l'acqua. Ogni tanto, si voltava e mi guardava, cercando di inquadrarmi. Non ci chiese chi fossimo né perché fossimo lì; sembrava che volesse capirlo da sé.

Cercavo di non guardarlo, ma è difficile riuscire a distogliere lo sguardo da un tipo bello come Arnulfo. Era bruno come il cuoio lavorato, con bizzarri occhi scuri che, sotto il caschetto di capelli neri, scintillavano perplessi e sicuri di sé. Mi ricordava i primi Beatles; *tutti e quattro* i primi Beatles fusi insieme a formare una figura scaltra, divertita, bella in modo discreto e piena di forza bruta. Indossava i tipici indumenti tarahumara, un gonnellino stretto e lungo e una tunica rosso acceso, gonfia come la blusa di un pirata. Ogni volta che si muoveva, i muscoli delle gambe si spostavano e si ricomponevano come fossero di metallo fuso.

«Sai, noi due ci conosciamo» disse Salvador in spagnolo.

Arnulfo annuì.

Per tre anni consecutivi, Arnulfo era andato a Guachochi, che distava diversi giorni di corsa, per partecipare a una gara di 100 chilometri in mezzo ai canyon. Si tratta di una corsa annuale a cui partecipano tutti i Tarahumara della Sierra, più un raro manipolo di corridori messicani che vogliono mettere alla prova gambe e fortuna sfidandoli. Per tre anni di seguito, Arnulfo aveva vinto la gara, strappando il titolo al fratello Pedro e seguito in seconda e terza posizione da suo cugino Avelado e suo cognato Silvino.

Silvino era un caso a sé, un Tarahumara che stava a cavallo tra il vecchio e il nuovo mondo. Anni fa, un Fratello Cristiano che dirigeva una piccola scuola tarahumara aveva corso con Silvino una maratona da qualche parte in California. Silvino vinse, e con i soldi guadagnati si comprò un vecchio pick-up e un paio di jeans e fece costruire una nuova ala della scuola. Teneva il suo pick-up parcheggiato in cima al canyon e ogni tanto saliva per guidarlo fino a Guachochi. Ma anche se ormai aveva trovato un modo sicuro per far soldi, decise di non partecipare a nessun'altra gara.

Quando arrivano in qualsiasi altro posto del pianeta, i

Tarahumara vivono una contraddizione: evitano gli stranieri, ma al contempo sono affascinati dal mondo esterno. In un certo senso, è normale che sia così: se ami percorrere distanze straordinarie, finisci inevitabilmente per voler scoprire fin dove ti possono portare le gambe. Una volta un Tarahumara sbucò in Siberia; era finito non si sa come su un battello e, una volta sbarcato, cominciò a vagabondare per le steppe russe prima di essere preso e reimbarcato verso il Messico. Nel 1983 una Tarahumara, con tanto di gonnellino svolazzante, fu trovata che vagava per le strade di una cittadina del Kansas; passò i successivi dodici anni in un manicomio, prima che un assistente sociale comprendesse che parlava una lingua sconosciuta e che non emetteva semplicemente dei suoni senza senso.

«Faresti mai una gara negli Stati Uniti?» chiesi ad Arnulfo.

Lui continuò a masticare limette e a sputare i semi. Dopo un po' scrollò le spalle.

«Correrai di nuovo a Guachochi?»

*Crunch, crunch,* scrollata di spalle.

Adesso capivo cosa intendeva Carl Lumholtz riguardo alla ritrosia dei Tarahumara, e cioè che se non fosse stato per la birra, la tribù si sarebbe estinta da un pezzo. «Per quanto possa sembrare incredibile» si meravigliava Lumholtz, «non esito a dire che, nel corso della loro esistenza ordinaria, i non civilizzati Tarahumara sono troppo timidi e modesti per far valere i loro diritti e i loro privilegi matrimoniali; ed è principalmente grazie al *tesvino* che la razza si mantiene in vita e cresce.» Traduzione: i Tarahumara non troverebbero la forza per entrare in intimità con le loro stesse mogli, se non affogassero la loro timidezza nella birra fatta in casa.

Solo più tardi venni a sapere che avevo messo i bastoni tra le ruote ai nostri rapporti con i Tarahumara commettendo la Bestialità Numero Due: fare domande come un poliziotto. Non era Arnulfo a essere stato maleducato con i suoi silenzi: ero io a essere stato asfissiante con le mie domande. Per i Tarahumara, fare domande dirette è una dimostrazione di forza, la pretesa di comandare nella testa di un altro. Di sicuro non si sarebbero aperti di punto in bianco per gettare i propri segreti in pasto a degli stranieri; gli stranieri erano il motivo principale per cui i Tarahumara erano venuti a nascondersi qui. L'ultima volta che si erano aperti al mondo esterno, il mondo esterno li aveva messi in catene e aveva conficcato le loro teste mozzate in cima a pali alti tre metri. I cercatori d'argento spagnoli avevano rivendicato per sé la terra dei Tarahumara e il loro lavoro, e poi avevano decapitato i loro capitribù.

«I Rarámuri furono radunati come cavalli selvaggi e costretti a lavorare come schiavi nelle miniere» si legge in una cronaca; chiunque opponesse resistenza veniva trasformato in materiale buono per uno spettacolo dell'orrore. Prima di morire, i Tarahumara catturati venivano torturati per ottenere informazioni. I superstiti ritennero di saperne abbastanza in merito a ciò che accade quando arrivano degli stranieri curiosi.

I rapporti dei Tarahumara con il resto del pianeta erano solo peggiorati, dopo quell'episodio. I cacciatori di taglie del Far West venivano pagati cento dollari al pezzo per gli scalpi degli Apache, ma non ci volle molto perché trovassero il modo di massimizzare le ricompense ed eliminare il rischio: anziché mettersi contro un popolo di guerrieri che potevano rispondere al fuoco, preferirono massacrare i pacifici Tarahumara e battere cassa con i loro scalpi, che si potevano spacciare senza problemi per scalpi apache.

E coloro che arrivarono nella loro terra animati da buone intenzioni si rivelarono perfino più letali dei criminali. I missionari gesuiti giunsero con la Bibbia fra le mani e i bacilli dell'influenza nei polmoni, promettendo la vita eterna ma diffondendo al contempo una morte istantanea. I Tarahumara non avevano anticorpi per questa malattia e la spagnola si diffuse in un lampo, cancellando interi villaggi in un solo giorno. Se un cacciatore tarahumara lasciava la famiglia per una settimana in cerca di selvaggina, al suo ritorno trovava solo cadaveri e mosche.

Non c'è da stupirsi quindi che la diffidenza dei Tarahumara verso gli stranieri sia durata per quattrocento anni e li abbia condotti qui, nell'ultimo rifugio in cima al mondo. Questa diffidenza li ha anche portati ad avere un vocabolario piuttosto *tranchant*, quando si tratta di descrivere le persone. Nella lingua dei Tarahumara, gli esseri umani sono raggruppati in due categorie: i Rarámuri, coloro che fuggono dai guai, e i *chabochis*, coloro che causano i guai da cui i Tarahumara fuggono. È una visione del mondo un po' severa, ma visti i sei cadaveri la settimana che rotolano nei loro canyon, è difficile dargli torto.

Quanto ad Arnulfo, aveva adempiuto agli obblighi sociali portandoci il cesto di limette. Si era assicurato che i viaggiatori si fossero riposati e rinfrescati, e quindi si ritirò in casa, nello stesso modo in cui il suo popolo si era ritirato nei canyon. Avrei potuto starmene lì tutto il giorno a braccarlo con qualsiasi domanda mi saltasse in mente. Avrebbe comunque continuato a sfuggirmi.

# V

«Sì, bisogna restare quaggiù per *mooolto* tempo prima che si sentano a loro agio con voi» mi disse più tardi quella stessa notte Ángel Nava López, che si occupava della scuola tarahumara di Muñerachi, a pochi chilometri verso valle dalla capanna di Quimare. «*Años y años*», anni e anni. «Come Caballo Blanco.»

«Aspetta un attimo» lo interruppi. «Chi?»

Cavallo Bianco, spiegò Ángel, era un uomo bianco alto, magro e pallido che farfugliava nella sua strana lingua e che era sbucato dalle colline senza preavviso, semplicemente materializzandosi sul sentiero e arrivando a grandi passi nell'insediamento. Era apparso per la prima volta dieci anni prima, poco dopo pranzo, in una calda domenica pomeriggio. I Tarahumara non hanno una lingua scritta, figurarsi quindi se prendono nota degli avvistamenti di bizzarri ominidi, tuttavia Ángel era assolutamente sicuro del giorno, dell'anno e della stranezza di quell'arrivo, anche perché fu lui il primo a incontrare Caballo Blanco.

Ángel si trovava fuori della scuola, in quel momento, e scrutava le pendici del canyon per tenere d'occhio i bambini che rientravano. I suoi studenti restavano a dormire lì durante la settimana, poi il venerdì si disperdevano e tornavano dalle loro famiglie inerpicandosi sulle montagne. La domenica si trascinavano di nuovo a scuola. Ad Ángel piaceva contare le teste dei bambini che tornavano, e fu per questo che gli capitò di trovarsi fuori sotto il sole cocente del pomeriggio, mentre due ragazzini si scapicollavano giù dal pendio.

I ragazzini si gettarono nel fiume a tutta velocità, muovendosi freneticamente nell'acqua come se fossero inseguiti da un fantasma (in effetti, come dissero ansimando ad Ángel una volta arrivati a scuola, era proprio così che stavano le cose).

Erano in montagna a pascolare le capre, dissero, quando avevano visto una strana creatura apparire per un istante tra gli alberi sopra di loro. La Creatura aveva forma umana, ma era più alta di qualsiasi essere umano avessero mai visto. Era mortalmente pallido, ossuto come un cadavere e aveva ciuffi di capelli colore del fuoco che gli uscivano dal teschio. Ed era nudo. Per essere un cadavere gigante e nudo, però, la Creatura si muoveva con notevole rapidità, svanendo nella boscaglia prima che i ragazzini potessero vederla meglio.

Non che fossero rimasti ad aspettare di poterla osservare da vicino, in ogni caso: i due ragazzini se la squagliarono e corsero al villaggio, chiedendosi chi (o *cosa*) avessero appena visto. Una volta arrivati da Ángel, però, pian piano si calmarono, ripresero fiato e finalmente capirono di cosa si trattava.

«Era la prima volta che vedevo un *chuhuí*» disse uno dei ragazzini.

«Un fantasma?» disse Ángel. «Cosa vi fa pensare che fosse un fantasma?»

A quel punto, molti Rarámuri adulti erano venuti a vedere cosa stava succedendo. I ragazzini ripeterono la storia, descrivendo le sembianze scheletriche della Creatura, le sue ciocche di capelli selvagge e il modo in cui correva sul sentiero sopra di loro. Gli adulti ascoltarono i ragazzini e poi spiegarono la faccenda: le ombre del canyon possono giocare brutti scherzi alla mente di chiunque e non c'era da stupirsi quindi se l'immaginazione dei ragazzini si era lasciata trasportare. In ogni caso, avrebbero fatto meglio a non terrorizzare più i bambini più piccoli raccontando loro quelle storie dell'orrore.

«Quante gambe aveva?» chiesero gli adulti.

«Due.»

«Vi ha sputato?»

«No.»

Bene: ecco trovata la soluzione. «Non era un fantasma» dissero gli adulti. «Era solo un *ariwará.*»

L'anima di un morto: certo, adesso la storia aveva molto più senso. I fantasmi erano spiriti malvagi che viaggiavano di notte e galoppavano a quattro zampe, uccidendo le pecore e sputando in faccia agli umani. Le anime dei morti, invece, non facevano niente di male e si limitavano a sistemare le questioni che avevano lasciato in sospeso quando erano in vita. Anche da morti, i Tarahumara preferiscono restare il più possibile in disparte. Dopo la dipartita, le loro anime vagano per recuperare tutte le tracce e i capelli che il corpo si è lasciato dietro. La tecnica tarahumara per tagliarsi i capelli consisteva nell'inserirli tra due rami di un albero tagliandoli poi tutti insieme con un coltello, in modo che l'intera matassa potesse essere raccolta comodamente. Una volta che le anime dei morti avevano cancellato ciò che restava della loro esistenza terrena, si potevano avventurare nell'aldilà.

«Il viaggio dura tre giorni» ricordarono gli adulti ai ragazzi. «Quattro, se è una donna.» Quindi era naturale che l'*ariwará* avesse i capelli folti, visto che si era rimesso in testa tutti quelli che si era tagliato nel corso della vita; ed era naturale anche che si muovesse con tanta rapidità, avendo un solo weekend a disposizione e un mucchio di lavoro da fare. A pensarci, era sorprendente perfino che i ragazzini fossero anche solo riusciti a intravedere l'*ariwará*; le anime tarahumara di solito corrono così veloci che tutto quello che si riesce a scorgere è un vortice di polvere che passa in mezzo al paesaggio. Anche nella morte, ricordarono gli adulti, i Tarahumara restano sempre il Popolo Corridore.

«Siete vivi perché vostro padre può correre più veloce di un cervo. *Lui* è vivo perché suo nonno poteva battere un cavallo da guerra apache. E questo è ciò che riusciamo a fare quando siamo zavorrati dalla nostra *sapá*, la nostra corporeità. Immaginate come volerete, quando ve ne sarete liberati.»

Ángel ascoltò, chiedendosi se poteva intromettersi e indicare un'altra possibilità. Ángel era un personaggio particolare, a Muñerachi: un Tarahumara mezzo messicano che per un certo periodo aveva lasciato le Barrancas ed era andato a scuola in un villaggio messicano. Indossava ancora i tradizionali sandali tarahumara e la fascia *koeyra* ai capelli, ma, a differenza degli altri adulti, portava pantaloni da lavoro anziché il gonnellino. Ed era cambiato anche interiormente: sebbene venerasse ancora gli dei tarahumara, non poteva fare a meno di domandarsi se questa Cosa Selvaggia che era appena stata avvistata non fosse semplicemente un *chabochi* capitato lì dal mondo esterno.

Certo, quest'ipotesi era molto meno probabile che avere condiviso il sentiero con uno spirito errante: nessuno si era mai addentrato nelle Barrancas senza avere delle buone ragioni. Che fosse un fuggiasco che si nascondeva dalla legge? Un mistico in cerca di una visione? Un cercatore d'oro impazzito per il caldo?

Ángel scrollò le spalle. Un *chabochi* solitario poteva essere una qualsiasi di queste cose, ma non era comunque il primo del suo genere a entrare nel territorio tarahumara. L'ordine naturale (o soprannaturale, se preferite pensarla così) fa sì che i luoghi in cui le persone tendono a scomparire siano anche quelli in cui accadono le cose più strane. Le giungle africane, le isole del Pacifico, le terre desolate dell'Himalaya: ovunque una spedizione scompare, là sicuramente salteranno fuori specie estinte, idoli di pietra tipo Stonehenge, l'ombra sfuggente dello yeti e il vecchio soldato giapponese che ancora aspetta la fine della Seconda guerra mondiale.

I Copper Canyon da questo punto di vista non fanno eccezione, e per certi aspetti sono perfino molto peggio. La Sierra Madre si trova al centro di una catena montuosa che si estende praticamente ininterrotta dall'Alaska alla Patagonia. Un bandito in grado di muoversi bene nelle zone selvagge potrebbe rapinare una banca in Colorado e poi sgattaiolare in tutta sicurezza fino ai Copper Canyon, attraversando valichi montani desolati e deserti senza mai venire a trovarsi a meno di 15 chilometri da un altro essere umano.

Essendo il rifugio all'aria aperta più sicuro del continente, di conseguenza, i Copper Canyon non solo sfornano gente bizzarra, ma ne attirano anche. Nei secoli passati, i canyon hanno offerto riparo a ogni tipo di eccentrico nordamericano: banditi, mistici, assassini, giaguari antropofagi, guerrieri comanchi, predoni apache, cercatori d'oro paranoici, ribelli di Pancho Villa: tutti sono riusciti a seminare i loro inseguitori scomparendo nelle Barrancas.

Geronimo se la svignava spesso nei Copper Canyon quando doveva sfuggire alla cavalleria statunitense, e altrettanto faceva il suo protetto, Apache Kid, che «si muoveva nel deserto come un fantasma», come riporta una cronaca dell'epoca. «Non seguiva alcuno schema. Nessuno poteva predire dove sarebbe apparso la volta successiva. Era snervante pascolare il bestiame o lavorare in miniera quando ogni ombra, ogni minimo rumore, poteva essere Apache Kid che si avvicinava per farvi fuori. Un colono preoccupato ha descritto la situazione meglio di chiunque altro: "Di solito, quando vedi Apache Kid vuol dire che è già troppo tardi".»

Inseguire i fuggiaschi in quel labirinto significava correre il rischio di non uscirne mai più. «Guardare questo posto è magnifico; entrarci dentro è l'inferno» scrisse il capitano di cavalleria statunitense John Bourke dopo essere a malapena sopravvissuto a un ennesimo e infruttuoso inseguimento di Geronimo nei Copper Canyon. Il suono di un sasso che rotola può produrre un'eco folle, che diventa sempre più forte anziché più debole, e il suono arriva prima da destra, poi da sinistra e infine dall'alto. Il battito di due rami di ginepro può spaventare a tal punto un'intera compagnia di cavalleggeri da fargli estrarre la pistola guardando spaventati e confusi in ogni direzione, mentre le loro ombre si contorcono mostruosamente sulle pareti di roccia.

Ma non sono solo l'eco e un'immaginazione eccitabile a far sì che i Copper Canyon sembrino infestati da fantasmi; un tormento può avvicendarsi a un altro così rapidamente da far pensare che le Barrancas siano controllate da qualche spirito satanico con un senso dell'umorismo sadico. Dopo essersi arrostiti per giorni sotto un sole impietoso, i soldati accoglievano con sollievo l'arrivo di qualche nuvola scura. In pochi minuti, tuttavia, venivano travolti da uno scroscio di pioggia violenta come il getto di un idrante e si lanciavano disperatamente verso la scivolosa parete di roccia per tentare di sfuggire all'acqua. Questo è esattamente il modo in cui un altro ribelle apache, di nome Massai, una volta fece fuori un'intera pattuglia di cavalleggeri: «Li portò in una gola poco profonda giusto in tempo perché un nubifragio li spazzasse via».

Le Barrancas erano così insidiose che anche un piccolo sorso di acqua fresca poteva essere fatale. Il capo apache Victorio spesso metteva in piedi una specie di caccia del gatto col topo con la cavalleria americana per attirare le truppe nei canyon più profondi; dopodiché si nascondeva vicino alla sola fonte d'acqua della zona. I cavalleggeri sapevano bene che lui era nascosto là dietro, ma non riuscivano a resistere: disorientati e impazziti per il caldo, preferivano un rapido colpo alla testa piuttosto che restare soffocati dalla loro stessa lingua, ingrossata per la sete tremenda.

Nemmeno i due uomini più tosti della storia dell'esercito americano poterono nulla contro le Barrancas. Quando nel 1916 le forze di Pancho Villa attaccarono una cittadina nel New Mexico, il presidente Woodrow Wilson inviò personalmente sia Black Jack Pershing sia George Patton per stanarlo dai Copper Canyon. Dieci anni dopo, il Giaguaro era ancora a piede libero. Anche avendo a disposizione tutte le forze armate statunitensi, Patton e Pershing non riuscirono a sconfiggere il disorientamento causato da quei 15 mila chilometri quadrati di mondo selvaggio allo stato puro, dove le uniche potenziali fonti di informazioni, i Tarahumara, scomparivano non appena udivano uno starnuto. Risultato: Black Jack, Old Blood e il loro leggendario fegato furono in grado di sconfiggere i tedeschi in due guerre mondiali, ma dovettero arrendersi ai Copper Canyon.

Col tempo, i *federales* messicani hanno imparato a seguire una strategia più consona al principio per cui quello che conta, alla fine, è il risultato. Si sono detti che quello che per gli inseguitori era un inferno non doveva essere tanto meglio per gli inseguiti. Qualsiasi cosa accadesse là dentro ai fuggiaschi – fame, giaguari, follia, un volontario isolamento a vita – era probabilmente peggio di qualsiasi cosa il sistema giudiziario messicano potesse infliggere loro. Così, spesso i *federales* preferivano tenere a freno i cavalli ai confini con i canyon e lasciare che i banditi tentassero da soli la fortuna nell'enorme prigione che si erano scelti.

Molti avventurieri che erano fuggiti nelle Barrancas non riuscivano più a fuggire *dalle* Barrancas, conferendo ai canyon la loro reputazione di Triangolo delle Bermuda della frontiera. Apache Kid e Massai galopparono sul passo Skeleton ed entrarono nei Copper Canyon un'ultima volta, dopodiché non se ne seppe più nulla. Si dice che Ambrose Bierce, celebre giornalista, opinionista e autore del *Dizionario del Diavolo*, nel 1914 fosse in cammino per incontrare Pancho Villa quando fu attratto dalla forza di gravità dei Copper Canyon e scomparve. Immaginate se oggi Anderson Cooper scomparisse mentre svolge un incarico per la CNN, e avrete un'idea della ricerca che fu messa in piedi per scovare Bierce. Di cui, tuttavia, non si trovò più traccia.

Le anime perdute nei canyon furono le vittime di un terribile destino, oppure inflissero un terribile destino le une alle altre? Impossibile a dirsi. In un'altra epoca sarebbero state uccise dai leoni di montagna, dagli scorpioni, dai serpenti a sonagli, dalla sete, dal freddo, dalla fame o dalla febbre del canyon; al giorno d'oggi si potrebbe aggiungere alla lista anche la pallottola di un cecchino. Da quando si sono spostati nei Copper Canyon, i cartelli della droga sorvegliano le loro piantagioni in maniera così capillare ed efficace da riuscire a vedere il tremolio di una foglia a chilometri di distanza.

Erano questi i motivi per cui Ángel si chiedeva se sarebbe mai riuscito a vedere la Creatura con i suoi occhi. Un sacco di cose avrebbero potuto ucciderla, da quelle parti, e probabilmente lo avrebbero fatto presto. Se la Creatura non si fosse tenuta a debita distanza dai campi di marijuana, non avrebbe neanche fatto in tempo a sentire lo sparo che le sfracellava la testa.

«*¡Hoooooolaaaaaa! ¡Amigooooooooos!*»

Il mistero del viandante solitario si risolse invece molto prima di quanto Ángel si aspettasse. Stava ancora osservando, con gli occhi socchiusi per il sole accecante, i bambini che rientravano a scuola, quando sentì l'eco di uno jodel e vide un tizio nudo che salutava e scendeva di corsa il sentiero verso il fiume.

A un'analisi ravvicinata, si accorse che la Creatura non era completamente nuda. Non era nemmeno vestita, in realtà, di certo non per gli standard tarahumara: per essere un popolo che preferisce restare nascosto, bisogna riconoscere che i Tarahumara sfoggiano sempre un look strepitoso. Gli uomini portano bluse di colori accesi sopra una lunga veste bianca legata attorno all'inguine e lasciata ricadere davanti e dietro, a mo' di gonnellino. Per legarla in vita usano una fascia arcobaleno abbinata a una fascia per capelli degli stessi colori. Le donne tarahumara sono ancora più spettacolari, con gonne di tinte brillanti e bluse sapientemente abbinate, oltre a braccialetti e collane color corallo che fanno risaltare la loro incantevole carnagione bruna. Non importa se indossate abiti di alta moda: accanto a un Tarahumara vi sentirete comunque degli straccioni.

Anche rispetto agli standard dei cercatori d'oro impazziti, la Creatura appariva estremamente trascurata. Indossava solo degli sporchi calzoncini *chabochi*, un paio di sandali e un vecchio cappello da baseball. Tutto qui. Niente zaino, niente maglietta e, a quanto pareva, niente cibo, dato che non appena raggiunse Ángel chiese dell'*agua* in uno spagnolo un po' bizzarro e fece il gesto di portare la mano alla bocca, come a chiedere qualcosa da mangiare.

«*Assag*» gli disse Ángel in tarahumara, facendogli segno di sedere. Qualcuno preparò una ciotola di *pinole*, una specie di pappa a base di granturco, che lo straniero trangugiò avidamente. Tra un boccone e l'altro cercava di comunicare. Agitò le braccia e lasciò che la lingua ciondolasse come fosse un cane in affanno.

«*¿Corriendo?*» chiese il maestro. Hai corso?

La Creatura annuì. «*Todo día*» disse, in uno spagnolo rudimentale. Tutto il giorno.

«*¿Por qué?*» chiese Ángel. «*¿Y a dónde?*» Perché? Dove sei diretto?

La Creatura si lanciò a raccontare una lunga storia, che Ángel trovò molto interessante come performance artistica ma scarsamente intelligibile dal punto di vista narrativo. Da quanto poté capire Ángel, il viaggiatore solitario era o totalmente svitato oppure non così solitario come sembrava; sosteneva di avere un ancor più misterioso compagno, una specie di guerriero apache che chiamava Ramón Chingón, ovvero «Ray, il bastardo figlio di puttana».

«*¿Y tú?*» chiese Ángel. «Come ti chiami?»

«Caballo Blanco» rispose. Il Cavallo Bianco.

«*Pues, bueno*» disse il maestro, scrollando le spalle. A posto.

Il Cavallo Bianco non indugiò; non appena buttata giù un po' d'acqua e la seconda ciotola di *pinole*, salutò tutti e riprese a passo svelto il sentiero da dove era venuto. Se ne andò battendo i piedi ed emettendo qualche verso, come uno stallone selvaggio, facendo divertire molto i bambini, che risero e lo seguirono finché non scomparve di nuovo nella natura selvaggia.

«*Caballo Blanco es muy amable*» disse Ángel, concludendo la storia, «*pero un poco raro.*» In altre parole: il Cavallo Bianco è un tipo a posto, se ti piacciono quelli un po' strambi.

«Quindi pensi che sia ancora in giro?» domandai.

«*Hombre, claro*» disse Ángel. «Era qua ieri. Gli ho dato da bere con quella ciotola.»

Mi guardai intorno. Non c'era nessuna ciotola.

«Ieri c'era anche la ciotola» insistette Ángel.

Da quanto Ángel aveva appreso nel corso degli anni, Caballo viveva in una capanna che si era costruito da solo da qualche parte sul monte Batopilas. Ogni volta che capitava alla scuola di Ángel, arrivava solo con i sandali ai piedi, una maglietta (non sempre) e una borsa di *pinole* secca attaccata alla cintura, come la portano i Tarahumara. Quando correva, sembrava si affidasse alla terra per la sua sopravvivenza, contando solo sul *korima,* la pietra angolare della cultura tarahumara.

La parola *korima* suona un po' come *karma* e funziona più o meno nello stesso modo, eccetto che aggiunge il «qui e ora». Consiste nel dovere di condividere qualsiasi cosa si possa condividere, subito e senza esitazioni; e una volta che il dono ha lasciato le tue mani, è come se non fosse mai stato tuo. I Tarahumara non hanno un sistema monetario, e quindi il *korima* è il loro modo di fare affari: la loro economia si basa sul traffico dei favori e sull'occasionale calderone di birra di mais.

Il Cavallo Bianco non sembrava un Tarahumara, né si vestiva o parlava come un Tarahumara, ma in un modo più profondo era come se fosse uno di loro. Ángel aveva sentito storie di corridori tarahumara che usavano la capanna del Cavallo come stazione intermedia durante i lunghi viaggi per i canyon. Il Cavallo, in cambio, era sempre il benvenuto, per un pasto o per un luogo dove riposare, quando arrivava al villaggio di Ángel nelle sue corse senza meta.

Ángel agitò il braccio con un brusco movimento che indicava una certa direzione: oltre il fiume e fuori dal canyon, verso il paese dei non-Tarahumara, da cui non può arrivare niente di buono.

«C'è un villaggio, si chiama Mesa de la Yerbabuena» disse. «Lo conosci, Salvador?»

«Mmm, mmm» mormorò Salvador.

«Non sai cosa gli è successo?»

«Mmm, MMM» rispose Salvador, e il suo tono lasciava intendere qualcosa come *Certo, accidenti.*

«Molti dei corridori migliori venivano da Yerbabuena» disse Ángel. «Avevano un ottimo sentiero che permetteva loro di coprire grandi distanze in un solo giorno; potevano raggiungere luoghi molto più lontani di quelli che possiamo raggiungere noi da qui.»

Sfortunatamente, il sentiero era così utile che a un certo punto il governo messicano decise di asfaltarlo e di trasformarlo in una strada. A Yerbabuena cominciarono ad arrivare i camion, e con essi cibi che i Tarahumara non avevano mai mangiato: bibite gassate, cioccolata, riso, zucchero, burro, farina. La gente di Yerbabuena sviluppò il gusto per le farine raffinate e per i dolci; ma per comprarli avevano bisogno di soldi e così, invece di coltivare i loro campi, cominciarono ad andare in autostop fino a Guachochi, per lavorare come lavapiatti o con lavori a giornata, oppure vendendo cianfrusaglie alla stazione di Divisadero.

«È successo vent'anni fa» disse Ángel. «Adesso a Yerbabuena non c'è più un solo corridore.»

La storia di Yerbabuena spaventava seriamente Ángel, perché girava la voce che il governo avesse trovato un modo per costruire nel canyon una strada che arrivasse fino al suo insediamento. Ángel non sapeva per quale strano motivo volessero costruire una strada proprio lì, dato che i Tarahumara, i soli che vivessero da quelle parti, non la volevano. Solo i signori della droga e i taglialegna di frodo avrebbero potuto trarne vantaggio, il che rendeva l'ossessione del governo messicano per la costruzione di strade nell'interno abbastanza sconcertante (o, visto quanti soldati e politici erano legati al traffico di droga, forse perfettamente logica).

«È esattamente quello che temeva Lumholtz» pensai tra me. Un secolo fa, il lungimirante esploratore era già preoccupato per la possibile estinzione dei Tarahumara.

«Le generazioni future non troveranno altra traccia dei Tarahumara oltre a ciò che gli scienziati attuali possono raccogliere dai racconti della gente e dagli studi sui loro usi e costumi» predisse. «Risaltano oggi come interessanti reliquie di un'epoca scomparsa da tempo; come rappresentanti di uno degli stadi più importanti dello sviluppo della razza umana; come una di quelle meravigliose tribù primitive che furono fondatrici e autrici della storia del genere umano.»

«Ci sono Rarámuri che non rispettano le nostre tradizioni quanto le rispetta Caballo Blanco» lamentò Ángel. «*El Caballo sabe*. Il Cavallo capisce.»

Io mi lasciai cadere contro il muro della scuola di Ángel, esausto, con le gambe che tremavano e la testa pesante. Era stato già abbastanza arduo arrivare fin qui, e adesso sembrava che la caccia fosse appena iniziata.

# VI

«Che imbroglio.»

Io e Salvador ci rimettemmo in cammino la mattina seguente, con l'obiettivo di risalire il pendio prima che la luce del sole smettesse di illuminare l'interno del canyon. Salvador teneva un'andatura brutale, spesso tagliando i tornanti e usando le mani per scalare direttamente il dirupo come un detenuto scala il muro di una prigione. Io facevo del mio meglio per stargli dietro, nonostante la crescente certezza che ci avessero ingannati.

Più ci allontanavamo dal villaggio di Ángel, più mi assillava l'idea che l'inverosimile storia del Cavallo Bianco fosse un'estrema tattica per difendersi dai forestieri che venivano a ficcare il naso alla ricerca dei segreti dei Tarahumara. Come tutte le grandi truffe, la storia del Viandante Solitario della Sierra Madre oscillava tra il perfetto e l'implausibile; la notizia dell'esistenza di un discepolo moderno delle antiche arti dei Tarahumara era il massimo a cui potessi aspirare, il che la rendeva troppo bella per poterci credere sul serio. Il Cavallo Bianco sembrava una leggenda, più che un uomo in carne e ossa, e cominciavo a pensare che Ángel si fosse stufato delle mie domande e avesse creato uno specchietto per le allodole per spedirci lontano, verso l'orizzonte, sapendo che quando ci saremmo resi conto di come stavano le cose, saremmo stati ormai a centinaia di durissimi chilometri di distanza.

Non era semplice paranoia; non sarebbe stata la prima volta che veniva inventata una storiella per innalzare una cortina di fumo attorno al Popolo Corridore. Carlos Castaneda, autore dei popolarissimi libri su Don Giovanni degli anni Sessanta, si riferiva quasi certamente ai Tarahumara quando descriveva gli sciamani messicani dotati di una sorprendente saggezza e resistenza. Ma in uno slancio empatico Castaneda identificò la tribù con quella degli Yaqui, sbagliando deliberatamente. A quanto pare Castaneda capì che, nel caso i suoi libri avessero promosso un'invasione di hippy affamati di peyote, i cazzuti Yaqui potevano tener testa agli invasori molto meglio dei gentili Tarahumara.

Ma nonostante il sospetto di essere stato appena raggirato con una mossa «alla Castaneda», un curioso incidente mi spronò a restare concentrato sulla mia caccia. Ángel ci aveva ospitato per la notte nell'unica stanza libera che aveva, una minuscola capanna di mattoni di fango che fungeva da infermeria della scuola. La mattina seguente ci invitò gentilmente a unirci a lui per la colazione a base di fagioli e *tortillas* di mais, prima di metterci di nuovo in cammino. Era una mattina gelida e sedevamo all'aperto, scaldandoci le mani sulle scodelle fumanti, mentre un fiume di bambini sciamava davanti a noi fuori dalla scuola. Anziché tenere i bambini seduti, facendo soffrire loro il freddo, il maestro li lasciò andare a sfogarsi alla maniera dei Tarahumara, offrendomi in sostanza l'opportunità di assistere a un *rarájipari,* il loro gioco tipico.

Ángel si alzò in piedi e divise i bambini in due squadre, miste di maschi e femmine. Poi tirò fuori due palle di legno grandi come palle da baseball e le diede ciascuna a un giocatore di una delle due squadre. Alzò sei dita; avrebbero dovuto correre per sei volte dalla scuola al fiume, per una distanza totale di circa 6 chilometri. I due ragazzi misero a terra le palle e le presero con i piedi, facendole stare in equilibrio sulle dita. Si rannicchiarono lentamente e...

*¡Vayan!* Via!

Le palle ci passarono accanto con un sibilo, lanciate con i piedi dai bambini come se fossero state sparate da un bazooka, e i bambini si misero a rincorrerle all'impazzata, giù per il sentiero. Le due squadre sembravano cavarsela alla pari, ma io avrei puntato sulla squadra guidata da Marcelino, un dodicenne che assomigliava alla Torcia Umana; la blusa rossa fluttuava dietro di lui come una fiamma e il gonnellino bianco gli frustava le gambe come una scia di fumo. La Torcia Umana raggiunse la palla quando ancora era in movimento. La controllò con facilità con le dita del piede e la fece sibilare giù per il sentiero, praticamente senza smettere di correre.

La corsa di Marcelino era così impressionante che era difficile cogliere tutti i suoi movimenti in un colpo solo. I piedi indemoniati sembravano danzare tra le rocce a ritmo di swing, ma sopra il bacino tutto era in perfetta quiete, praticamente immobile. Guardandolo dalla vita in su, sembrava muoversi sui pattini. Con il mento alto e i capelli neri al vento, sembrava uscito direttamente da un poster di Steve Prefontaine appeso nella camera di qualsiasi liceale americano appassionato di corsa. Mi sentivo come se avessi scoperto il Futuro Corridore Americano, che però viveva cinquecento anni fa. Un bambino il cui talento e la cui bellezza erano destinati a portare il suo viso dritto su una scatola di cereali.

«*Sí, de acuerdo*» disse Ángel. Sì, sono d'accordo. «Ce l'ha nel sangue. Suo padre è un grande campione.»

Il padre di Marcelino, Manuel Luna, poteva battere praticamente chiunque in un *rarájipari* che durava una notte intera, la versione per adulti del gioco a cui stavamo assistendo. Il *rarájipari* era il cuore e l'anima della cultura tarahumara, spiegò Ángel; tutto ciò che rende unici i Tarahumara si mostrava durante la sfida del *rarájipari*.

Anzitutto, due villaggi si riuniscono per passare la notte a fare scommesse e a trangugiare *tesgüino*, una birra di mais fatta in casa che potrebbe essere usata come solvente per vernici. All'alba, i due villaggi si fronteggiano schierando squadre composte da tre a otto corridori per parte. I corridori percorrono avanti e indietro un lungo sentiero, facendo avanzare la palla come giocatori di calcio in un contropiede a tutta velocità. La corsa può durare ventiquattr'ore, o perfino quarantotto – a seconda di quanto stabilito la notte prima – ma i corridori non possono mai fare una pausa o rilassarsi con un ritmo più blando; con la palla che rimbalza in ogni direzione e fino a trentadue gambe che si muovono rapidamente, devono essere sempre perfettamente reattivi mentre accelerano, virano e vanno a zigzag.

«Noi diciamo che il *rarájipari* è il gioco della vita» disse Ángel. «Non sai mai quanto è impegnativo quello che ti aspetta. E non sai mai quando finirà. E non puoi controllarlo. Puoi solo adattarti.»

«E nessuno può farcela da solo» aggiunse. Anche una superstar come Manuel Luna non potrebbe vincere se non avesse tutto un villaggio che lo sostiene. Amici e familiari riforniscono i corridori di ciotole di *pinole*. Di notte, gli abitanti accendono rami di *acate*, un pino ricco di linfa, e i corridori si muovono nel buio grazie alla luce delle torce. Per resistere a una sfida del genere, bisogna possedere le virtù dei Tarahumara: forza, pazienza, cooperazione, dedizione, perseveranza. E, soprattutto, bisogna amare la corsa.

«Quel ragazzino diventerà forte come il padre» disse Ángel, facendo segno con la testa in direzione di Marcelino. «Se lo lasciassi andare, correrebbe tutto il giorno.»

Una volta raggiunto il fiume, Marcelino si girò e passò la palla a un bambino di sei anni che aveva perso un sandalo e che stava lottando per non farsi cadere il gonnellino. Per pochi gloriosi momenti, il Piccolo Monosandalo divenne il leader della sua squadra, saltellando su un piede nudo mentre era alle prese con la cintura del gonnellino. Fu in quella scena che intravidi la vera genialità del *rarájipari*. Il sentiero accidentato e i vari giri avanti e indietro fanno sì che il gioco crei continuamente degli ostacoli; la palla rimbalza di qua e di là come in un flipper, permettendo ai bambini più lenti di riguadagnare terreno mentre Marcelino va a recuperare la palla in una fenditura. Il campo di gioco fa sì che tutti siano allo stesso livello, che tutti restino sempre in gioco e nessuno sia escluso.

Ragazzine e ragazzini sfrecciavano tutti su e giù per la collina, ma nessuno sembrava occuparsi granché del vincitore; non c'erano litigi, né ostentazioni, né, soprattutto, allenatori. Ángel e l'insegnante della scuola guardavano contenti e con vivo interesse, ma senza gridare indicazioni. E senza incitare nessuno. I ragazzi acceleravano quando si sentivano pieni di energia, rallentavano quando avevano voglia di rallentare e si fermavano un momento a tirare il fiato sotto l'ombra di un albero quando avevano esagerato.

Ma, a differenza della maggior parte degli altri giocatori, Marcelino non sembrava mai rallentare. Era infaticabile; volava in salita con la stessa leggerezza con cui andava in discesa, con le gambe che sforbiciavano in falcate sorprendentemente corte e lievi, che in qualche modo sembravano però omogenee, per niente sincopate. Era piuttosto alto, per un ragazzo tarahumara, e mentre giocava aveva sul viso quello stesso sorriso eccitato che compariva sul volto di Michael Jordan quando il tempo stava per scadere. Al giro finale della sua squadra, Marcelino tirò un colpo di sponda su una grossa roccia alla sua sinistra, calcolando il rimbalzo in modo da trovarsi in posizione per ricevere il suo stesso passaggio, recuperando la palla al volo e coprendo cinquanta metri in pochi secondi su un sentiero roccioso come il letto di un fiume.

Ángel colpì una barra di ferro con il manico di un'accetta: fine dei giochi. I bambini cominciarono a rientrare nella scuola mentre i più grandi portavano della legna per il caminetto. In pochi ricambiarono il nostro saluto; molti avevano sentito le loro prime parole di spagnolo il giorno in cui avevano cominciato ad andare a scuola. Marcelino, invece, uscì dalla fila e si avvicinò. Ángel gli aveva detto cosa eravamo venuti a fare.

«*Que vayan bien*» disse Marcelino. Buona fortuna per il viaggio. «*Caballo Blanco es muy norawa de mi papá.*»

*Norawa?* Non avevo mai sentito questa parola prima d'ora. «Che vuol dire?» chiesi a Salvador. «Caballo è una leggenda che suo papà conosce? Una storia che racconta spesso?»

«No» disse Salvador. «*Norawa* vuol dire *amigo.*»

«Caballo Blanco e tuo padre sono buoni amici?» domandai.

«*Sí*» disse Marcelino annuendo. «È veramente un'ottima persona.»

«Ok» pensai più tardi quel pomeriggio. «Può darsi che Ángel volesse gabbarci, ma non posso diffidare della Torcia Umana.» Ángel ci aveva detto che Caballo poteva essere diretto verso la città di Creel, ma dovevamo sbrigarci: se non lo avessimo raggiunto lì, non c'era modo di sapere dove avremmo potuto trovarlo in seguito. Il Cavallo poteva svanire per mesi interi; nessuno sapeva dove andasse né quando sarebbe tornato. Se lo avessimo mancato, probabilmente non avremmo avuto altre possibilità.

E di sicuro Ángel non aveva mentito su un punto, come stavo scoprendo grazie alla sorprendente forza che sentivo nelle gambe: subito prima di cominciare la nostra risalita del canyon, mi aveva dato un'ammaccata ciotola di latta piena di qualcosa che – promise – sarebbe stato d'aiuto per il viaggio.

«Ti piacerà» mi assicurò.

Buttai un occhio all'interno. La ciotola era piena di una melma appiccicosa che assomigliava a un budino di riso senza riso, pieno di bolle e con delle macchie nere, ed ero abbastanza sicuro che si trattasse di uova di rana mezzo schiuse. Se mi fossi trovato in qualsiasi altro posto, avrei pensato che fosse uno scherzo; aveva lo stesso aspetto della sporcizia che si accumula in un acquario, raccolta da un bambino che adesso stava provando a convincermi ad assaggiarla. Nella migliore delle ipotesi, era una qualche radice fermentata mischiata all'acqua del fiume (il che significava che, se non mi avesse ucciso il sapore, ci avrebbero pensato i batteri).

«Magnifico» dissi, cercando nei paraggi un cactus dietro cui buttare quella sbobba. «Che cos'è?»

«*Iskiate.*»

Il nome non era nuovo... e poi ricordai. L'indomito Lumholtz arrivò una volta barcollando in una casa tarahumara in cerca di cibo mentre si trovava nel pieno di un'estenuante spedizione. Davanti a lui incombeva una montagna che avrebbe dovuto scalare entro il tramonto. Lumholtz era sfinito e disperato: era impossibile trovare la forza necessaria per quell'impresa.

«Arrivai nel tardo pomeriggio in una grotta dove una donna stava preparando qualcosa da bere» scrisse Lumholtz. «Ero stanchissimo e non sapevo come avrei fatto a scalare la montagna per raggiungere il mio accampamento, che si trovava circa seicento metri più in alto. Ma dopo aver acquietato la fame e la sete con un po' di *iskiate*» proseguì, «mi sentii improvvisamente addosso una nuova energia e, con mia grande sorpresa, raggiunsi la vetta senza particolare sforzo. Dopo quell'esperienza, nel momento del bisogno ho sempre potuto contare sull'*iskiate*, un cibo così energizzante e rinfrescante che forse bisognerebbe brevettarlo.»

Una specie di Red Bull fatta in casa... Adesso di sicuro non potevo più tirarmi indietro. «Me lo conservo per dopo» dissi ad Ángel. Versai l'*iskiate* in una borraccia mezza piena d'acqua che avevo già purificato con delle pastiglie di iodio, e per sicurezza ne buttai dentro altre due. Ero stanco morto, ma, al contrario di Lumholtz, non abbastanza disperato da rischiare un anno di diarrea cronica per i batteri che sguazzavano in quell'acqua.

Mesi dopo, avrei appreso che l'*iskiate* è chiamato anche «chia fresca». Viene fatto mescolando nell'acqua i semi di chia con un po' di zucchero e una spruzzata di limone. Dal punto di vista nutrizionale, un cucchiaio di chia è come un frullato di salmone, spinaci e ormone della crescita. Per quanto i semi siano minuscoli, sono strapieni di omega-3, omega-6, proteine, calcio, ferro, zinco, fibre e antiossidanti. Se doveste portarvi un cibo su un'isola deserta, la scelta migliore sarebbe la chia, che vi permetterebbe di nutrire i muscoli, abbattere il colesterolo e ridurre il rischio di malattie cardiache; dopo qualche mese di dieta a base di chia, probabilmente potreste tornare a casa a nuoto. Un tempo la chia era considerata un tale tesoro che gli Aztechi la portavano in dono ai loro sovrani. I corridori aztechi masticavano semi di chia quando andavano in battaglia, e gli Hopi si rifornivano di chia nelle loro epiche corse dall'Arizona all'oceano Pacifico. Lo Stato messicano del Chiapas prende il nome da questi semi: era lì che veniva coltivata per la vendita, assieme al mais e ai fagioli. Nonostante il suo status di oro liquido, la chia è ridicolmente facile da coltivare; se avete a casa un germogliatore avete praticamente già tutto ciò di cui avete bisogno per farvi da soli un bel po' di quella bevanda demoniaca.

Demoniaca, ma anche gustosa, come ebbi modo di scoprire quando, ritenendo che lo iodio si fosse disciolto abbastanza, mi arrischiai ad assaggiarla. Nonostante il retrogusto di medicinale dovuto alle pastiglie di iodio, l'*iskiate* andava giù come un punch alla frutta con un buon sapore di limone. Forse c'entrava anche l'eccitazione della caccia, ma dopo pochi minuti cominciai a sentirmi meravigliosamente bene. Anche il mal di testa pulsante, che mi ero portato dietro tutta la mattina a causa della notte passata su un pavimento gelido, era svanito.

Salvador continuava a camminare verso l'orlo del precipizio, senza accennare a diminuire il ritmo, in una corsa contro il sole per arrivare in cima al canyon prima del buio. Ce l'avevamo quasi fatta. Mancavano ancora un paio d'ore di salita, quando però il sole scomparve, gettando il canyon in un'oscurità tale che tutto quello che riuscivo a vedere erano ombre di diverse tonalità di nero. Discutemmo se fosse il caso di aprire i nostri sacchi a pelo e accamparci per la notte, ma già da un'ora eravamo rimasti senza cibo né acqua e la temperatura stava diventando glaciale. Se fossimo riusciti a proseguire per un altro paio di chilometri, avremmo raggiunto una zona illuminata dal sole, oltre il bordo, e saremmo stati salvi. Decidemmo di tentare; non sopportavo l'idea di tremare dal freddo per tutta la notte su un piccolo sentiero sull'orlo di un dirupo.

Il buio era tale che riuscivo a seguire Salvador solo grazie agli scricchiolii dei suoi stivali. Non volevo chiedermi come riuscisse a seguire le curve di quel pendio ripido senza finire nel precipizio. Ma mi aveva già dimostrato, orientandosi grazie solo alle sue forze psichiche attraverso la foresta, che sbagliavo a non fidarmi di lui, e il minimo che gli dovevo era starmene zitto, fare molta attenzione a ogni sua mossa e... e...

Un attimo. Dov'era finito lo scricchiolio?

«Salvador?»

Niente. Merda.

«*Salvador!*»

«*¡No pases por aquí!*» urlò da un punto imprecisato davanti a me. Non venire da questa parte!

«Qual è il prob...»

«*Calla.*» Zitto.

Mi *callai* subito, e stetti fermo nel buio, chiedendomi cosa diavolo ci fosse che non andava. Passarono alcuni minuti. Da Salvador non proveniva alcun suono. «Tornerà» mi ripetevo. «Se fosse caduto avrei sentito un grido. Avrei sentito qualcosa. Un tonfo. Qualcosa. Ma, maledizione, ci sta mettendo una vita.»

«*Bueno.*» Un grido da qualche parte sopra di me, sulla destra. «Qui va bene, ma cammina lentamente.» Mi voltai verso il suono della sua voce e mi incamminai piano. Alla mia sinistra, sentivo che il terreno finiva e cominciava il precipizio. Non volevo sapere quanto Salvador fosse stato vicino a cadere nel vuoto.

Per le dieci di sera raggiungemmo l'orlo del burrone e strisciammo nei nostri sacchi a pelo, congelati fino alle ossa ed esausti. La mattina dopo, eravamo in piedi prima dell'alba e ci incamminammo rapidamente fino al pick-up. Prima che sorgesse l'aurora eravamo già sulla sterrata e tortuosa strada del (si sperava) Cavallo Bianco.

Ogni volta che arrivavamo a una fattoria o a un minuscolo villaggio, ci fermavamo per chiedere se qualcuno conoscesse Caballo Blanco. Ovunque, nel villaggio di Samachique come nella scuola di Huisichi, ci rispondevano sempre la stessa cosa: *¡Sí!* Naturalmente! È passato di qui la settimana scorsa... qualche giorno fa... proprio ieri... l'avete mancato *di un soffio...*

Arrivammo a un gruppetto di casupole fatiscenti e ci fermammo per mangiare. «*Ahhh, ten cuidado con ese*» disse la vecchia dietro un banchetto sulla strada porgendomi un sacchetto di patatine coperto di polvere e una Coca-Cola calda con le sue mani magre e tremolanti. «Fai attenzione, con quello là. Ho sentito parlare del Caballo. Era un lottatore che è diventato *loco*. Un uomo è morto e lui è diventato *loco*. Può uccidere un uomo a mani nude. Ed è *loco*» aggiunse, nel caso non avessi capito.

L'ultimo posto in cui era stato avvistato era la vecchia città mineraria di Creel, dove una donna in un chiosco di tacos ci disse che lo aveva visto quella mattina camminare lungo le rotaie del treno diretto fuori città. Seguimmo i binari fino al capolinea, chiedendo sempre di lui, finché arrivammo all'ultimo edificio, l'hotel Casa Pérez. Dove (ero emozionato e nervoso quando me lo dissero) sarebbe dovuto arrivare a momenti.

Credo sia stata una buona idea, quella di stendermi sul divano nell'angolo. In quel modo, almeno, potevo guardare con calma e restando nell'ombra il viandante solitario prima che lui si accorgesse di me e sparisse di nuovo nella natura selvaggia.

# VII

Per fortuna mi trovavo vicino alla porta.

«Ehi! Ehm, tu conosci Ángel?» balbettai mentre facendo un passo sbarravo a Caballo la sua unica via di fuga. «E l'insegnante della scuola tarahumara? E Esidro, a Huisichi? E, uhm... Luna, Miguel Luna...» Continuai a sparare un nome dietro l'altro, sperando di beccarne uno che lui ricordava prima che mi sbattesse contro il muro e scomparisse tra le colline che si trovavano alle spalle dell'hotel. «No... Ecco: *Manuel.* Non Miguel Luna... Manuel. Suo figlio dice che siete amici. Marcelino? Conosci Marcelino?»

Ma più io parlavo e più lui aggrottava le sopracciglia, fino ad assumere un'aria decisamente minacciosa. Decisi di chiudere definitivamente il becco. Avevo imparato la lezione, dopo la débâcle da Quimare; se me ne stavo zitto e gli davo modo di prendermi le misure senza aggredirlo magari si sarebbe rilassato. Restai in silenzio mentre lui mi scrutava, sospettoso e sprezzante, da sotto la tesa di paglia del suo cappello da *campesino*.

«Sì» grugnì alla fine. «Manuel è un *amigo*. E tu chi diavolo sei?»

In attesa di capire che cosa lo facesse infuriare tanto, preferii prendere tempo cominciando a spiegare chi non ero. Non ero un poliziotto e non ero un agente della DEA, gli dissi. Ero solo uno scrittore e un corridore infortunato che voleva scoprire i segreti dei Tarahumara. Se lui era un latitante, erano solo fatti suoi. In ogni caso, pensai che, se anche fosse stato un latitante, questo fatto non faceva che aumentare la sua affidabilità: chiunque riuscisse a eludere la legge per tutti quegli anni senza altro veicolo di fuga che le proprie gambe si era sicuramente fatto le ossa per aspirare a diventare un vero Rarámuri. Potevo mettere da parte i miei doveri nei confronti della giustizia per tutto il tempo che serviva ad ascoltare il racconto di una vita in fuga.

Caballo aveva ancora un'espressione corrucciata, però bisogna aggiungere che non cercò di scansarmi e andarsene. Solo più tardi avrei scoperto che ero stato straordinariamente fortunato e che mi ero imbattuto in lui in uno strano momento della sua stranissima vita: a suo modo, infatti, anche Caballo Blanco stava cercando me.

«D'accordo» disse. «Ma devo mangiare un po' di fagioli.»

Uscimmo dall'hotel e imboccammo un vicolo polveroso che portava a una piccola porta senza nessuna indicazione. Scavalcammo un ragazzino che giocava con un gatto sul gradino della porta ed entrammo in un minuscolo soggiorno. Una vecchia ci guardò da dietro un vetusto fornello a gas, nella stanza accanto, dove stava mescolando una profumata padella di *frijoles*.

«*Hola, Caballo*» disse.

«*¿Cómo está, Mamá?*» disse a sua volta Caballo Blanco. Ci sedemmo a un traballante tavolo di legno in soggiorno. Caballo mi disse di avere un po' ovunque, nei canyon, delle *Mamás*, ovvero delle signore anziane che lo rimpinzavano di fagioli e *tortillas* per pochi *centavos* durante le sue corse senza meta.

Nonostante la nonchalance della Mamá, compresi perché i Tarahumara si erano spaventati tanto la prima volta che avevano visto Caballo sgusciare nei loro boschi. Le fantastiche prodezze di resistenza sotto un sole implacabile avevano piuttosto inselvatichito Caballo. Era ben oltre il metro e 85 e la sua pelle, in origine chiara, sotto l'azione delle intemperie era diventata di colori che andavano dal rosa del naso al nocciola del collo. Aveva gli arti così lunghi e i muscoli così tesi da sembrare l'endoscheletro di una bestia enorme; immaginate di sciogliere Terminator in una vasca di acido: quello che ne uscirebbe sarebbe Caballo Blanco.

La luce intensa del deserto gli aveva accartocciato gli occhi in una smorfia permanente, e la sua faccia poteva assumere solo due espressioni: scetticismo e divertimento. Non importa cosa gli dissi per il resto della notte, non saprei dire se lui abbia pensato che ero un tipo brillante o un pallone gonfiato. Quando Caballo si concentra su qualcuno, lo fa in una maniera totale; ascoltava con attenzione, come un cacciatore intento a seguire le tracce della sua preda, e sembrava far caso al suono della mia voce non meno che al significato delle parole. Curiosamente, però, aveva ancora un orecchio abominevole per gli accenti: dopo più di un decennio passato in Messico, il suo spagnolo era così atroce che sembrava stesse parlando una voce elettronica.

«Quello che mi ha terrorizzato di te...» cominciò Caballo, ma subito si fermò, con l'occhio sbarrato per la fame, non appena Mamá ci servì delle grandi scodelle guarnite con coriandolo tritato, peperoni dolci e succo di limone. L'occhiata rabbiosa che mi aveva lanciato all'hotel non era dovuta al fatto che mi ero messo di mezzo tra lui e la sua libertà, ma tra lui e la sua cena. Caballo era partito quella mattina per fare una passeggiata fino a una pozza termale naturale nella foresta, ma poi aveva trovato un sentiero che non conosceva appena accennato tra gli alberi e si era dimenticato subito della passeggiata e del bagno caldo. Aveva cominciato a correre, e diverse ore dopo non si era ancora fermato. Era arrivato ai piedi di una montagna, ma invece di tornare indietro si era lanciato in una salita con un dislivello di quasi un chilometro (ovvero, come salire in cima all'Empire State Building due volte). A un certo punto aveva imboccato un sentiero che lo aveva riportato a Creel, dopo che quella che doveva essere una giornata dedicata a un bagno rilassante si era trasformata in un'estenuante maratona nella natura. Nel momento in cui lo avevo importunato all'hotel, era dall'alba che non toccava cibo ed era affamato al limite del delirio.

«Mi perdo sempre, e finisco per dovermi arrampicare in alto, con una bottiglia d'acqua tra i denti e le poiane che mi volano in cerchio sopra la testa» disse. «È bellissimo.» Una delle prime lezioni (e una delle più importanti) che aveva imparato dai Tarahumara era la capacità di cominciare a correre in qualsiasi momento, nello stesso modo in cui comincia a correre un lupo quando sente l'odore di una lepre. Per Caballo, correre era diventata la prima scelta in fatto di locomozione, come prendere la macchina è la prima opzione per chi vive fuori città; ovunque andasse, ci andava a grandi passi, come un cacciatore del neolitico: con il minimo di equipaggiamento possibile e con la stessa indifferenza in merito a dove (e quanto lontano) sarebbe finito.

«Guarda» disse, indicando i suoi vecchi pantaloncini da corsa e i suoi sandali Teva ormai pronti per finire nella spazzatura. «Questo è tutto quello che indosso, e lo indosso sempre.»

Fece una pausa per infilarsi in bocca una fumante montagna di fagioli piccanti, buttandoli giù con lunghi e assetati sorsi da una bottiglia di Tecate. Caballo ripulì una scodella di fagioli e Mamá gliela riempì di nuovo così velocemente che quasi non ci fu bisogno che lui rallentasse il movimento del cucchiaio: la sua mano si muoveva tra la scodella, la bocca e la bottiglia di birra con una tale efficienza ergonomica che la cena sembrava essere un nuovo esercizio atletico anziché un momento di riposo. Ascoltarlo dall'altra parte del tavolo era come sentire il serbatoio di una macchina in funzione: *cucchiaiata, chomp, chomp, slurp, slurp, cucchiaiata, chomp, chomp, slurp...*

Ogni tanto sollevava la testa dal piatto e si metteva a parlare per un po' di sé, in maniera torrenziale, prima di rituffarsi sui fagioli. «Eh sì, ero un lottatore. Il quinto nella classifica mondiale.» E poi giù di nuovo a darci dentro con il cucchiaio. «Quello che mi ha spaventato di te, prima, è che sei spuntato dal nulla e hai cominciato a gridarmi in faccia. Ci sono stati rapimenti e omicidi, da queste parti. Atti di crudeltà legati alla droga. Un tizio che conosco è stato rapito, la moglie ha pagato un grosso riscatto e poi l'hanno ammazzato lo stesso. Porcherie. La cosa buona è che io non ho niente. Sono solo un indio *gringo* che corre umilmente con i Rarámuri.» «Mi dispiace...» cominciai, ma la sua faccia era di nuovo immersa nei fagioli.

Non volevo infastidire Caballo facendogli altre domande, anche se lasciarlo parlare era come vedere un film a velocità accelerata. Traumi, battute di spirito, fantasie, flashback, rancori, sensi di colpa per i rancori, allettanti frammenti di un'antica saggezza: tutto il suo passato finiva dentro un caleidoscopio troppo rapido e troppo disarticolato per capirci qualcosa. Raccontava una storia, passava alla successiva, saltava a una terza, tornava indietro per correggere un dettaglio della prima, si lamentava di un personaggio della seconda, si scusava per essersi lamentato perché, accidenti, aveva cercato per tutta la vita di imparare a controllare la rabbia, ma *questa* era già un'altra storia...

Si chiamava Micah True, disse, e veniva dal Colorado. Be', dalla California, in realtà. E se veramente volevo capire i Rarámuri, avrei dovuto esserci quella volta in cui arrivò un uomo di novantacinque anni, che aveva camminato sui monti per 40 chilometri. E sai perché era riuscito a farlo? Perché nessuno gli aveva mai detto che non ci sarebbe riuscito. Nessuno gli aveva mai detto che avrebbe fatto meglio a morire in un ospizio chissà dove. Si vive in base alle proprie aspettative. Come quando lui scelse di chiamarsi come il suo cane. È così che era nato il nome «True»: dal suo vecchio cane. Anche se non sempre Caballo si sentiva all'altezza del suo buon vecchio cane True, ma anche questa era un'altra storia...

Aspettai, staccando l'etichetta della mia bottiglia di birra con l'unghia e chiedendomi se si sarebbe mai calmato abbastanza da permettermi di cominciare a capire di cosa diavolo stesse parlando. Gradualmente, il movimento del cucchiaio di Caballo rallentò fino a fermarsi. Svuotò la sua seconda bottiglia di Tecate e si appoggiò allo schienale, soddisfatto.

«*Guadajuko!*» disse con un sorriso a trentadue denti. «Una parola che dovresti imparare. È la parola che usano i Rarámuri per dire "fico".»

Spinsi una terza bottiglia di Tecate sul tavolo, e lui la scrutò aggrottando le sopracciglia con un'espressione scettica e bruciata dal sole. «Non lo so, amico» disse. «Non ho mangiato per tutto il giorno, non credo di reggere quanto un Rarámuri.»

Alla fine la prese comunque e ne bevve un sorso. Era un lavoro che metteva sete, quello di girare per altipiani alti come grattacieli. Bevve una sorsata lunga e rumorosa, poi si rilassò di nuovo sulla sedia, incrociando le gambe e incrociando le dita sulla sua pancia piatta. Qualcosa era scattato dentro di lui; me ne accorsi prima che aprisse bocca. Forse aveva bisogno di quegli ultimi 33 cc di birra per lasciarsi andare, o forse doveva semplicemente sfogarsi un po' prima di rilassarsi e raccontare la sua storia con ordine.

Perché quando stavolta Caballo cominciò a parlare, restai ammaliato. Parlò fino a notte fonda, raccontandomi una storia incredibile che abbracciava i dieci anni trascorsi dal momento in cui era scomparso dal mondo esterno, ed era una storia piena di personaggi bizzarri, di avventure straordinarie e di lotte all'ultimo sangue. E, alla fine, mi parlò di un progetto. Un progetto audace.

Un progetto, cominciai a capire, in cui ero coinvolto anch'io.

# VIII

Per apprezzare appieno il piano di Caballo, è necessario fare un passo indietro, ai primi anni Novanta, quando un fotografo naturalista dell'Arizona, Rick Fisher, si pose una domanda piuttosto banale: se i Tarahumara erano i corridori più forti del mondo, com'è che non stravincevano le gare più dure del mondo? Forse perché non avevano ancora incontrato Rick Fisher.

A giudizio di Fisher, il suo progetto sarebbe stato un successo planetario. Qualche villaggio di gente che normalmente passa le giornate a masticare e sputare tabacco si sarebbe accaparrato tonnellate di diritti televisivi per le sue eccentriche ultramaratone, Fisher si sarebbe trasformato nel Crocodile Hunter delle Tribù Perdute e i Tarahumara si sarebbero creati pubbliche relazioni di prim'ordine e sarebbero diventati i prediletti dei media. Certo, i Tarahumara erano il popolo più refrattario alla pubblicità del pianeta e avevano passato secoli a *fuggire* ogni tipo di relazioni con il pubblico, però...

Be', in seguito Fisher avrebbe dovuto affrontare anche questo problema, ma per il momento doveva gestirne altri ben più pressanti, tipo che non sapeva un'acca sulla corsa e che conosceva a malapena qualche parola di spagnolo, per non parlare del rarámuri. Non aveva neanche idea di dove trovare i corridori tarahumara né di come convincerli a lasciare le loro grotte protette per seguirlo fin nella tana dei

Diavoli Barbuti. E questi erano solo dettagli di secondaria importanza: ammesso infatti che fosse riuscito a creare una squadra di corridori tarahumara, come diavolo avrebbe fatto a portarli fuori dai canyon senza macchine e a fargli attraversare la frontiera americana senza passaporto?

Per fortuna, Fisher aveva qualche asso nella manica. Il primo era il suo impressionante GPS interno: Fisher assomigliava a uno di quei gatti domestici che riappaiono a casa dei padroni in Kansas dopo essersi perduti durante una vacanza in Alaska. La sua abilità nel fiutare la strada giusta in mezzo ai canyon dov'era più difficile orientarsi probabilmente non aveva rivali sulla faccia della terra, e sembrava dovuta perlopiù a un istinto naturale. Fisher non aveva mai visto niente di più profondo di un fossato, prima di trasferirsi dal Midwest all'Università dell'Arizona, eppure una volta arrivato lì cominciò subito a ficcarsi in luoghi da dove sarebbe stato consigliabile tenersi alla larga. Era ancora uno studente quando cominciò a esplorare i labirintici canyon Mogollon, avventurandosi oltre il luogo in cui il direttore del Sierra Club di Phoenix era stato sorpreso e ucciso da un'inondazione improvvisa, tutt'altro che rara in quelle zone. Fisher, con zero esperienza e l'equipaggiamento di un boy-scout, non solo sopravvisse, ma tornò indietro mostrando foto mozzafiato di un paese delle meraviglie sotterraneo.

Perfino Jon Krakauer, avventuriero superesperto e autore di *Aria sottile*, ne fu impressionato. Rick Fisher poteva tranquillamente sostenere di essere la massima autorità al mondo a proposito dei canyon Mogollon e della miriade di segreti che nascondono, concluse Krakauer all'inizio della carriera di Fisher, dopo che questi lo aveva portato in un pezzo di terra assolutamente incantevole, diverso da tutti quelli che Krakauer aveva visto fino ad allora. Un mondo alla Willy Wonka, fatto di specchi d'acqua color verde limone, torri di cristallo rosa e cascate sotterranee.

Il che ci conduce a un'altra delle abilità fisheriane: quando bisogna attirare l'attenzione di qualcuno e cercare di convincerlo a fare qualcosa che normalmente non farebbe, il talento di Fisher farebbe vergognare il miglior telepredicatore (be', ammesso che un telepredicatore possa vergognarsi di qualcosa). Prendete per esempio la storia – un classico del repertorio di Krakauer – del rafting che Fisher andò a fare nei Copper Canyon verso la metà degli anni Ottanta. Fisher non sapeva con precisione dove stava andando, anche se stava tentando, secondo l'ipotesi di Krakauer, «di fare una spedizione nei canyon che potesse essere considerata l'equivalente di ciò che per un alpinista è una spedizione sull'Himalaya». Eppure riuscì a convincere due amici – un tizio e la sua ragazza – a unirsi a lui. Andò tutto a meraviglia... finché Fisher non approdò per sbaglio nei pressi di un campo di marijuana. Improvvisamente, una sentinella dei narcos saltò fuori con un fucile d'assalto spianato.

Nessun problema: Fisher si limitò a mostrare dei ritagli di giornale che parlavano di lui e che portava sempre con sé (sì, perfino in un rafting molto umido in zone selvagge e non anglofone del Messico). «Dia un'occhiata! È meglio se non vi mettete contro di me. Io sono, comesidice... *¡Importante! ¡Muy importante!*»

La sentinella, confusa, li lasciò andare, giusto per permettere a Fisher di finire in un altro accampamento di narcos. Questa volta le cose si misero davvero male. Il piccolo gruppo di Fisher fu accerchiato da una banda di brutti ceffi, che, senza donne in una landa selvaggia, erano sbronzi e pericolosamente eccitati. Uno dei ceffi afferrò la ragazza americana. Quando il suo ragazzo provò a trattenerla, gli fu scaricata una raffica di mitra nel petto.

Questo scatenò la reazione di Fisher. Stavolta non avrebbe sventagliato davanti ai narcos il suo album di ritagli; decise invece di andare all'attacco come un pazzo scatenato: «Siete dei *muy malos hombres!*» urlò, in preda a una furia incontrollata, dando a quei ceffi degli «uomini malvagi» nel suo spagnolo rudimentale. «*¡Muy, muy malos!*» continuò a sbraitare, finché, racconta Krakauer, i ceffi alla fine decisero di far tacere quel pazzo molesto spingendolo via e andandosene. Fisher era sfuggito a una sentenza di morte grazie alla sua faccia tosta (e poi, naturalmente, fece in modo che la storia giungesse alle orecchie del giornalista Krakauer).

Fisher, senza dubbio, adorava essere incensato, e continuò ad andare in cerca di buone ragioni per farsi incensare. Mentre negli anni Ottanta la maggior parte degli esploratori della natura selvaggia si avventuravano verso il cielo, gareggiando con Reinhold Messner per scalare le quattordici vette più alte dell'Himalaya, Rick Fisher scelse la via opposta: scendere a esplorare i regni più esotici che si trovano *sotto* quei monti. Servendosi degli appunti del capitano Frederick Bailey, un agente segreto inglese che negli anni Trenta finì in una valle nascosta in Tibet mentre stava facendo una ricognizione in Asia con alcuni gruppi ribelli, Fisher contribuì a localizzare le favolose Kintup, impressionanti cascate che nascondevano l'ingresso al canyon più profondo del pianeta. Da lì, Fisher cominciò il suo viaggio alla scoperta di mondi perduti in giro per i cinque continenti, sfidando zone di guerra e milizie assassine, conducendo esplorazioni pionieristiche in Bosnia, Etiopia, Cina, Namibia, Bolivia e Cina.

Agenti segreti, pallottole sibilanti, regni preistorici... perfino Ernest Hemingway sarebbe ammutolito facendosi da parte se Fisher fosse entrato nel suo bar. Ma ovunque andasse, Fisher finiva per tornare a girare attorno alla sua grande passione: l'ammaliante ragazza della porta accanto, i Copper Canyon.

Durante una spedizione alle Barrancas, Fisher e la sua fidanzata Kitty Williams divennero amici di Patrocinio López, un giovane tarahumara che, da quando era stata costruita nella sua terra una nuova strada per il trasporto della legna, si era avventurato nel mondo moderno. Patrocinio era bello come un attore di Hollywood, aveva un grande talento per il *chabareke*, lo strumento a due corde dei Tarahumara, ed era così ben disposto verso i Diavoli Barbuti che il Dipartimento turistico di Chihuahua adottò il suo volto come testimonial del *Copper Canyon Express*, un treno d'epoca di lusso che si ferma a richiesta lungo i bordi delle Barrancas per permettere a turisti seduti in vagoni climatizzati di osservare la terra selvaggia dei canyon mentre vengono serviti da camerieri col papillon. Il lavoro di Patrocinio consisteva nel posare per i poster tenendo in mano il violino che aveva costruito con le sue mani (predisposizione verso il lavoro artigianale ereditata dall'epoca della schiavitù spagnola) come a suggerire che la vita dei Tarahumara là sotto era tutta bei ragazzoni e musiche di violini.

Rick e Kitty chiesero a Patrocinio di portarli a una *rarájipari*, l'antica corsa tarahumara con la palla. «Può darsi...» rispose Patrocinio; dopodiché, diede prova di aver adottato la mentalità del mondo moderno non meno di quanto il mondo moderno aveva adottato lui: «*... se siete disposti a pagare*». Poi fece un'offerta a Rick e Kitty: avrebbe recuperato qualche corridore se loro in cambio fossero stati disposti a sganciare cibarie per tutto il suo villaggio.

D'accordo?

D'accordo.

Rick e Kitty portarono il rancio e Patrocinio in cambio li fece assistere a una corsa da paura. Quando Rick e Kitty arrivarono al villaggio, non trovarono una simpatica corsetta da dilettanti, ma trentaquattro Tarahumara in gonnellino e sandali che si facevano fare massaggi pre-gara dai guaritori e tracannavano l'ultima tazza di *iskiate* prima della partenza. Quando il più anziano del villaggio diede il via, cominciarono a correre sul sentiero sconnesso per una corsa senza pietà di quasi 100 chilometri che sarebbe durata fino al tramonto, una specie di fuga semicontrollata che si lasciava indietro Rick e Kitty con la velocità e la precisione quasi telepatica dei passeri che migrano.

«Wow! Questo sì che è correre!» Kitty, un'esperta ultramaratoneta, era incantata. Era cresciuta guardando suo padre, Ed Williams, trasformarsi in un inarrestabile corridore di montagna nonostante vivesse sulle pianeggianti sponde del Mississippi. A riprova di quanto Ed fosse tosto si può ricordare il fatto che tra tutte le gare al mondo la sua preferita era anche la più spaventosa: la famigerata Leadville Trail 100, un'ultramaratona di 160 chilometri che si teneva in Colorado, a cui lui aveva partecipato per dodici volte e che continuava a fare all'età di *settant'anni*.

Nella mente di Rick già si stava celebrando un bel matrimonio di convenienza: Patrocinio poteva procurargli i corridori e il suo futuro suocero Ed i contatti per una corsa di prestigio. Tutto ciò che gli restava da fare era qualche donazione di mais per invogliare i Tarahumara e magari trovare un'azienda di scarpe disposta a mettergli ai piedi qualcosa di più robusto di quei sandali, dopodiché...

Fisher continuava a pianificare, ignaro del fatto che stava confezionando un fiasco colossale.

# IX

Diventa amico del dolore, e non sarai mai solo.

KEN CHLOUBER, minatore del Colorado
e creatore della Leadville Trail 100

L'evidente pecca del piano di Rick Fisher era che la corsa di Leadville si dà il caso che si tenga a Leadville.

Accoccolata in una valle a 3000 metri di altitudine in mezzo ai monti Colorado Rockies, Leadville è la città più alta degli Stati Uniti e, per molti giorni dell'anno, è anche la più fredda (in passato i pompieri durante i mesi invernali non potevano nemmeno suonare la campanella d'allarme, perché rischiava di andare in pezzi). I primi coloni tremavano di freddo sotto le loro pelli di procione nel momento in cui videro queste cime innevate. «Qui, di fronte ai loro occhi increduli, apparve lo spettacolo geologico più imponente e ostile che avessero mai visto» racconta Christian Buys, lo storico di Leadville. «Quello che si trovarono davanti avrebbe potuto essere anche un altro pianeta. Questo posto era troppo sperduto e minaccioso per tutti, eccetto per i più avventurosi.»

Naturalmente, da allora le cose erano migliorate: i pompieri adesso hanno sostituito la campana con un corno, per esempio. Per il resto, be'... «Leadville è un posto per minatori, teste matte e bastardi figli di puttana» disse Ken Chlouber (un ex minatore di quelli tosti, che allevava cavalli e guidava una Harley Davidson) quando creò la corsa Leadville Trail 100 nel 1982. «La gente che vive a 3000 metri è fatta di una pasta diversa dalla gente comune.»

Ma, a prescindere dal tipo di pasta con cui erano fatti i

leadvilliani, quando il medico più rinomato di Leadville sentì che cosa aveva in mente Ken andò su tutte le furie. «*Non puoi* far correre delle persone per 160 chilometri a questa altitudine» inveì il dottor Robert Woodward. Era così incazzato che parlava puntando un dito dritto in faccia a Ken, il che non prometteva niente di buono per quel dito. Se avete visto Ken, i suoi stivali con la punta d'acciaio numero 48 e il suo viso, duro come la roccia che aveva spaccato per una vita, potete immaginarvi piuttosto agevolmente che non è il tipo di persona a cui si parla con un indice alzato in tono di minaccia, a meno che non siate spaventosamente ubriachi o facciate spaventosamente sul serio.

E il dottor Woodward non era ubriaco. «Finirai per ammazzare qualcuno così stupido da venirti dietro.»

«Porca merda!» gli gridò Ken in riposta. «Magari se ammazziamo qualcuno ci rimetteranno sulla mappa.»

Poco tempo prima di questo confronto tra Ken e il dottor Woodward in quel freddo giorno d'autunno del 1982, la miniera di molibdeno Climax era stata chiusa all'improvviso, portandosi via quasi tutti i salari della città. Il «moly», come lo chiamano qui, è un minerale usato per rinforzare l'acciaio delle navi da guerra e dei carri armati, e quindi dopo la fine della Guerra fredda anche il mercato del moly aveva subito una flessione significativa. Da un momento all'altro Leadville smise di essere un piccolo borgo animato, con la sua gelateria vecchio stile e la sua strada principale vecchio stile, e si trasformò nella città più disperata e disoccupata del Nordamerica. Otto lavoratori su dieci timbravano il cartellino per la Climax e il lavoro dei due che non lo timbravano dipendeva da quello degli altri otto. Leadville, che una volta vantava uno dei redditi pro capite più alti del Colorado, si trovò presto a essere il capoluogo di una delle contee più povere dello Stato.

Non poteva andare peggio, si pensava. E invece andò peggio.

I concittadini di Ken si davano al bere, picchiavano le mogli, cadevano in depressione o lasciavano la città. Una sorta di psicosi collettiva stava travolgendo Leadville, il primo passo verso una totale morte civile: in un primo tempo, la gente perse i mezzi materiali per resistere; in seguito, dopo le risse al coltello, gli arresti e gli avvisi di pignoramento, perse anche la volontà.

«Centinaia di persone facevano i bagagli e partivano» ricorda il dottor John Perna, che dirigeva il pronto soccorso locale. Il suo pronto soccorso era indaffarato come l'unità MASH in Vietnam e doveva fronteggiare incidenti di tipo inedito: anziché i normali infortuni sul lavoro come caviglie distorte e dita maciullate, il dottor Perna si trovò ad amputare le dita dei piedi di minatori ubriachi che erano svenuti nella neve e chiamare la polizia per donne che arrivavano nel cuore della notte con la mandibola rotta e i bambini terrorizzati.

«Stavamo scivolando in una depressione mortale» mi disse il dottor Perna. «Negli ultimi tempi stavamo assistendo alla scomparsa della città.» Erano così tanti i minatori a essersene andati, che gli ultimi cittadini di Leadville non potevano neanche riempire le tribune di un piccolo stadio amatoriale di baseball.

La sola speranza per risollevare la città era il turismo, il che era come dire che non c'era nessuna speranza. Quale idiota sarebbe andato in vacanza in un posto che per nove mesi l'anno era gelido (ma senza le piste da sci) e in cui l'aria era così rarefatta che il semplice fatto di respirare poteva essere considerato un esercizio di cardiofitness? I dintorni di Leadville erano talmente aspri che il corpo scelto della Decima divisione di montagna dell'esercito veniva qui per addestrarsi nel combattimento alpino.

A rendere le cose ancor più drammatiche, c'era il fatto che la reputazione di Leadville era altrettanto spaventosa della sua geografia. Per decenni era stata la città più selvaggia del West, «una trappola mortale in ogni senso» per dirla con una cronaca dell'epoca «che sembrava andare fiera della propria depravazione». Il dottor Holliday, un dentista convertitosi al gioco d'azzardo e alla pistola, era solito frequentare i saloon di Leadville con il suo amico Wyatt Earp, suo compagno nella sparatoria dell'O.K. Corral. Anche Jesse James era solito aggirarsi da queste parti, attratto dalle diligenze cariche d'oro e dagli eccellenti nascondigli offerti dalle montagne dei paraggi. Ancora negli anni Quaranta del Novecento le truppe della Decima divisione di montagna non erano autorizzate a mettere piede a Leadville: sebbene fossero abbastanza spietate per combattere i nazisti, non lo erano per tenere testa ai tagliagole e alle prostitute che dettavano legge su State Street.

Certo: Leadville era un posto difficile, e Ken lo sapeva bene. Pieno di uomini tosti e di donne anche più toste di loro. E poi...

*Merda!* Porca *merda*! Ecco la soluzione!

Se a Leadville non restava da vendere nient'altro che grinta, allora fatevi avanti signori: a Leadville serviamo grinta fresca di prima qualità. Ken aveva sentito parlare di un tizio, un montanaro californiano coi capelli lunghi di nome Gordy Ainsleigh, la cui giumenta si era azzoppata poco prima della Western States Trail Ride, la più importante corsa di resistenza a cavallo. Gordy però decise di partecipare comunque alla gara. Si presentò alla partenza indossando scarpe da corsa e si mise a correre sulla Sierra Nevada per 160 chilometri. Bevendo dai ruscelli e facendosi dare un'occhiata dai veterinari alle postazioni mediche, alla fine riuscì a restare di diciassette minuti sotto il limite delle ventiquattro ore. Ovviamente Gordy non era l'unico pazzo della California, e fu così che l'anno seguente un altro corridore partecipò a piedi alla gara equestre... e un altro l'anno dopo... fino a che, nel 1977, i cavalli furono estromessi e la Western States divenne la prima gara podistica al mondo di 160 chilometri.

Ken non aveva mai corso una maratona, ma se qualche hippy californiano era in grado di correre per 160 chilometri, di certo non poteva essere troppo difficile. Inoltre una normale gara non avrebbe risolto nulla; se in ballo c'era la sopravvivenza stessa di Leadville, allora ci voleva un evento con i controcazzi, qualcosa che si distinguesse da quelle gare tutte identiche tra loro, quelle corsette da 42 chilometri che vista una viste tutte.

Fu così che, anziché organizzare una maratona, Ken creò un mostro.

Per farvi un'idea di ciò che propose, immaginate di correre per due volte di fila la maratona di New York con un calzino infilato in bocca e con un dislivello pari al monte Pikes Peak.

Fatto?

Perfetto. Adesso fatelo di nuovo, stavolta a occhi chiusi. In fin dei conti, correre la Leadville Trail 100 equivale più o meno a fare queste cose: quasi quattro maratone, metà delle quali al buio, con due dislivelli di 800 metri in mezzo. La linea di partenza è a un'altitudine doppia rispetto a quella a cui gli aerei pressurizzano le cabine, e quello è il punto più basso del percorso.

«L'ospedale fa un sacco di soldi grazie a noi» dichiara soddisfatto Ken Chlouber, venticinque anni dopo l'inaugurazione della gara e il suo alterco con il dottor Woodward. «È l'unico weekend dell'anno in cui le camere d'albergo e i letti d'ospedale sono tutti pieni.»

Ken sa di cosa parla: ha partecipato a ogni corsa di Leadville, nonostante la prima volta avessero dovuto ricoverarlo in stato di ipotermia. Per i corridori di Leadville è normale cadere da notevoli altezze, rompersi le caviglie, prendersi delle insolazioni, soffrire di bizzarre aritmie cardiache e di disturbi dovuti all'altitudine.

Incrociando le dita, la corsa non ha ancora fatto fuori nessuno, probabilmente perché demolisce la maggior parte dei corridori prima che questi collassino. Dean Karnazes, autonominatosi «l'Uomo dell'Ultramaratona», nei suoi due primi tentativi abbandonò la gara prima di arrivare al traguardo; dopo averlo visto ritirarsi per due volte di seguito, la gente di Leadville cominciò a chiamarlo «Ofer».* Ogni anno meno della metà dei partecipanti riesce ad arrivare al traguardo.

Non è affatto sorprendente scoprire che un evento in cui il numero dei ritirati supera quello di coloro che riescono a concludere la gara tende ad attirare una razza di atleti piuttosto bizzarra. Per cinque anni il campione incontrastato della corsa di Leadville è stato Steve Peterson, membro di una setta – la Divina Follia – che crede nell'esistenza di una coscienza superiore e che cerca di raggiungere il nirvana attraverso orge, corse in condizioni estreme e un servizio di pulizie domestiche a prezzi ragionevoli. Un'altra delle leggende di Leadville è Marshall Ulrich, un affabile magnate del cibo per cani che è riuscito a migliorare i suoi tempi facendosi asportare chirurgicamente le unghie dei piedi. «Tanto continuavano a cadermi in ogni caso» ha spiegato.

Quando Ken conobbe Aron Ralston (un alpinista che si era amputato da solo una mano con la lametta di un coltellino svizzero dopo che gli era rimasta incastrata sotto un masso) decise di fare a questo ospite speciale un'offerta sbalorditiva: gli permise di partecipare alla gara di Leadville senza pagare. Quest'offerta lasciò a bocca aperta tutti gli astanti. Anche il campione in carica deve pagare l'iscrizione per poter difendere il titolo. Perfino l'eroico gran maestro Ed Williams deve pagare. Lo stesso Ken paga la sua quota. Aron invece può partecipare gratuitamente: perché?

«Perché lui è l'essenza di Leadville» disse Ken. «Abbiamo un motto qui: sei più duro di quanto credi e puoi fare più di quanto pensi. Un tipo come Aron ci mostra cosa siamo in grado di fare, quando si decide di andare fino in fondo.»

Potreste pensare che il povero Aron aveva già sofferto abbastanza per aggiungere anche la Leadville alle sue sofferenze, eppure circa un anno dopo il suo incidente accettò l'of-

* Nel gergo del baseball si dice «O fer one», «O fer two» per dire «fuori una», «fuori due». [*NdT*]

ferta di Ken. Con l'aiuto di una nuova protesi mobile, Aron riuscì a finire la gara sotto il limite delle trenta ore e si portò a casa una cintura d'argento, spiegando con queste parole, meglio di quanto potesse mai fare Ken, cosa ci vuole per tagliare il traguardo di Leadville:

Non è necessario essere veloci: basta non aver paura di niente.

# X

*Perfetto!* Leadville era esattamente il tipo di emozione selvaggia ed estrema che Rick Fisher stava cercando. Come al solito, Rick era intenzionato a fare molto rumore, e un carnevale come la corsa di Leadville era il suo lasciapassare per ottenerlo. L'emittente sportiva ESPN si sarebbe forse lasciata sfuggire la ghiotta opportunità offerta da una schiera di bei ragazzi in gonnellino che polverizzavano tutti i record precedenti in una gara pensata appositamente per massacrare degli esseri umani? Neanche per sogno!

Fu così che nell'agosto 1992 Fisher tornò nel villaggio di Patrocinio rombando sul suo grosso vecchio furgoncino Chevrolet Suburban. Aveva con sé dei documenti validi per l'espatrio emessi dall'ufficio messicano per il turismo e prometteva ricompense in mais a chi volesse partecipare alla gara. Nel frattempo Patrocinio aveva convinto cinque abitanti del suo villaggio a dare fiducia a questo *chabochi* strano ed energico, il cui nome non riuscivano a pronunciare. Lo spagnolo non ha il suono «sce» e quindi Fisher fu costretto a sperimentare il sottile umorismo dei Tarahumara, che cominciarono a chiamarlo Pescador (Pescatore), traduzione di Fisherman. Questo nomignolo, oltre a semplificare la pronuncia, sottolineava anche il suo temperamento degno di un Achab, quella smania di cogliere l'occasione buona che irradiava da lui come il calore irradia dal tettuccio di un'auto rimasta a lungo sotto il sole.

Pazienza. Per quanto lo riguardava, potevano chiamarlo pure Dottor Pirla, l'importante era che facessero sul serio quando sarebbe arrivato il momento di correre. Il Pescador strizzò tutta la squadra tarahumara nello Chevrolet e premette sull'acceleratore, direzione Colorado.

Poco prima delle quattro del mattino del giorno della gara, la folla sulla linea di partenza di Leadville si sforzava di non fissare i cinque uomini in gonnellino che combattevano con gli sconosciuti lacci delle scarpe da basket di tela nera che il Pescador gli aveva procurato. I Tarahumara condivisero gli ultimi tiri di una sigaretta di tabacco nero e poi si mossero timidamente in coda al gruppo degli altri duecentonovanta ultramaratoneti che scandivano il conto alla rovescia: *Tre!... Due!...*

*Bum!* Il sindaco di Leadville sparò un colpo con il suo grosso e vecchio archibugio e i Tarahumara si lanciarono a mostrare di che pasta erano fatti.

Ma non durò molto. Prima di essere arrivati a metà strada, infatti, i cinque Tarahumara avevano già abbandonato la gara. «Maledizione» si lamentava Fisher rivolto a ogni orecchio che trovava nelle vicinanze. «Non avrei mai dovuto infilarli in quelle scarpe; e per di più nessuno ha detto loro che potevano rifocillarsi alle stazioni di sosta. Tutta colpa mia. Non avevano mai visto una torcia elettrica prima di allora, e per questo le tenevano puntate in alto, come fossero state delle torce vere e proprie...»

Certo, certo, è sempre così: mi scusi professoressa, ma il cane si è mangiato i compiti. Le solite tarahumara-delusioni e le solite vecchie scuse. Solo pochi storici dell'atletica messicana (i più maniacali) lo sanno, ma il Messico provò a impiegare un paio di corridori tarahumara nella maratona olimpica del 1928 ad Amsterdam e in quella del 1968 a Città del Messico. In entrambe le occasioni, i Tarahumara restarono a secco di medaglie. La scusa che si trovò in quelle occasioni fu che il percorso di 42 chilometri era troppo breve, e quindi la microscopica maratona era finita prima che i Tarahumara avessero modo di cambiare marcia rispetto agli altri.

Forse. Ma se questi tizi erano così sovrumanamente veloci, com'è che non riuscivano mai a battere nessuno? A nessuno interessa se sei un cestista infallibile nel tuo cortile: quello che conta è se sei in grado di buttarla dentro in partita. E per un secolo i Tarahumara non avevano mai fatto una competizione nel mondo esterno senza finire per fare una figuraccia.

Fisher era confuso e s'interrogò sulle ragioni della débâcle nel lungo viaggio di ritorno in Messico, quando all'improvviso gli si accese una lampadina. *Ma certo!* Il motivo era lo stesso per cui non puoi prendere cinque ragazzini in un campetto di Chicago e pretendere che battano i Chicago Bulls: solo perché sei un corridore tarahumara non significa che sei un *grande* corridore tarahumara. Patrocinio aveva tentato di fare un favore a Fisher scegliendo corridori che vivevano vicino alla nuova strada asfaltata, pensando che sarebbero stati più a loro agio in mezzo agli stranieri e che sarebbe stato più semplice andare a recuperarli. Ma – come il comitato olimpico messicano avrebbe dovuto capire da tempo – i Tarahumara più a portata di mano potrebbero non essere quelli che vale la pena reclutare.

«Proviamo di nuovo» lo incoraggiò Patrocinio. Gli sponsor di Fisher avevano donato un mucchio di mais al villaggio del giovane Tarahumara e lui non aveva alcuna intenzione di rinunciare a questa manna caduta dal cielo. Stavolta aprì la squadra anche a corridori esterni al suo villaggio. Andò nei canyon e fu di ritorno in tempo per la gara. Stavolta aveva reclutato i corridori della vecchia scuola.

Be', «vecchia» era proprio la parola giusta.

Ken non rimase troppo impressionato dalla nuova banda di Tarahumara che si presentò alla successiva ultramaratona di Leadville. Il caposquadra sembrava uno gnomo dei Loacker andato in pensione anticipata a Miami Beach: era un basso nonnino di cinquantacinque anni con un vestito blu ornato di fiori fucsia, che sfoggiava un sorrisetto da hippy, un foulard rosa e un berretto di lana calcato fino alle orecchie. Un altro tizio doveva essere tra i quaranta e i cinquanta, e i due bambini impauriti dietro di lui sembravano abbastanza piccoli da essere i suoi figli. L'intera spedizione era perfino meno equipaggiata della precedente; non appena arrivata, la squadra tarahumara scomparve nella discarica della città, riemergendo con pezzi di gomma di pneumatici che cominciarono a lavorare per tirarne fuori dei sandali. Niente irritanti scarpe da basket, stavolta.

Pochi secondi prima dell'inizio della gara, i Tarahumara scomparvero. «La stessa foga agonistica dell'anno scorso...» pensò sarcastico Ken; proprio come la volta prima, i timidi Tarahumara si erano nascosti in coda al gruppo. Al colpo di pistola si misero a trotterellare al seguito degli altri. E se ne restarono in ultima posizione, ignorati e insignificanti...

... fino al sessantacinquesimo chilometro, quando Victoriano Churro (lo gnomo della Loacker con un debole per i colori brillanti) e Cerrildo Chacarito (il pastore sui quarant'anni) cominciarono tranquillamente, quasi con nonchalance, a zampettare ai bordi della pista, recuperando piano piano qualche corridore, prima di affrontare la salita di 5 chilometri che portava al passo Hope. Manuel Luna li raggiunse e si mise al loro fianco: i tre Tarahumara più anziani correvano davanti, e i due più giovani dietro, in una formazione che ricordava un branco di lupi a caccia.

«Evvai!» esultò Ken, quando vide che i Tarahumara avevano superato la boa degli 88 chilometri. Stava succedendo qualcosa di strano: Ken se ne rendeva conto guardando le bizzarre espressioni sui loro volti. Aveva visto ogni singolo corridore dell'ultramaratona di Leadville nel decennio passato, e nessuno gli era mai sembrato così mostruosamente... *normale*. Dieci ore filate di corsa in montagna o ti mettono direttamente al tappeto oppure lasciano il segno sul tuo viso: non c'è alternativa. Anche i migliori ultracorridori a questo punto della corsa hanno la testa bassa e lo sguardo fisso al suolo, concentrati nell'operazione quasi impossibile di mettere un piede davanti all'altro. E invece quel vecchio, quel Victoriano? Niente: perfettamente tranquillo. Come se avesse appena fatto un pisolino, si fosse stirato e avesse deciso di mostrare ai ragazzini com'è che gli adulti giocano a questo gioco.

Dopo quasi 100 chilometri i Tarahumara *volavano*. Ogni 25 chilometri circa c'erano stazioni di sosta dove i volontari fornivano ai corridori cibo, calzini asciutti e batterie per le torce elettriche, ma i Tarahumara erano così veloci che Ricky e Kitty non riuscivano ad arrivare in macchina alla successiva stazione di sosta prima di loro.

«Sembravano muoversi con il suolo» disse uno spettatore incantato. «Come una nuvola, o come la nebbia che si muove sulle montagne.»

Stavolta i Tarahumara non erano dei selvaggi spaesati in mezzo a un mare di campioni olimpici. Non erano cinque confusi indigeni in orrende scarpe di tela che non avevano più corso da quando i bulldozer avevano fatto arrivare una strada al loro villaggio. Questa volta correvano in formazione, come facevano fin da bambini, con gli scafati veterani davanti e i volenterosi giovani cervi che scalpitavano dietro. Non facevano passi falsi ed erano sicuri di sé. Erano il Popolo Corridore.

Nel frattempo, a pochi isolati dal traguardo, si stava svolgendo un altro tipo di gara di resistenza. Ogni anno, i festaioli della Sesta Strada di Leadville fanno i duri e passano il weekend a bere, cercando di resistere più a lungo dei corridori. Cominciano a bere al colpo di pistola della partenza e continuano a vuotare i boccali fino alla chiusura ufficiale della gara, circa trenta ore più tardi. Tra shot di Jägermeister e gelatine Jell-O, svolgono anche una decisiva funzione di avvistamento: devono allertare i cronometristi dando di matto non appena vedono un corridore sbucare dall'oscurità. Questa volta però ci mancò poco che i bevitori mandassero in vacca il loro compito: alle due del mattino il vecchio Victoriano e Cerrildo si avvicinarono in modo così veloce e silenzioso («come una nebbia che si muove sulle montagne») che per poco non passarono inosservati.

Victoriano tagliò per primo il traguardo, e Cerrildo subito alle sue spalle. Manuel Luna, i cui sandali si erano disfatti al chilometro 133, lasciandogli i piedi nudi e sanguinanti, comparve comunque sul cammino roccioso che costeggiava il lago Turquoise e arrivò quinto. Il primo non Tarahumara arrivò quasi un'ora dopo Victoriano (era stato staccato di circa 10 chilometri).

I Tarahumara non solo erano arrivati primi pur essendo partiti per ultimi, ma avevano anche stravolto i record della gara. Victoriano era il vincitore più anziano nella storia di Leadville, il diciottenne Felipe Torres era il corridore più giovane a concludere la gara e la squadra tarahumara fu la sola ad aver mai conquistato tre delle prime cinque posizioni (nonostante i primi due classificati avessero quasi cento anni in due).

«È stato incredibile!» avrebbe detto al «New York Times» Harry Dupree, un partecipante che di certo non si stupiva facilmente. Dopo aver corso la Leadville per dodici volte, Dupree pensava che fossero finiti i tempi in cui quella gara poteva ancora offrirgli delle sorprese. Finché non vide Victoriano e Cerrildo sfrecciargli davanti.

«C'erano dei tipetti che indossavano sandali e che non si erano mai allenati per una gara in vita loro. E surclassarono alcuni dei migliori ultramaratoneti al mondo.»

# XI

«Te l'avevo detto!» esultò Rick Fisher.

E c'era anche un altro punto su cui aveva visto giusto: improvvisamente, tutti volevano la loro fetta del Popolo Corridore. Fisher promise che la squadra tarahumara avrebbe partecipato anche l'anno successivo, e questa fu la bacchetta magica che trasformò la gara di Leadville da una maratona pantagruelica ma poco nota in un evento mediatico di notevole richiamo. L'emittente ESPN acquistò i diritti televisivi; la trasmissione *Wide World of Sports* mandò in onda uno speciale dal titolo «Chi sono questi super-atleti?»; la birra Moldon divenne sponsor della Leadville. L'azienda di scarpe Rockport decise addirittura di sponsorizzare l'unica squadra di corridori al mondo che odiava le scarpe da corsa.

Reporter del «New York Times», «Sport Illustrated», «Le Monde», «Runner's World» e di qualsiasi altra rivista o giornale vi venga in mente, continuavano a chiamare Ken per fargli sempre la stessa domanda:

«Esiste qualcuno in grado di battere questi tizi?»

«Certo che esiste» rispondeva ogni volta Ken. «Annie.»

Ann Trason. La trentatreenne insegnante di scienze in un istituto superiore di formazione professionale della California. Se sostenete di riuscire a riconoscerla in mezzo alla folla, o siete suo marito oppure state mentendo. Ann era piuttosto piccola, piuttosto magra, piuttosto scialba e piuttosto invisibile dietro i suoi capelli castano chiaro: piuttosto in linea con quello che vi aspettereste, in fondo, da un'insegnante di scienze in un istituto superiore di formazione professionale. Tutto questo fino a quando qualcuno non sparava un colpo di pistola.

Vedere Ann schizzare alla partenza di una gara era come vedere entrare in una cabina del telefono un reporter dai modi gentili e vederne uscire Superman. Il mento sollevato, le mani strette a pugno, i capelli gonfiati dal vento a mostrare finalmente il viso e gli occhi scintillanti da puma. In abiti civili, Ann supera di poco il metro e cinquanta; in pantaloncini da corsa, si riconfigura e assume le fattezze di una modella brasiliana: gambe lunghe, schiena dritta da ballerina classica e un addome abbronzato e abbastanza duro da spezzarci una mazza da baseball.

Ann correva già ai tempi in cui era studentessa alle superiori ma, a suo dire, si annoiava da morire a girare all'infinito «come un criceto» su un ovale artificiale, e quindi al college smise di correre e divenne una biochimica (il che la dice lunga su quanto per lei doveva essere noioso correre, se la Tavola periodica degli elementi le sembrava più avvincente). Per anni, corse solo per evitare di impazzire: quando lo studio le faceva fumare il cervello o quando, dopo la laurea, era alla ricerca di un posto da ricercatrice a San Francisco, Ann sfogava lo stress con una rapida corsa al Golden Gate Park.

«Mi piace correre anche solo per sentire il vento nei capelli» diceva. Delle gare non poteva importarle di meno: quello che la attirava era la gioia di evadere per un po' dalla prigione. Questo succedeva molto prima che Ann cominciasse a sciogliere lo stress preventivamente, facendo di corsa tutti i giorni i 15 chilometri che separavano casa sua dal laboratorio dove lavorava. E quando successivamente si rese conto che al momento in cui staccava dal lavoro le sue gambe erano ancora fresche, cominciò a fare di corsa anche la strada del ritorno. Oh, al diavolo: se poteva mettere insieme 30 chilometri nei giorni lavorativi, non sarebbe stato certamente un problema rilassarsi in un torpido sabato correndone 35...

... o 40...

... o 50...

Un sabato, Ann si svegliò di buon'ora e corse 32 chilometri. Si rilassò, fece colazione, e poi tornò a casa, facendo altri 32 chilometri di corsa. A casa poi c'era da fare qualche lavoretto idraulico, quindi una volta finita la corsa numero due tirò fuori la sua cassetta degli attrezzi e si mise al lavoro. Aveva corso più di 60 chilometri e poi aveva sistemato un guasto idraulico tutto da sola. Per ricompensa, si concesse altri 25 chilometri.

Quasi 90 chilometri in un giorno. Le sue amiche cominciarono a farsi delle domande e a preoccuparsi per lei. Ann soffriva forse di un disturbo alimentare? Di un'ossessione per l'esercizio fisico? Stava fuggendo qualche inconscio demone freudiano scappando letteralmente via? «Le mie amiche dicono che invece di essere dipendente da crack sono dipendente da endorfine» diceva Ann Trason. E di certo non le rassicurò quando spiegò loro che correre quelle enormi distanze in montagna per lei era «molto romantico».

Come no?! Un'estenuante, sporca, fangosa, sanguinosa, solitaria corsa campestre per lei equivaleva al chiaro di luna e a una coppa di champagne.

Ma sì, insisteva lei, correre era proprio romantico; e no, naturalmente le sue amiche non potevano capirlo perché non avevano mai provato quello che a un certo punto aveva cominciato a provare lei. Per loro, la corsa consisteva in 3 miseri chilometri con la sola motivazione di entrare in un paio di jeans taglia 42: salire sulla bilancia, deprimersi, mettersi le cuffie e pensare solo a finire la corsa il prima possibile. Ma non ci si può imporre di correre per cinque ore in questo modo; bisogna sapersi rilassare durante la corsa, viverla come se ci si immergesse in un bagno caldo, superare lo shock iniziale e cominciare a godersela.

Se vi rilassate abbastanza, il vostro corpo acquista una tale dimestichezza con il ritmo cullante della corsa che non vi sembrerà nemmeno di muovervi. E una volta che avete compiuto questa svolta e vi siete immersi in questo flusso morbido e quasi fluttuante, ecco, a quel punto appaiono anche il chiaro di luna e lo champagne: «Devi essere in sintonia con il tuo corpo, e sapere quando è il momento di spingere e quando invece devi rallentare» spiegava Ann. Devi ascoltare con attenzione il suono del tuo stesso respiro; essere consapevole di quanto sudore ti sta colando lungo la schiena; saperti concedere al momento giusto un po' di acqua fresca o uno snack salato e chiederti, spesso e onestamente, come ti senti. Cosa potrebbe essere più sensuale che dedicare tutte queste premurose attenzioni al proprio corpo? E sensuale equivale a romantico, no?

Solo andando in giro per divertimento, Ann aveva macinato più chilometri di quanti ne fanno la maggior parte dei maratoneti, e così nel 1985 capì che era giunto il momento di vedere come se la cavava contro dei veri corridori. Partecipare alla maratona di Los Angeles? Ma no, che noia! Tanto valeva tornare a fare i giri di campo come un criceto, se poi doveva comunque passare tre ore a girare in mezzo ai palazzi. Voleva una gara abbastanza selvaggia e divertente da potersi lasciare andare, proprio come faceva durante le sue escursioni in montagna.

«Questa sì che è interessante!» pensò quando mise gli occhi su un annuncio in una rivista sportiva locale. Come la Western States, anche l'American River 50-miles Endurance Run, una gara di 80 chilometri, era una corsa a cavallo senza cavalli, una passeggiata in campagna lungo un percorso pensato in origine per gente che monta a cavallo su terreni impervi. È un percorso estremamente caldo, faticoso e rischioso. («Piante urticanti prosperano lungo il sentiero» si dice ai corridori. «Potreste imbattervi in cavalli selvaggi o in serpenti a sonagli: si raccomanda di dare a entrambi la precedenza.») Una volta evitati zoccoli e denti di questi animali, vi aspetta ancora un bello schiaffo, prima di arrivare al traguardo: dopo aver corso per 75 chilometri, dovete ancora superare un dislivello di trecento metri per gli ultimi 5 chilometri.

Quindi, ricapitoliamo: la prima gara di Ann sarebbe stata una doppia maratona in cui doveva avere a che fare con possibili morsi di serpenti velenosi e con irritazioni cutanee, il tutto sotto un sole rovente. No: obiettivamente non c'era rischio di annoiarsi.

E, come c'era da aspettarsi, il debutto di Ann nell'ultramaratona fu pessimo. Il termometro toccava temperature da sauna e lei era troppo alle prime armi per capire che portarsi una bottiglia d'acqua sotto un sole a 42 gradi poteva essere una buona soluzione. Inoltre non aveva idea di che ritmo tenere (questa cosa sarebbe durata sette ore? Dieci? Tredici?) e ne sapeva anche meno di strategia (questi tizi che camminavano in salita e poi le sfrecciavano accanto in discesa stavano davvero cominciando a irritarla. Correte da uomini, santiddio!).

Ma, una volta passato il nervosismo, si rilassò nel cullante ritmo della corsa. Alzò la testa, le sue ciocche si tesero al vento e cominciò a sentire la sicurezza di una tigre. Al cinquantesimo chilometro, dozzine di corridori barcollavano nel caldo umido, con l'impressione di trovarsi intrappolati dentro un muffin appena sfornato. Ma, nonostante la grave disidratazione, Ann sembrava diventare sempre più forte; così forte, in realtà, che riuscì ad arrivare prima tra tutte le donne in gara, battendo il record femminile e completando un percorso pari a due maratone in appena sette ore e nove minuti.

Questa vittoria shock fu l'inizio di un periodo incandescente. Ann non si fermò più, e diventò campionessa femminile della Western States – l'equivalente della finale di Champions League per l'ultramaratona – per *quattordici volte*, un record che abbraccia tre decenni e al cui confronto Lance Armstrong, con le sue insignificanti sette vittorie al Tour de France, sembra un misero fuoco di paglia. E un fuoco di paglia senza troppi meriti, per di più, dato che non ha mai fatto una pedalata senza avere al seguito un team di esperti che gli monitoravano l'apporto calorico e gli trasmettevano analisi precise al microsecondo all'auricolare; Ann, invece, aveva solo suo marito Carl, che l'aspettava nel bosco con un cronometro e mezzo panino al tacchino.

E a differenza di Lance, che si allenava e raggiungeva il massimo della forma per una sola competizione ogni anno, Ann andava matta per le gare. Per un periodo di *quattro anni*, aveva tenuto il ritmo di un'ultramaratona ogni due mesi. Un martellamento così incessante avrebbe dovuto devastarla, ma Ann aveva i poteri di recupero di un supereroe mutante; sembrava ricaricarsi con il movimento, diventando più forte quando in teoria avrebbe dovuto fiaccarsi. Diventava ogni mese più veloce, e fu solo per non aver fatto un vaccino per l'influenza che non raggiunse il record perfetto: in quei quattro anni vinse venti gare, e arrivò seconda solo una volta in cui in realtà avrebbe fatto meglio a restarsene a casa con una coperta di lana, un brodo caldo e un pacchetto di fazzoletti, e invece preferì partecipare a un'ultramaratona di quasi 100 chilometri.

Naturalmente, anche lei aveva il suo tallone d'Achille. Era impossibile che non lo avesse. Soltanto che nessuno riuscì mai a trovarlo. Ann era come i forzuti del circo che in ogni città in cui vanno sconfiggono gli uomini più forti del luogo: vinceva sulle strade e sui sentieri, sulle piste lisce e su sconnessi sentieri di montagna... in America, Europa, Africa. Surclassò i record del mondo sugli 80 chilometri, sui 100 chilometri e sui 160 chilometri, e stabilì dieci nuovi record mondiali sia su pista sia sullo sterrato. Si qualificò per la maratona olimpica, corse a 6 minuti e 44 al miglio per 62 miglia (100 chilometri), aggiudicandosi il World Ultra Title, e in uno stesso mese vinse la Western States e la Leadville.

Ma c'era un premio che continuava a sfuggirle dalle mani: per anni, Ann non riuscì mai a vincere nessuna delle ultramaratone più importanti. Aveva battuto sul campo ogni uomo e ogni donna in un sacco di gare minori, ma quando si trattava di eventi maggiori, c'era sempre almeno un uomo che la batteva per una manciata di minuti.

Ma questa storia era sul punto di finire. Nel 1994 Ann si rese conto che il suo momento era arrivato.

# XII

La faccenda cominciò a prendere una piega inattesa non appena lo Chevrolet polveroso di Rick Fisher si fermò di fronte al quartier generale della gara di Leadville e due tizi che indossavano mantelli bianchi da mago scesero dalla macchina.

«Ehi!» lo chiamò Ken Chlouber per salutarlo. «I demoni della velocità sono arrivati!» Ken tirò fuori la mano e cercò di ricordare la fonetica della parola «benvenuti» che il suo insegnante di spagnolo delle superiori aveva cercato di insegnargli.

«Uh... Bi... en... benid...» cominciò.

Uno dei tizi con il mantello sorrise e tirò fuori la mano. Improvvisamente, Fisher si frappose tra i due.

«No!» disse. «Non toccarli in questo modo prepotente o te ne pentirai. Nella loro cultura questa è una specie di aggressione criminale».

«Ma che c...» Ken sentì il sangue andargli alla testa. «Vuoi vedere un'aggressione criminale, amico? Prova a toccarmi di nuovo il braccio.» Fisher, sicuro come la morte, non aveva tirato fuori problemi di strette di mano quando era venuto a implorare Ken perché trovasse ai suoi tizi un alloggio gratuito. E ora che aveva un vincitore e le tasche piene dei soldi della sponsorizzazione della Rockport pensava di poter esigere che tutti lo trattassero come sua maestà? Ken era pronto ad assestare un bel calcio nel didietro di Fisher con la punta d'acciaio degli stivali, ma poi pensò a una cosa che lo fece respirare, rilassare e trattenere i nervi.

«La faccenda di Annie deve averlo reso particolarmente irritabile» pensò Ken. «Specialmente il modo in cui i media ci stanno giocando.»

L'atteggiamento dei giornalisti era cambiato drasticamente da quando Ann aveva confermato la sua partecipazione alla gara di Leadville. Invece di chiedere se i Tarahumara avrebbero vinto ancora, adesso tutti si chiedevano se la squadra di Fisher sarebbe stata (di nuovo) umiliata. «I Tarahumara considerano una vergogna essere battuti da una donna» ripetevano uno dopo l'altro tutti i giornali. Era una storia irresistibile: la timida insegnante di scienze che muoveva coraggiosamente verso le Montagne Rocciose per dare battaglia ai selvaggi machisti messicani e a chiunque altro, maschio o femmina, si fosse messo in mezzo tra lei e la vittoria di uno dei massimi eventi sportivi.

Naturalmente c'era un modo in cui Fisher avrebbe potuto alleggerire la pressione dei media sulla squadra dei Tarahumara: standosene zitto. La questione del machismo dei Tarahumara non era saltata fuori fino a che Fisher non aveva cominciato a parlarne ai reporter. «Non hanno mai perso contro delle donne» diceva «e non hanno intenzione di cominciare adesso.» Era una rivelazione affascinante (specialmente per i Tarahumara, che non avevano idea di cosa stesse dicendo).

I Tarahumara sono in realtà una società straordinariamente paritaria; gli uomini sono gentili e rispettosi nei confronti delle donne e non è difficile vederli portare a spasso i bambini piccoli sulla schiena, esattamente come le loro compagne. Uomini e donne gareggiano separati, questo è vero, ma lo fanno soprattutto per motivi logistici: le mamme con un mucchio di figli a cui badare non sono libere di passare due giorni a girovagare per i canyon. Devono stare vicino a casa, e per questo le loro corse tendono a essere più brevi (per gli standard dei Tarahumara, «breve» significa tra i 60 e i 100 chilometri). Le donne sono comunque considerate corridori eccellenti, e spesso ricoprono il ruolo di *cho'kéame* (un ruolo che si colloca tra il capitano della squadra e il bookmaker) mentre gli uomini corrono. Rispetto ai maschi americani patiti di football, i Tarahumara sembrano dei femministi radicali.

Fisher era già stato messo in imbarazzo quando la sua intera squadra era andata a rotoli, alla prima uscita dei Tarahumara a Leadville. Ora, per colpa delle sue stesse dichiarazioni, si trovava sotto i riflettori di una Battaglia tra i Sessi che andava in onda su tutte le televisioni nazionali e che, con ogni probabilità, avrebbe perso. Il miglior tempo di Ann a Leadville era stato solo di trenta minuti peggiore delle 20 ore e 3 minuti di Victoriano, e da allora Ann era incredibilmente migliorata. Bastava guardare la Western States: ci aveva messo novanta minuti in meno, rispetto all'anno precedente. Non si sapeva cosa sarebbe stata in grado di fare una volta arrivata a Leadville impetuosa e pronta a stabilire un nuovo record.

In più, Ann sembrava avvantaggiata da molti fattori: Victoriano e Cerrildo quell'anno non avrebbero corso (dovevano piantare il mais e non avevano tempo per un'altra corsa per divertimento), e così Fisher non poteva contare sui suoi due corridori migliori. Ann aveva già vinto due volte la Leadville, e rispetto a qualsiasi nuovo corridore che Fisher avesse trovato, Ann aveva comunque l'enorme vantaggio di conoscere a menadito ogni curva che poteva invece confondere un corridore inesperto. Se durante la gara di Leadville ti capita di mancare un segnale, rischi di vagare nel buio per chilometri, prima di ritrovare la strada.

Ann inoltre non aveva problemi ad acclimatarsi a quell'altitudine, e sapeva meglio di chiunque al mondo come analizzare e aggredire i problemi logistici di una corsa di 160 chilometri. Essenzialmente, un'ultramaratona è un'equazione binaria fatta di centinaia di domande a cui devi rispondere sì o no. Mangiare adesso o aspettare? Aggredire questa salita o rallentare e conservare i quadricipiti per le pianure? Controllare cosa c'è nella scarpa che mi dà fastidio o ignorarlo? Le distanze estreme amplificano i problemi (una vescica diventa un calzino zuppo di sangue, rifiutare una barretta energetica può significare uno stordimento che ti rende incapace di seguire i segnali del percorso), quindi basta una sola risposta sbagliata per mandare a rotoli l'intera gara. Ma non per la studentessa modello Ann; quando si trattava di ultradistanze, faceva sempre un compito da dieci e lode.

In sostanza: molti complimenti ai Tarahumara, che si erano rivelati grandiosi corridori amatoriali, ma questa volta non avevano speranze, dovendo competere con la migliore professionista sulla piazza (Ann era una killer ingaggiata dalla Nike). I Tarahumara avevano avuto il loro breve momento di gloria come campioni della gara di Leadville; adesso però era il momento di tornare al posto di secondo piano che gli spettava.

Il che spiega i tizi con i mantelli da mago.

Nel disperato tentativo di sostituire i suoi due veterani assenti, Fisher aveva seguito Patrocinio in una scalata di tre chilometri di dislivello fino al villaggio di Choguita, sulla cima della montagna. Qui incontrò Martimano Cervantes, un quarantaquattrenne maestro del gioco con la palla, e il suo protetto, il venticinquenne Juan Herrera. Choguita è un villaggio terribilmente freddo di notte e terribilmente riarso dal sole di giorno, e per questo i Tarahumara di Choguita, anche quando corrono, si proteggono con poncho di lana che arrivano quasi fino ai piedi. Quando volano giù per il sentiero, i poncho gli svolazzano attorno facendoli sembrare maghi che appaiono da una nube di fumo.

Juan e Martimano erano scettici. Non avevano mai lasciato il loro villaggio prima di allora, e avevano l'impressione di dover passare un periodo di tempo molto lungo in mezzo ai Demoni Barbuti. Fisher tagliò corto sulle loro obiezioni; aveva il denaro ed era pronto a parlare chiaro. A Choguita c'era stato un inverno secco e la primavera era andata anche peggio: sapeva che le scorte di cibo erano pericolosamente scarse. «Venite a correre con noi» promise Fisher «e darò al vostro villaggio una tonnellata di mais e mezza tonnellata di fagioli.»

Mmm. Cinquanta sacchi di mais non erano molti per un villaggio... ma almeno erano garantiti. Se avessero potuto portare anche qualche compagno, magari avrebbero accettato.

«Abbiamo altri corridori molto veloci, nel villaggio» dissero a Fisher.

«Niente da fare» rispose Fisher. «Solo voi due.»

Il Pescatore aveva un piccolo piano segreto d'ingegneria sociale: prendendo corridori da diversi villaggi sperava di mettere i Tarahumara gli uni contro gli altri. «Farò in modo che si schierino in gruppi rivali e che questo dia loro lo stimolo per vincere senza problemi la corsa di Leadville.» Era un piano scaltro, ma totalmente errato. Se Fisher avesse conosciuto un po' meglio la cultura tarahumara, avrebbe saputo che le gare non dividono gli uni dagli altri, ma anzi sono fatte apposta *per unirli*. È un modo con cui i membri della tribù stringono legami di parentela e amicizia e si assicurano che ognuno nei canyon sia abbastanza in forma per darsi una mano in caso di emergenza. Naturalmente sono gare competitive, ma è come la partita di calcio con i parenti nel campetto dietro casa per il giorno del Ringraziamento. I Tarahumara vedono la gara come la festa dell'amicizia; Fisher invece la vedeva come un campo di battaglia.

Uomini contro donne, villaggio contro villaggio, direttore di gara contro manager delle squadre: nei minuti impiegati per arrivare a Leadville, Fisher vide avvicinarsi la tempesta su tre fronti diversi. E di conseguenza ci diede dentro con gli affari.

«Ehi, possiamo fare una foto insieme?» chiese un corridore della Leadville quando scorse i Tarahumara in città prima della gara.

«Certo» rispose Fisher. «Hai venti dollari?»

«Per che cosa?» chiese sorpreso il corridore.

«Per crimini contro l'umanità. Per il fatto che "i bianchi" si sono approfittati dei Tarahumara e degli altri indigeni per secoli» rispose Fisher. «E se non vi sta bene, peggio per voi: non me ne potrebbe importare di meno, di voi ultramaratoneti» continuò. «Non mi interessa la gente bianca. A me interessa solo che i Tarahumara prendano a calci qualche bel culo bianco.»

*Culo bianco?* Doveva esser passato un po' di tempo dall'ultima volta che Fisher aveva dato un'occhiata al proprio didietro... E soprattutto, cosa c'era venuto a fare, a Leadville: una gara o uno scontro razziale?

Nessuno poteva parlare con i Tarahumara e neanche dare loro una pacca sulle spalle e augurare «in bocca al lupo» senza che il Pescatore si mettesse in mezzo. Perfino Ann Trason si trovò di fronte un muro di ostilità. «Rick teneva i Tarahumara isolati senza ragione» si lamentò più tardi. «Non ci lasciava neanche parlare con loro.»

La rappresentanza della Rockport era sconcertata. Avevano appena lanciato una nuova scarpa per la corsa campestre e tutta la campagna di marketing era incentrata sulla gara di Leadville. La scarpa *si chiamava* addirittura Leadville Racer. Quando Rick Fisher li contattò per chiedere di fargli da sponsor («Tenga presente che fu *lui* a cercarci» mi avrebbe detto poi il vicepresidente della Rockport, Tony Post), la Rockport disse esplicitamente che i Tarahumara sarebbero stati in gran parte i protagonisti della campagna. La Rockport avrebbe sganciato i soldi e in cambio i Tarahumara avrebbero indossato delle scarpe giallo banana, si sarebbero conquistati il pubblico e sarebbero apparsi in qualche pubblicità. D'accordo?

Assolutamente, promise Fisher.

«Poi arrivai a Leadville e conobbi questo strano tipo» continuò Tony Post. «Sembrava un'inguaribile testa calda. E questa mi pareva una contraddizione: erano una squadra di persone estremamente gentili, gestite dal peggior prodotto della cultura americana. Era come...» Post fece una pausa per riflettere, e nel silenzio potevi quasi sentire il pensiero che sorgeva e si formava nella sua mente: «Era come geloso che fossero loro ad avere tutta l'attenzione».

Così, con le battaglie che infuriavano attorno a loro, i Tarahumara spensero le sigarette e si spostarono impacciati dietro il gruppo degli altri corridori di fronte al tribunale di Leadville, nello stesso posto in cui un tempo impiccavano i ladri di cavalli. Tra abbracci, strette di mano e atteggiamenti camerateschi del tipo «stiamo andando in braccio alla morte» che avevano tutti i corridori in attesa della partenza, i Tarahumara sembravano isolati e sperduti.

Il sorriso geniale di Manuel Luna scomparve e la sua faccia divenne dura come la quercia. Juan Herrera si sistemò il berretto della Rockport e si infilò le sue nuove scarpe Rockport giallo acceso da 110 dollari con le suole da scarponi da montagna. Martimano Cervantes si calcò in testa il suo berretto nella gelida notte delle Montagne Rocciose. Ann Trason si mise davanti a loro, si stirò e guardò in direzione dell'oscurità che si estendeva di fronte.

# XIII

> Solo a colui che preferisce
> la cura del proprio corpo
> al dominio sull'impero
> può essere affidato l'impero.
>
> LAO TZE

Il dottor Joe Vigil, un sessantacinquenne che da solo vale quanto un esercito, si scaldava le mani sulla tazza di caffè mentre aspettava di veder spuntare dalla foresta i primi raggi di luce delle torce elettriche.

Nessun altro allenatore di alto livello al mondo in quel momento si trovava dalle parti di Leadville, perché qualsiasi altro allenatore di alto livello se ne infischiava sonoramente di quello che accadeva in quel gigantesco manicomio a cielo aperto sperduto sulle Montagne Rocciose. Che cosa avevano a che fare quelli – quegli «autolesionisti», o «bastardi pezzi di melma», o come diavolo si facevano chiamare – con la corsa vera e propria? Con la corsa *olimpica*? Gli allenatori di atletica consideravano l'ultramaratona una via di mezzo tra le gare a chi mangia più polenta e il sadomasochismo a scopo ricreativo.

«Splendido» pensò Vigil, mentre batteva i piedi per scaldarsi un po'. «Fate come volete, andatevene a dormire e lasciate a me questi pazzi.» Sapeva perfettamente che prima o poi anche i pazzi avrebbero fatto il loro colpo grosso.

Il segreto del successo di Vigil era chiaramente contenuto nel suo nome: nessun altro allenatore era più vigile di lui nello scovare quei piccoli dettagli decisivi che sfuggivano a tutti gli altri. Era stato così per tutta la sua carriera, da quando, gracile bambino di origine latinoamericana, alle superiori cercava di giocare a football in una squadra in cui non militavano molti *latinos*, figurarsi se ce n'erano di gracili. Joe Vigil non poteva competere con quegli enormi ammassi di carne umana puntando sui muscoli, e così decise di batterli sul piano della scienza; studiò tutti i trucchi delle leve, della propulsione e del tempismo, cercando di trovare la giusta posizione dei piedi per saltare fuori da una mischia come un'incudine sparata da una molla gigante. Quando si laureò, il gracile *latino* giocava come guardia nella rappresentativa di tutte le università americane. Poi si convertì all'atletica e usò il suo instancabile fiuto da segugio per trasformarsi nella più grande mente della corsa sulla lunga distanza che l'America abbia mai conosciuto.

Al di là di un dottorato e due master, la ricerca dell'arte dimenticata della corsa sulla lunga distanza aveva portato Vigil nelle più sperdute steppe russe, sulle montagne del Perù e fino sulle alture della Rift Valley in Kenya. Voleva capire perché ai velocisti russi vietassero di fare un solo passo in allenamento se prima non erano in grado di saltare scalzi da una scala di sei metri, come facessero i pastori sessantenni di Machu Picchu a scalare le Ande con una dieta da fame a base di yogurt ed erbe, e come riuscissero i corridori giapponesi allenati dai maestri Suzuki-san e Koide-san a trasformare misteriosamente delle lente camminate in veloci maratone. Seguì gli antichi maestri e si fece ispirare da loro, mettendo al sicuro i loro segreti prima che se li portassero nella tomba. La sua testa era una specie di biblioteca universale delle tradizioni podistiche, molte delle quali erano scomparse da ogni parte del pianeta e sopravvivevano solo nella sua memoria.

Le sue ricerche lo ripagarono in maniera sensazionale. Nella sua università, l'Adams State College di Alamosa, in Colorado, Vigil si fece carico del morente programma di corsa campestre e lo trasformò in una macchina capace di seminare il terrore nelle altre università. I corridori della Adams State vinsero ventisei titoli nazionali in trentatré anni, fra cui si annovera anche la più maestosa prova di forza mai realizzata in un campionato nazionale: nel 1992 i corridori di Vigil si piazzarono nei primi cinque posti nel campionato della Seconda divisione NCAA, realizzando l'unico en plein nella storia di un campionato nazionale. Vigil portò inoltre Pat Porter alla vittoria di *otto* titoli nazionali di corsa campestre (il doppio di quanti ne abbia vinti il maratoneta medaglia d'oro olimpica Frank Shorter, e il quadruplo di Meb Keflezighi, medaglia d'argento olimpica), oltre a essere nominato Allenatore universitario dell'anno per la cifra record di quattordici volte. Nel 1988 Vigil fu nominato allenatore della squadra di corsa sulla lunga distanza per le Olimpiadi di Seul.

E questo spiega perché, in quel momento, il vecchio Joe Vigil era il solo allenatore d'America a tremare in una gelida foresta alle quattro del mattino aspettando che dal buio spuntassero un'insegnante di scienze di un istituto superiore di formazione professionale e quattro uomini in abiti da donna. L'ultramaratona era stata sempre un grande enigma, per lui: sembrava che niente quadrasse, in quello sport, e quando a Vigil non tornavano i conti era sicuro che ci fosse qualcosa d'importante che gli stava sfuggendo.

Provate a risolvere questo problema: com'è possibile che quasi tutte le donne arrivino al termine della Leadville, mentre neanche la metà degli uomini ci riescono? Ogni anno, più del 90 per cento delle donne tornavano a casa con la cintura che spettava a chi finiva la gara, mentre il 50 per cento degli uomini tornavano a casa con una scusa. Neanche Ken Chlouber è in grado di dare una spiegazione alla percentuale vertiginosa di donne che riuscivano ad arrivare al termine della gara, ma in compenso sa benissimo come sfruttare la circostanza: «Tutti i corridori della mia squadra sono donne» dice Chlouber. «Loro sanno perfettamente come centrare l'obiettivo.»

Oppure provate a risolvere quest'altro problema: sottraete i Tarahumara dalla corsa dell'anno precedente e cosa ottenete?

Risposta: una donna che lotta per il primo posto.

Nella baraonda creata dall'avvento dei Tarahumara, in pochi (oltre a Vigil) prestarono attenzione al fatto che Christine Gibbons era stata battuta di un soffio nel fotofinish per la terza posizione. Se per esempio al furgoncino di Rick Fisher si fosse rotta la cinghia di trasmissione mentre attraversava l'Arizona, una donna sarebbe stata ad appena trentuno secondi dalla vittoria dell'intera gara.

Com'era possibile? Nessuna donna si era classificata tra i primi cinquanta al mondo sulla distanza di un miglio: su quella distanza (poco più di un chilometro e mezzo) il record mondiale femminile di 4 minuti e 12 fu superato dagli uomini un secolo fa e viene costantemente battuto da ragazzini delle superiori. In una maratona, una donna *potrebbe* entrare tra i primi venti (nel 2003 il record di Paula Radcliffe – 2 ore, 15 minuti e 25 secondi – era a soli dieci minuti dal record maschile di Paul Tergat, di 2 ore, 4 minuti e 55 secondi). Ma nelle gare sulle ultradistanze erano le donne a fare la parte del leone. Perché, si domandava Vigil, la differenza tra uomini e donne si fa più piccola quanto più la gara si fa *lunga*? Non dovrebbe essere il contrario?

Le ultradistanze sembravano essere un universo parallelo in cui le normali regole del pianeta terra non funzionavano: le donne erano più forti degli uomini; i più anziani erano più forti dei più giovani; dei tizi sbucati dall'età della pietra che correvano in sandali erano più forti di tutti. Per non parlare delle distanze! Anche la pura e semplice spinta sulle gambe dei corridori era completamente fuori dal normale. Correre 160 chilometri alla settimana si pensava che fosse la strada più rapida per procurarsi un infortunio da stress, eppure quegli ultrapazzi si facevano 160 chilometri in *un giorno*. Alcuni di loro ogni settimana ne correvano il doppio per allenamento, e comunque non s'infortunavano. Vigil si chiedeva se non ci fosse una sorta di selezione interna, nel mondo delle ultradistanze: forse il fatto era che soltanto atleti con corpi indistruttibili erano attratti da quel tipo di gara. Oppure gli ultramaratoneti avevano scoperto il segreto delle megadistanze?

Fu così che, per risolvere questi enigmi, Joe si era trascinato con disciplina fuori dal letto, aveva messo un termos di caffè in macchina e aveva guidato di notte per vedere quei corpi superiori mettere in scena il loro spettacolo. I migliori ultramaratoneti al mondo, sospettò, erano a un passo dalla riscoperta dei segreti che i Tarahumara non avevano mai dimenticato. La teoria di Vigil lo aveva portato sul punto di prendere una decisione fondamentale, una di quelle che avrebbero cambiato la vita sua e, si spera, anche quella di altri milioni di persone. L'unica cosa di cui aveva bisogno, per poter verificare una sua ipotesi, era vedere di persona i Tarahumara. Non c'entrava la velocità: probabilmente lui sapeva sulle loro gambe molte più cose di quante ne sapessero loro stessi. Vigil moriva invece dalla voglia di dare una sbirciatina nelle loro teste.

Improvvisamente, trattenne il respiro. Qualcosa si era appena mosso ed era sbucato fuori dagli alberi. Qualcosa che assomigliava a due fantasmi... oppure a due maghi che apparivano da una nube di fumo.

Fin dalla partenza, la squadra Tarahumara aveva colto tutti di sorpresa. Invece di starsene indietro come avevano fatto negli ultimi due anni, i Tarahumara avanzarono compatti, saltando sul marciapiede della Sesta Strada per balzare in testa alla folla e prendere il comando della corsa. Erano molto rapidi. «Troppo rapidi» pensò Don Kardong, maratoneta olimpico nel 1976 e scrittore veterano di «Runner's World», che guardava la gara dal bordo strada. L'anno prima, Victoriano aveva mostrato una intelligente capacità di controllo nel risalire in modo costante dall'ultimo posto al primo, aumentando gradualmente la velocità a mano a mano che si avvicinava al traguardo. Era *quello* il modo in cui si dovevano correre i 160 chilometri della Leadville.

Ma Manuel Luna aveva passato un anno intero a riflettere sul modo in cui correvano i *gringos*, e aveva fatto un ottimo lavoro informandone i suoi nuovi compagni di squadra. Il cammino è libero e ampio nelle luci della città, mentre si trasforma improvvisamente in un sentiero stretto e buio quando si entra nella foresta. Se non siete davanti agli altri, vi trovate di fronte il fitto muro dei corpi dei corridori che si fermano per armeggiare con le torce elettriche e poi proseguono in fila indiana. Meglio togliersi di lì rapidamente ed evitare l'ingorgo, li avvertì Luna, e poi magari rallentare più avanti.

Nonostante il rischio che questo ritmo comportava, Johnny Sandoval, della cittadina vicina di Gyspum, Colorado, restò incollato a Martimano Cervantes e Juan Herrera. «Lasciamo che tutti perdano la testa per Ann e i Tarahumara» pensava «mentre io, zitto zitto, mi aggiudico la vittoria...» Dopo essere arrivato nono l'anno precedente in 21 ore e 45 minuti, Sandoval aveva fatto il miglior anno di allenamento della sua vita. Senza scalpore, era venuto a Leadville durante l'estate, e aveva corso a ripetizione ogni segmento del tracciato, finché non aveva memorizzato ogni curva, ogni asperità e ogni torrente. Sandoval aveva calcolato che se fosse riuscito a fare il percorso in 19 ore avrebbe vinto, ed era pronto a farlo.

Ann Trason si aspettava di trovarsi in testa già a inizio gara, ma sapeva che cominciare a correre fin dalla partenza a una velocità di otto minuti al miglio era una follia. Si accontentò quindi di restare a una distanza da cui riusciva a vedere ondeggiare le torce dei Tarahumara che entravano nella foresta intorno al lago Turquoise, certa di poterli recuperare abbastanza alla svelta. Il sentiero era buio e disseminato di rocce e radici, e questo giocava a favore di uno dei punti di forza di Ann, che amava correre di notte. Anche ai tempi del college, mezzanotte era il suo momento preferito per munirsi di torcia e andare con un'amica a correre per il campus addormentato, quando il mondo si riduceva a bagliori e scintillii in un piccolo disco di luce. Se c'era qualcuno che poteva fare un buon tempo correndo alla cieca su un terreno infido, quella era Ann.

Ma già alla prima stazione di sosta, Sandoval e i Tarahumara l'avevano lasciata indietro di quasi un chilometro. Sandoval si registrò, prese i suoi tempi (un'ora e 55 minuti circa per più di 20 chilometri) e si gettò nuovamente sul sentiero. I Tarahumara, invece, si diressero al parcheggio e corsero al furgoncino di Fisher. Si tolsero le scarpe gialle della Rockport come se fossero state infestate da formiche rosse. Ricky e Kitty, come da programma, erano già pronti con i loro sandali *huarache*. L'accordo con lo sponsor era stato rispettato, ma ora era il caso di cambiare calzatura.

I Tarahumara si inginocchiarono, avvolsero i lacci di cuoio intorno alle caviglie fino al polpaccio, sistemandoli il più accuratamente possibile, come se stessero accordando le corde di una chitarra. È un'arte raffinata, quella di allacciarsi alla perfezione una striscia di gomma sotto i piedi con un solo laccio di pelle e sistemarlo in modo che non si sposti o non si sciolga per i successivi 140 chilometri di corsa su un terreno accidentato. Poi si alzarono e ripartirono all'inseguimento di Johnny Sandoval. Quando Ann arrivò alla stazione di sosta, Martimano Cervantes e Juan Herrera non erano già più in vista.

«Un ritmo da pazzi» pensò Sandoval, lanciando un'occhiata indietro. «Qualcuno avrà detto a quei tizi che nelle ultime due settimane ha sempre piovuto, da queste parti?» Sandoval sapeva che si stavano dirigendo verso una zona molto paludosa intorno agli acquitrini di Twin Lakes e a un terreno coperto di fango sul passo Hope. Il guado del fiume Arkansas sarebbe stato un altro passaggio difficile: avrebbero dovuto arrampicarsi passo dopo passo tenendosi stretti a una fune di sicurezza per attraversare il fiume e poi farsi strada per arrivare in cima al passo Hope, con un dislivello di 600 metri. Quindi tornare indietro e fare altrettanto nel percorso di ritorno.

«Ok, questo è un suicidio» stabilì Sandoval dopo aver percorso 38 chilometri in 3 ore e 20 minuti. «Adesso risparmio le energie e poi batto questi tizi quando non ne potranno più.» Lasciò andare Martimano Cervantes e Juan Herrera, e quasi subito fu superato anche da Ann Trason. «Da dove diavolo è sbucata?» si chiese. Ann sapeva bene che quel ritmo avrebbe potuto portare solo a un disastro.

Al segnale che indicava i 50 chilometri, nell'accampamento di Half Moon, Martimano e Juan erano pronti per fare colazione. Kitty Williams gli schiaffò in mano dei sottili *burritos* con i fagioli. Continuarono a correre, masticando tutti soddisfatti e subito furono nuovamente inghiottiti dalla fitta foresta che circonda il monte Elbert.

Ann era indietro di pochi minuti e arrivò arrabbiata gridando: «Dov'è Carl? Dove *diavolo* si è ficcato?». Erano le otto e venti del mattino ed era pronta a togliersi di dosso un po' di peso mollando la torcia e il giubbotto. Ma stava tenendo un ritmo così elevato che suo marito non era ancora arrivato alla stazione di sosta.

«Vada al diavolo.» Ann tenne addosso l'attrezzatura notturna e scomparve all'inseguimento degli invisibili Tarahumara.

Dopo 65 chilometri, il gruppo di sostenitori che si era accalcato dalle parti della vecchia caserma dei pompieri nel minuscolo villaggio di Twin Lakes cominciò a guardare l'orologio. I primi corridori non dovrebbero essere qui prima di... vediamo... circa...

«Eccola!»

Ann era appena apparsa da dietro la collina. L'anno precedente Victoriano aveva impiegato sette ore e dodici minuti per arrivare lì; Ann ce ne aveva messe meno di sei. «Nessuna donna è mai arrivata per prima a questo punto della gara» disse un incredulo Scott Tinley, il due volte campione del mondo di triathlon nella versione Ironman, che stava commentando la gara per il programma dell'ABC *Wide World of Sports*. «Siamo testimoni di una prova assolutamente incredibile di coraggio sportivo.»

Meno di un minuto dopo, Martimano e Juan balzarono fuori dalla foresta scendendo giù per la collina dietro di lei. Tony Post era così rapito dall'evento che per il momento non fece caso al fatto che i ragazzi della sua squadra erano dietro e che avevano pensato bene di gettare nella spazzatura le scarpe per indossare le quali lui li pagava. «Fu il momento più emozionante» disse Post, che a suo tempo era stato un maratoneta di livello nazionale con tempi sotto le due ore e venti. «Stavamo impazzendo per questa donna che aveva preso il controllo della gara.»

Per fortuna, il marito di Ann era al suo posto, stavolta. Mise una banana nelle mani di Ann e la portò nella piccola caserma dei pompieri per farle fare l'esame medico. Tutti i corridori della Leadville dovevano farsi prendere il polso e controllare il peso al passaggio dei 65 chilometri, perché una considerevole e rapida perdita di peso sarebbe stata un preoccupante segnale di possibile disidratazione. Solo dopo il via libera del dottor Perna erano autorizzati a gettarsi nel tritacarne che li aspettava nel seguito della gara: sopra le paludi incombeva infatti la scalata fino alla vetta del passo Hope, con un dislivello di 800 metri.

Ann ruminava la banana mentre un'infermiera di nome Cindy Corbin preparava la bilancia. Un attimo dopo Martimano salì sulla bilancia accanto a quella di Ann.

«*¿Cómo estás?*» chiese Kitty Williams a Martimano, mettendogli una mano sulla spalla in segno d'incoraggiamento. Come vi sentite dopo quasi sei ore filate di corsa ad altitudine elevata e in salita a una velocità improponibile?

«Chiedigli come si sente a essere battuto da una donna» gridò Ann. Una risata nervosa risuonò nella stanza, ma Ann non stava sorridendo; gli lanciò un'occhiata come se lei fosse una cintura nera di karate e lui una pila di mattoni da distruggere. Kitty le rispose con uno sguardo sbigottito, che Ann ignorò continuando a tenere gli occhi fissi su Martimano. Martimano si voltò verso Kitty con aria interrogativa, ma Kitty preferì non tradurre. In tutti gli anni di ultramaratone e di cronometraggi per suo padre, era la prima volta che Kitty sentiva un corridore aggredirne verbalmente un altro.

Nonostante quello che la maggior parte delle persone nella stanza avevano sentito, un video dell'accaduto avrebbe più tardi suggerito che in realtà Ann si era limitata a dire: «Chiedigli come si sente a competere con una donna». Ma se anche le sue parole erano opinabili, il suo atteggiamento complessivo restava inequivocabile: Ann non stava vincendo solo grazie a un ritmo forsennato, ma anche grazie a un *agonismo* forsennato. Non c'erano dubbi che lo scontro sarebbe stato all'ultimo sangue.

Quando Martimano scese dalla bilancia, Ann lo scostò per passargli avanti e scappò via dalla porta. Si mise addosso il marsupio – appena riempito con gel energizzante, guanti e un impermeabile, nel caso si fosse imbattuta in un po' di nevischio o in un vento gelido – e cominciò a trotterellare sulla strada che portava alla cima della montagna innevata. Era uscita così in fretta che quando sparì dietro l'angolo della strada Martimano e Juan stavano ancora addentando degli spicchi d'arancia.

Che problema aveva? Linguaggio aggressivo e uscita precipitosa: Ann non si era neanche presa il tempo di mettersi addosso una maglietta e dei calzini asciutti, e non aveva nemmeno fatto scorta di qualche caloria extra. E perché, soprattutto, se ne stava ancora in testa alla gara? I 65 chilometri erano solo una delle tappe di una battaglia che sarebbe durata ancora a lungo. Quando si balza in testa al gruppo, si diventa immediatamente vulnerabili; si rinuncia a utilizzare il fattore sorpresa e si diventa prigionieri del proprio ritmo. Perfino i corridori non particolarmente esperti sanno che la tattica migliore è quella di starsene alle spalle di chi sta in prima linea, andare all'andatura necessaria per rimanere in scia e poi cambiare marcia e schizzare in testa all'ultimo giro.

Un esempio classico è quello di Steve Prefontaine. Steve aumentò troppo il passo per ben *due volte* nella stessa gara alle Olimpiadi del '72, ed entrambe le volte fu recuperato dagli avversari. In dirittura d'arrivo, il buon Pref non aveva più energie e finì per restare fuori dal medagliere, arrivando quarto. Questa sconfitta storica aveva impartito a tutti una lezione importante: nessuno cede la posizione di inseguitore se non è costretto a farlo. A meno che non sia pazzo o imprudente. E a meno che non sia Garri Kasparov.

Nel Campionato mondiale di scacchi del 1990, Kasparov fece un errore marchiano e perse la regina proprio all'inizio di una partita decisiva. Tutti i grandi maestri scacchisti del mondo si lasciarono sfuggire un grido di dolore: l'indomabile ragazzaccio della scacchiera era diventato carne da macello (un osservatore del «New York Times» meno elegante di altri lasciò trasparire anche un ghigno di soddisfazione). Il punto è che in realtà Kasparov non aveva affatto commesso un errore: aveva anzi deliberatamente sacrificato il suo pezzo più forte per ottenere un ancor più potente vantaggio psicologico. Sapeva di diventare letale quando era costretto a essere aggressivo, quando veniva messo all'angolo e doveva lottare con le unghie e con i denti per trovare una via d'uscita. Anatolij Karpov, il suo avversario, con il suo stile di gioco accademico, era troppo prudente per aggredirlo subito nelle prime fasi di gioco e quindi Kasparov si mise da solo sotto pressione con quello che in gergo tecnico si chiama un «Gambetto di Donna», e alla fine vinse la partita.

Era la stessa cosa che stava facendo Ann. Anziché dare la caccia ai Tarahumara, aveva optato per una strategia rischiosa e ispirata che consisteva nel lasciare che fossero i Tarahumara a dare la caccia a lei. Chi è più motivato a vincere, d'altra parte? Il predatore o la preda? Il leone può essere sconfitto e tornare a cacciare domani, ma la gazzella ha un solo errore a sua disposizione. Per battere i Tarahumara, Ann sapeva che non bastava la forza di volontà: aveva bisogno dello sprone della paura. Una volta che era davanti, ogni minimo scricchiolio dietro di lei l'avrebbe spinta verso il traguardo.

«Assumere il comando è un gesto che comporta aggressività e fiducia in se stessi» notò una volta Roger Bannister.

«Ma anche la paura ha un suo ruolo: non ci si può rilassare e ogni ragionamento deve essere gettato al vento.»

Ann ne aveva da vendere, di aggressività e fiducia in se stessa. Adesso stava gettando via i ragionamenti e lasciando che la paura facesse la sua parte. L'ultramaratona stava assistendo al suo primo Gambetto di Donna.

# XIV

«È pazza! È... meravigliosa.»

Il coach Vigil era fissato con i dati, i numeri, le statistiche e i tempi, ma quando vide Ann gettarsi nelle Montagne Rocciose con la sua intrepida strategia «o la va o la spacca», si entusiasmò per il fatto che l'ultramaratona non potesse essere ridotta a una scienza esatta, a una serie di istruzioni, a un manuale, a una saggezza condivisa. Quel tipo di sfrenata reinvenzione di se stessi è il luogo da cui nascono le grandi scoperte, come Vigil sapeva bene (e come Cristoforo Colombo, i Beatles e Bill Gates avrebbero felicemente sottoscritto). Ann Trason e i suoi nobili predecessori erano come scienziati pazzi che giocavano con le ampolle in un laboratorio sotterraneo, ignorati dal resto del mondo sportivo e liberi di violare qualsiasi principio condiviso che riguardasse le scarpe da corsa, il cibo, la biomeccanica, l'intensità di allenamento... o *qualsiasi altra cosa*.

E qualsiasi cosa si fossero fatti venire in mente, ci sarebbe stato da fidarsi. Con gli ultramaratoneti Vigil aveva la rassicurante tranquillità mentale che si ha con i puri esemplari da laboratorio. Non si stava facendo abbagliare da una superprestazione fasulla, come la «miracolosa» resistenza dei ciclisti del Tour de France, o dalla spropositata potenza dei battitori macrocefali che facevano un *home-run* a baseball, o dalla violenta esplosività delle velociste femminili che vincono cinque medaglie in una sola Olimpiade e poi finiscono in galera per aver mentito ai giudici federali riguardo all'uso di steroidi. «Anche il sorriso più luminoso» avrebbe detto un osservatore della sfortunata wonder woman Marion Jones «può nascondere una menzogna.»

Allora di chi ci si può fidare? Semplice: dei sorrisi di quegli stramboidi che corrono nei boschi.

Gli ultramaratoneti non avevano ragione di imbrogliare, perché non avevano nulla da guadagnare: né fama, né ricchezze, né medaglie. Nessuno sapeva chi fossero, e a nessuno importava sapere chi vincesse quelle loro bizzarre gare in mezzo ai boschi. Non ricevevano nemmeno dei premi in denaro: tutto quello che guadagni dalla vittoria di un'ultramaratona è la stessa fibbia di cintura che riceve anche il corridore che arriva ultimo. Da scienziato, dunque, Vigil poteva fidarsi dei dati ricavati dalle ultramaratone, mentre da appassionato poteva godersi lo spettacolo senza biasimo né scetticismo. Nel sangue di Ann Trason non c'era traccia di EPO, e non c'erano sacche di sangue di contrabbando nel suo frigo, né fiale di anabolizzanti provenienti dall'Europa dell'Est sul suo conto FedEx.

Vigil sapeva che se fosse riuscito a comprendere Ann Trason, avrebbe capito di cosa può essere capace una persona eccezionale. Ma se fosse riuscito a comprendere i Tarahumara, avrebbe capito di cosa può essere capace una persona *qualunque*.

Ann inspirava con boccate profonde e vibranti. L'ultima salita prima del passo Hope era da agonia, ma continuava a ricordare a se stessa che, da quella volta in cui Carl le aveva imprecato contro, nessuno l'aveva mai battuta su una salita impervia. Circa due anni prima, lei e Carl stavano correndo sotto la pioggia e Ann aveva cominciato a brontolare perché la salita che stavano facendo era interminabile e scivolosa. Carl si stancò di sentire i suoi lamenti e la bollò con l'epiteto più osceno a cui riusciva a pensare.

«Una pappamolla!» avrebbe detto più tardi Ann. «Mi ha dato della pappamolla! Da quel momento decisi che mi sarei allenata per correre in salita molto meglio di lui.» Non solo meglio di Carl, in realtà, ma meglio di chiunque altro; Ann divenne una vera capra di montagna al punto tale che le salite si rivelarono il luogo preferito dove lasciarsi andare e non pensare alla competizione.

Ma adesso, mentre si avvicinava al passo Hope, guardava indietro e vedeva Martimano e Juan che riducevano sempre di più la distanza, con l'aria di essere leggeri e freschi come i mantelli che gli svolazzavano intorno.

«Dio!» boccheggiò Ann. La pendenza era tale che poteva quasi arrampicarsi usando le mani. «Non capisco come facciano.»

Poco più indietro, anche Manuel Luna e il resto della squadra tarahumara si stavano avvicinando. Erano stati distaccati nelle prime fasi della gara dal veloce ritmo iniziale, ma adesso (come un protoplasma alieno che si riforma e diventa più forte ogni volta che viene fatto a pezzi) si stavano ricompattando in formazione dietro Manuel Luna.

«Dio!» esclamò di nuovo Ann.

Alla fine arrivò sulla vetta. La vista era spettacolare; se Ann si fosse voltata avrebbe potuto vedere tutti i 70 chilometri di foreste selvatiche che la separavano da Leadville. Ma non si fermò neanche per bere un sorso d'acqua. Aveva un asso nella manica e doveva giocarlo adesso. Era stordita dall'aria rarefatta e i suoi legamenti stavano gridando, ma Ann si spinse oltre la vetta e cominciò a correre a brevi passettini giù per la discesa.

Questa era una specialità di casa Trason: usare il terreno per ricaricarsi in movimento. Dopo una prima discesa ripida, la strada si ammorbidiva subito in una gentile e larga serie di zigzag, su cui Ann poteva piegarsi un po' all'indietro, rilassare i muscoli delle gambe e lasciare che fosse la gravità a fare il resto. Dopo poco, cominciò a sentire le contrazioni dei polpacci sciogliersi e la forza tornare nei quadricipiti. Prima di arrivare in fondo alla discesa aveva la testa alta e di nuovo lo scintillio da puma negli occhi.

Era il momento di dare gas. Ann cambiò direzione e passò dal terreno fangoso alla strada battuta, con le gambe che cominciavano a girare rapide e libere, accelerando in vista dei 5 chilometri che le mancavano per giungere alla stazione dove avrebbe dovuto fare dietrofront.

Juan e Martimano, nel frattempo, si erano distratti un po'. Non appena fuori dalla foresta, furono sorpresi dalla visione di un gigantesco gregge di strane creature coperte di lana, in mezzo alle quali si aggiravano alcuni animali. «Il pranzo è servito, gente!» urlò verso di loro una voce rauca che proveniva da qualche parte in mezzo al gregge e che i Tarahumara non capirono. Avevano appena incontrato un'altra tribù selvaggia: la ciurma ironicamente autonominata degli Hopeless, i senza speranza del passo Hope.

Dodici anni prima, Ken Chlouber aveva raccolto un numero sufficiente di vicini di casa per organizzare una mezza dozzina di stazioni di sosta, ma si era rifiutato di costringere qualcuno ad andare in cima al passo Hope: perfino un osso duro come lui, il minatore che era estasiato dall'alto tasso di ospedalizzazioni nel periodo della gara, lo considerava inumano. Un volontario spedito sul passo Hope avrebbe dovuto trascinarsi dietro una quantità di scorte di cibo, acqua e bende sufficiente per una parata senza fine di corridori esausti, e accamparsi per due notti sul picco della montagna, innevato e costantemente battuto da vento di bufera. Niente da fare: se Ken avesse mandato delle persone lassù, le conseguenze nel caso non fossero tornate sarebbero state terribili.

Per fortuna, gli venne in aiuto un gruppo di allevatori di lama, che scrollarono le spalle e dissero: «Be', chissenefrega». A loro doveva sembrare una festa. Caricarono i loro lama con cibo e superalcolici sufficienti per passare il weekend e piantarono le tende a 3800 metri di altitudine. Da quel momento, la ciurma dei Senza Speranza era cresciuta fino a diventare un esercito composto da un'ottantina abbondante tra forzuti proprietari di lama e loro amici. Per due giorni sopportavano venti impetuosi e dita congelate dispensando ai corridori servizi di primo soccorso e minestre calde, caricando gli infortunati sui lama e facendo festa tra un corridore e l'altro come una simpatica tribù di yeti. «Il passo Hope è un figlio di puttana anche quando il tempo è bello» dice Ken. «Se non fosse per quei lama, ci sarebbe morta un bel po' di gente.»

Juan e Martimano batterono timidamente il cinque ai Senza Speranza quando attraversarono il loro erto valico. Si fermarono a bere davanti al loro strano accampamento zingaresco (buttando giù anche qualche tazza di una gustosa zuppa di noodles che qualcuno aveva messo loro tra le mani), prima di ripartire veloci giù per il sentiero dietro la montagna. Di Ann non c'era più nessuna traccia.

Ann raggiunse il segnale degli 80 chilometri alle 12.05, quasi due ore prima rispetto a Victoriano l'anno precedente. Carl la ricaricò con bevande energetiche e carboidrati in gel Cytomax, poi chiuse il marsupio e strinse i lacci delle scarpe. Secondo le regole di Leadville, un «mulo» può correre al fianco di un corridore per gli ultimi 80 chilometri di gara, e quindi Ann da adesso fino alla fine poteva correre avendo al fianco il suo team di assistenza.

Un buon battistrada è di grande aiuto in un'ultramaratona, e Ann aveva uno dei migliori battistrada in assoluto: non solo Carl era abbastanza veloce da spingerla, ma aveva anche abbastanza esperienza per sapere come intervenire nel caso il cervello di Ann avesse cominciato a dare i numeri. Dopo circa venti ore di corsa senza sosta, un ultracorridore può avere la mente così obnubilata da dimenticare di cambiare le batterie della torcia elettrica, o da non vedere i segnali del percorso, o anche, come nello sfortunato caso di un corridore della Badwater nel 2005, da non essere in grado di distinguere tra una defecazione imminente e una defecazione in corso.

E questi sono i casi in cui la testa di un corridore tutto sommato sta ancora funzionando a dovere. Oltre al resto, anche le allucinazioni non sono infrequenti; una volta un ultracorridore continuava a gridare e a tuffarsi tra gli arbusti non appena vedeva la luce di una torcia, convinto che si trattasse di un treno in arrivo. Un altro si godette la compagnia di una bella ragazza in bikini argentato che lo accompagnò pattinando sui rollerblade per tutta la Death Valley, fino a che, con sua grande delusione, non scomparve in un riflesso di calore. Quell'anno, sei su venti corridori della Badwater soffrirono di allucinazioni, uno dei quali vedeva cadaveri in decomposizione lungo la strada e «mostruosi sorci mutanti» che si muovevano sull'asfalto. Una battistrada si spaventò un po' quando vide il corridore che accompagnava fermarsi a fissare il vuoto e infine dire: «Lo so che sei solo un prodotto della mia immaginazione».

Un buon battistrada, di conseguenza, può salvare la vostra gara; uno intelligente può anche salvarvi la vita. Peggio per Martimano, quindi, che al massimo poteva sperare che quell'irsuto picchiatello conosciuto in città il giorno prima si presentasse davvero alla stazione di sosta (e fosse veramente in grado di correre).

La notte prima, infatti, Rick Fisher aveva portato i Tarahumara a una cena pre-gara a base di spaghetti che l'Associazione veterani di guerra di Leadville offriva con lo scopo di reclutare qualche battistrada per la gara. Non era una cosa da nulla, comunque: fare da battistrada è un compito così estenuante e ingrato che di solito solo i familiari, i matti e gli amici ferocemente devoti si lasciano convincere a farlo. Il compito consiste nel rabbrividire di freddo in mezzo al nulla per ore, in attesa che arrivi il vostro corridore, quindi mettersi a correre per tutta la notte su monti battuti dal vento. Avrete gli stinchi insanguinati, del vomito sulle scarpe e non riceverete neanche una maglietta come riconoscimento per esservi fatti due maratone in una notte. Inoltre vi potrebbe capitare di dover restare svegli mentre il vostro assistito si fa un sonnellino nel fango, fargli scoppiare con le unghie una bolla di sangue che gli è venuta tra le chiappe, o cedergli il vostro giubbotto, anche se battete i denti dal freddo, perché le sue labbra sono diventate viola.

Alla cena a base di spaghetti, Martimano aveva incrociato lo sguardo con un tizio locale con i capelli lunghi, che, per qualche strano motivo, scoppiò immediatamente a ridere. Anche Martimano si mise a ridere: trovava quel capellone perfettamente a posto e anche molto divertente. «Siamo io e te, fratello» disse il Capellone. «Mi segui? *Tú y yo*. Se vuoi un mulo, lo farò io.»

«Ehi, ehi, aspetta un secondo» si mise in mezzo Fisher. «Sei sicuro di essere abbastanza veloce per questi tizi?»

«Non mi state mica facendo un favore» disse il Capellone scrollando le spalle. «Avete qualcun altro in lista d'attesa, per caso?»

«Hai ragione» disse Fisher. «D'accordo.»

E, come promesso, il pomeriggio successivo il Capellone era là, vicino alla stazione di sosta, che gridava e salutava a braccia aperte, quando Juan e Martimano arrivarono alla boa degli 80 chilometri. Buttarono giù un lungo sorso di acqua fresca, un po' di *pinole* e qualche piccolo *burrito* di fagioli che Kitty Williams aveva dato loro. Rick Fisher aveva tirato dentro anche un altro battistrada, un ottimo ultracorridore di San Diego che aveva studiato a lungo le tradizioni dei Tarahumara. I quattro corridori si scambiarono la stretta di mano tarahumara (quel delicato accarezzamento della punta delle dita) e si voltarono verso il passo Hope. Di Ann non c'era ancora alcuna traccia.

«In sella, ragazzi» disse il Capellone. «Andiamo ad acciuffare la *bruja*.»

Juan e Martimano non capirono quasi nulla di ciò che disse il Capellone, ma afferrarono chiaramente che stava dando a Ann della strega. Lo guardarono più da vicino per capire se dicesse sul serio, quindi decisero di no e cominciarono a ridere: quel tipo era davvero uno spasso.

«Sì, è una *bruja*, ma va bene così. Noi abbiamo un *mojo* più potente. Capite questa parola? *Mojo?* No? Non importa. Daremo la caccia alla *bruja* come fosse un cervo. Come a un *venado*. Sì, un *venado*. Capite? Daremo la caccia alla *bruja* come a un *venado*. A poco a poco.»

La *bruja* però non mollava. Dal momento in cui era passata per la seconda volta dal passo Hope, Ann aveva aumentato il suo vantaggio da quattro a sette minuti. «Stavo salendo al passo Hope quando lei mi sfrecciò accanto correndo nella direzione opposta. *Vrooooom!*» raccontò più tardi un corridore di nome Glen Vaassen a «Runner's World». «Era *a velocità di crociera.*»

Correva per la sua strada verso la base della montagna e s'immerse di nuovo nel fiume Arkansas, lottando per non essere portata via dalla corrente dell'acqua che le arrivava alla cintura. Erano le 14.31 quando lei e Carl giunsero alla caserma dei pompieri di Twin Lakes, al chilometro 95. Ann si registrò, ebbe l'autorizzazione medica a proseguire e salì con fatica il dislivello scosceso di sei metri che portava all'inizio del sentiero. Quando il Capellone e i Tarahumara arrivarono, Ann era già ripartita da dodici minuti.

Nello stesso momento in cui i Tarahumara erano alla stazione di Twin Lakes, anche Ken Chlouber stava arrivando, facendo ancora però il percorso di andata. Tutti nella caserma parlavano del ritmo record di Ann e del suo vantaggio che aumentava di momento in momento, ma Ken, guardando Juan e Martimano che uscivano dalla caserma, rimase colpito da un altro particolare: nell'affrontare quel piccolo dislivello scosceso, quei due *stavano ridendo.*

«Chiunque altro *cammina* su quel pendio» pensò Chlouber, guardando Juan e Martimano correre su quella salita come bambini che giocano su un cumulo di foglie. «*Chiunque altro*. E, sicuro come la morte, non ride.»

# XV

> Attorno al mio corpo la carne era morbida e rilassata, come un esperimento sulla musica funzionale di sottofondo.
>
> RICHARD BRAUTIGAN, *Pesca alla trota in America*

«Che sensazione di gioia!» si meravigliò coach Vigil: neanche lui aveva mai visto niente del genere. «È davvero impressionante.» Allegria e determinazione di solito sono emozioni antagoniste, eppure i Tarahumara traboccavano di entrambe, come se correre fino a morire li facesse sentire più vivi.

Vigil aveva preso furiosamente degli appunti mentali («Guarda il modo in cui puntano le dita dei piedi verso il basso e non verso l'alto, proprio come i ginnasti quando fanno esercizi a terra. E quelle schiene! Potrebbero portare dei secchi d'acqua sulla testa senza farne cadere una goccia! Quante volte ho detto ai miei allievi di stare dritti e correre in questo modo, in maniera totalmente istintiva?»). Ma ciò che lo colpiva più di tutto erano quei sorrisi.

«Ecco!» pensò Vigil, in estasi. «Ho trovato!»

Purtroppo però non aveva capito con precisione *che cosa* avesse trovato. La rivelazione che aveva sperato di ottenere gli stava davanti agli occhi, ma non riusciva ad afferrarla: poteva coglierne solo il bagliore che la circondava, come se avesse visto la copertina di un libro raro in una biblioteca illuminata solo da candele. Ma qualsiasi fosse la cosa che aveva trovato, sapeva che era esattamente quello che stava cercando.

Negli anni precedenti, Vigil si era convinto che il successivo balzo in avanti nel campo della resistenza umana sarebbe arrivato da una dimensione in cui aveva paura a addentrarsi: il carattere. Non il «carattere» di cui si riempiono in continuazione la bocca gli allenatori; Vigil non si riferiva alla «grinta», alla «fame» o alla «combattività». In realtà intendeva esattamente l'opposto: la nozione di Vigil di carattere non aveva niente a che fare con la durezza. Era compassione. Gentilezza. Amore.

Proprio così: amore.

Vigil sapeva che questa cosa suonava come una chiacchiera da quattro soldi, e senza dubbio sarebbe stato molto più semplice se si fosse adeguato a criteri consolidati, seri, affidabili, come il consumo massimo di ossigeno e gli schemi di allenamento programmati. Ma dopo aver passato quasi cinquant'anni a studiare la fisiologia della prestazione sportiva, Vigil era giunto alla sgradevole conclusione che tutte le domande semplici avevano una risposta, e che lui stava imparando sempre di più su argomenti di sempre minore importanza. Poteva dire esattamente quale vantaggio iniziale avessero i ragazzi kenioti rispetto agli americani (18 mila miglia di allenamento di corsa). Aveva scoperto il motivo per cui quei velocisti russi saltavano dalle scale (oltre a rafforzare i muscoli laterali, i traumi fanno sì che i nervi reagiscano più rapidamente, riducendo le probabilità di infortunio). Aveva svelato il segreto della dieta dei contadini peruviani (l'altitudine ha effetti strani sul metabolismo), e poteva parlarvi per ore delle conseguenze prodotte da una variazione di un solo punto percentuale nell'efficienza del consumo di ossigeno.

Ormai conosceva bene il corpo, perciò era giunto il momento di dedicarsi al cervello. E cioè: come si può fare in modo che qualcuno voglia davvero fare queste cose? Come si accende l'interruttore interno che ci ritrasforma nei Corridori Nati che eravamo in passato? Quando dico «in passato» intendo non la storia della nostra specie, ma anche quella della nostra vita individuale. Ricordate quando eravate piccoli e vi urlavano di smetterla di correre, di andare piano? Facevate ogni gioco alla massima velocità, correvate come pazzi calciando le lattine vuote, giocando a nascondino o attaccando gli avamposti nella giungla del cortile del vicino. Metà del divertimento era dovuta al fatto che facevate ogni cosa a un ritmo da record, e con ogni probabilità quello è stato l'ultimo periodo della vostra vita in cui siete stati rimproverati per essere troppo veloci.

Era questo il vero segreto dei Tarahumara: non avevano mai scordato cosa vuol dire amare la corsa. Ricordavano che la corsa è stata la prima delle belle arti dell'umanità, il nostro atto originario di creazione ispirata. Molto prima di scarabocchiare sulle pareti delle grotte e di battere il ritmo su tronchi vuoti, avevamo perfezionato l'arte di combinare il respiro, la mente e i muscoli in un fluido movimento autopropulsivo su un terreno selvaggio. E quando i nostri antenati fecero le loro prime pitture rupestri, quali furono i loro soggetti? Un taglio in basso, fulmini che squarciavano lo spazio e, in mezzo, l'Uomo Corridore.

La corsa sulla lunga distanza era venerata perché era indispensabile; era il modo per sopravvivere, prosperare e diffonderci su tutto il pianeta. Correvamo per mangiare e per non essere mangiati; correvamo per trovare una compagna e impressionarla, e con lei correvamo via per cominciare una nuova vita insieme. Se non avessimo amato la corsa, non saremmo sopravvissuti abbastanza per amare nient'altro. E, come per ogni altra cosa che amiamo (tutto ciò che chiamiamo «passioni» o «desideri»), si tratta di una necessità ancestrale che ci portiamo impressa nel DNA. Siamo nati per correre; e siamo nati *perché* corriamo. Siamo tutti parte di un unico Popolo Corridore, e i Tarahumara non lo avevano mai dimenticato.

Ma l'approccio americano alla corsa, *bleah.* Marcio fino al midollo. Era troppo artificiale e ammiccante, secondo Vigil, troppo incentrato sull'ottenere dei risultati senza perdere un solo minuto: una medaglia, un contratto con la Nike, un didietro bello sodo. Non si trattava più di arte: erano affari, un ostinato *do ut des*. Non c'era da stupirsi se così tante persone odiavano la corsa; se si pensa che sia solo un mezzo per raggiungere un obiettivo, un investimento per diventare più veloci, più magri, più ricchi, allora, una volta che ci si rende conto che il ricavo è minore dell'investimento, perché continuare?

Non è sempre stato così; e quando le cose andavano diversamente eravamo meravigliosi. Negli anni Settanta, i maratoneti americani assomigliavano ai Tarahumara; erano una tribù di marginali che correvano per passione e contavano sull'istinto duro e puro e su un equipaggiamento rudimentale. Togliete la parte superiore di una scarpa da corsa degli anni Settanta, e avrete un sandalo: le vecchie Adidas o le Onitsuka Tigers erano fatte solo di una suola piatta e di stringhe, non avevano sistemi di *motion control* né sostegno dell'arco plantare né tacco rialzato. Quelli degli anni Settanta non ne sapevano abbastanza per preoccuparsi di «pronazione» o «supinazione»: questo gergo da negozio specializzato di scarpe da corsa non era ancora stato inventato.

Il loro allenamento era primitivo come le loro scarpe. Correvano troppo: «Andavamo a correre due volte al giorno, a volte anche tre» ricorda Frank Shorter. «Non facevamo altro che correre: correre, mangiare, dormire.» E correvano in modo troppo duro: «Il *modus operandi*» dice un osservatore «era di permettere a un gruppo di tizi competitivi di battersi ogni giorno uno contro l'altro in una specie di combattimento su strada». Ed erano decisamente troppo amici per essere veramente competitivi: «Ci piaceva correre insieme» ricorda Bill Rodgers, uno dei capi della tribù degli anni Settanta e quattro volte vincitore della maratona di Boston. «Ci divertivamo. Non era per niente una faticaccia.»

Erano così ignoranti che non capivano nemmeno che correndo in quel modo finivano per essere spompati, iperallenati e infortunati. In compenso erano veloci; *veramente* veloci. Frank Shorter vinse la maratona alle Olimpiadi del '72 e arrivò secondo nel '76, Bill Rodgers è stato il maratoneta numero uno al mondo per tre anni e Alberto Salazar vinse a Boston, New York *e* all'ultramaratona di Comrades. All'inizio degli anni Ottanta, il club Greater Boston Track contava mezza dozzina di tizi che riuscivano a correre una maratona in 2 ore e 12 minuti. Sei di loro, in un club amatoriale, in una sola città. Oggi, poco più di vent'anni dopo, in tutto il paese non si trova un solo maratoneta che riesca a correre una maratona in 2 ore e 12. Gli Stati Uniti non riuscirono a portare un solo maratoneta sotto la soglia di 2 ore e 14 richiesta per qualificarsi alle Olimpiadi del 2000; solo Rod DeHaven riuscì ad andare ai Giochi restando sotto la soglia «B» di 2 ore e 15. E arrivò sessantanovesimo.

Cos'è successo? Com'è che siamo passati da essere i primi della classe a essere i fanalini di coda? Naturalmente, nel mondo complesso nel quale viviamo non è mai facile indicare una sola causa per un qualsiasi evento, ma, pistola alla tempia, la risposta a questa domanda potrebbe riassumersi come segue:

$$$

Certo, un sacco di gente tirerà fuori scuse sui kenioti che hanno una specie di fibra muscolare mutante, ma la questione non è perché ci sia altra gente che va più veloce, ma per quale ragione noi siamo diventati *più lenti*. E la risposta va cercata nel fatto che la corsa sulla lunga distanza americana è entrata nella sua spirale fatale quando nell'equazione è stato immesso il fattore denaro. Le Olimpiadi furono aperte agli sportivi professionisti a partire dai Giochi del 1984, il che significava che le aziende produttrici di scarpe da corsa potevano prendere i pazzi che correvano sulle lunghe distanze e metterli a libro paga.

Vigil fiutò un'apocalisse imminente e si mise ad avvisare i suoi corridori. «Ci sono due dee nel vostro cuore» disse loro. «La Dea della Saggezza e la Dea della Ricchezza. Tutti credono che si debba anzitutto essere ricchi e che la saggezza poi arriverà da sola, e perciò si preoccupano soprattutto di fare soldi. Ma le cose stanno diversamente. Dovete dare il vostro cuore alla Dea della Saggezza, darle tutto il vostro amore, tutta la vostra attenzione: così la Dea della Ricchezza ne sarà gelosa e sarà lei a venirvi a cercare.» In altre parole: non chiedete niente in cambio della vostra corsa, e otterrete più di quanto avete mai immaginato.

Vigil non si stava battendo il petto per incitare alla purezza della povertà, né stava fantasticando di un ordine monastico di maratoneti squattrinati. Accidenti, non era neanche sicuro di sapere come gestire il problema, figurarsi se aveva la soluzione. Tutto ciò che voleva era trovare un Corridore Nato – qualcuno che corresse per pura gioia, come un artista posseduto dall'ispirazione – e studiare il modo in cui si allenava, viveva, pensava. Se avesse scoperto qual era il suo modo di pensare, forse Vigil avrebbe potuto trapiantarlo nella cultura americana come il seme di una pianta in via di estinzione e vederlo tornare a fiorire.

Vigil aveva già trovato il prototipo perfetto. Era un soldato ceco, un tizio eccentrico e goffo che correva in un modo così orrendo da sembrare, come ebbe a dire un giornalista sportivo, «che fosse stato appena pugnalato al cuore». Emil Zatopek amava la corsa al punto che, anche ai tempi in cui era ancora una recluta nel campo di addestramento dell'esercito, era solito prendere una torcia e andarsene nottetempo a fare una corsa di 30 chilometri nei boschi.

Con gli stivali militari.

In inverno.

*Dopo* un intero giorno di addestramento militare.

Quando c'era troppa neve, Zatopek correva in una tinozza, sopra i suoi vestiti sporchi, compiendo un esercizio di resistenza che al contempo serviva a lavare la biancheria. Non appena disgelava abbastanza da poter tornare a correre, Zatopek usciva di testa: correva 400 metri al massimo della velocità, per novanta ripetizioni, riposandosi tra una ripetizione e l'altra con 200 metri di corsa più blanda. Alla fine della seduta aveva percorso più di 53 chilometri facendo un lavoro di velocità. Provate a domandargli a che velocità andasse e lui scrollerà le spalle: non si è mai cronometrato. Per sviluppare l'esplosività, giocava con sua moglie Dana a prendere al volo un giavellotto, scagliandolo da una parte all'altra di un campo da calcio come se fosse un lungo frisbee letale. Uno degli esercizi preferiti di Zatopek era quello in cui riusciva a tenere insieme tutti i suoi amori: consisteva nel correre nei boschi con gli stivali militari portando la sua adorata moglie sulle spalle.

Era un'enorme perdita di tempo, naturalmente. I maratoneti cechi erano come la squadra di bob dello Zimbabwe; non avevano tradizione, allenatori, talenti locali, né speranze di vittoria. Ma essere lontani dal centro dell'attenzione può essere molto liberatorio; senza niente da perdere, Zatopek era libero di tentare la via che preferiva per vincere. Prendete la sua prima maratona: tutti sanno che il miglior modo per prepararsi a una gara di 42 chilometri è correre a ritmo blando per lunghe distanze. L'unico al mondo che ignorava questo particolare era Emil Zatopek, che si allenava facendo scatti di 100 metri.

«Lo so già come si fa a correre piano» ragionava. «Pensavo che l'importante fosse imparare ad andare veloce.» Il suo stile atroce, agonizzante, offriva ai giornalisti il destro per una miriade di battute di spirito («Lo spettacolo di orrore più terrificante dai tempi di Frankenstein»; «Corre come se il suo prossimo passo dovesse essere l'ultimo»; «Sembra un uomo che lotta contro una piovra gigante sopra un nastro trasportatore»), ma Zatopek prendeva tutte queste critiche sul ridere. «Non ho abbastanza talento per correre e sfoggiare un sorriso allo stesso tempo» diceva. «Per fortuna non faccio pattinaggio artistico. Qui conta solo la velocità, non lo stile.»

E, buon Dio, quanto gli piaceva chiacchierare! Zatopek trattava le gare come fossero serate tra amici in velocità. Anche nel mezzo di una gara, gli piaceva fare quattro chiacchiere con gli altri corridori e mettere alla prova quell'infarinatura di francese, inglese e tedesco che aveva, tanto che un inglese brontolone arrivò a lamentarsi del fatto che Zatopek «non smetteva un secondo di parlare». Quando era all'estero, gli capitava di invitare così tanti nuovi amici nella stanza dell'hotel dove alloggiava da dover rinunciare al suo letto e andare a dormire all'aperto, sotto un albero. Una volta, subito prima di una gara internazionale, fece amicizia con un corridore australiano che sperava di battere il record nazionale sui 5000 metri. Zatopek partecipava solo alla gara sui 10 mila metri, ma elaborò un piano: disse all'australiano di lasciar perdere la sua gara e di partecipare a quella dei 10 mila. Zatopek passò così la prima metà della sua gara a fare da gregario al suo nuovo amico per aiutarlo a battere il record sui 5000, dopodiché accelerò e tornò a occuparsi dei suoi affari, vincendo la gara.

Questa era una tipica scena alla Zatopek. Le gare per lui erano una specie di giro dei pub. Amava la competizione al punto che invece di giostrarsi tra momenti di attività intensa e momenti di recupero, si buttava in tutte le gare che trovava. Durante un periodo frenetico verso la fine degli anni Quaranta, Zatopek corse quasi ogni due settimane per tre anni *e non perse mai*, per un parziale di 69 a 0. E nonostante avesse un'agenda così piena, arrivava ad allenarsi in media 265 chilometri alla settimana.

Quando Zatopek si presentò alle Olimpiadi di Helsinki del 1952, era un trentenne calvo che si allenava da solo e viveva in un appartamento in un decrepito villaggio sperduto nell'Europa dell'Est. A causa dell'esiguo numero di componenti della squadra ceca di atletica, Zatopek aveva la possibilità di scegliere a quali competizioni sulla lunga distanza partecipare, e quindi le scelse tutte. Partecipò ai 5000 metri e vinse, stabilendo un nuovo record olimpico. Poi partecipò ai 10 mila metri e vinse il suo secondo oro, anche lì battendo un nuovo record. In vita sua non aveva mai corso una maratona, ma che diamine!, ormai era lì, con due ori olimpici appesi al collo e senza niente da perdere: perché non finire il lavoro e tentare anche quella?

L'inesperienza di Zatopek fu subito evidente. Era una giornata molto calda e l'inglese Jim Peters, all'epoca detentore del record mondiale, decise di sfruttare il caldo per mettere in difficoltà Zatopek. Dopo 15 chilometri, Peters era già dieci minuti al di sotto del suo stesso record mondiale e aveva lasciato indietro il resto dei maratoneti. Zatopek non era sicuro che si potesse davvero mantenere un ritmo così massacrante per più di 40 chilometri. «Mi scusi» disse affiancandosi a Peters, «questa è la mia prima maratona. Non stiamo andando troppo veloci?»

«No» rispose Peters. «Troppo lenti.» Se Zatopek era così scemo da fare quella domanda, allora era abbastanza scemo da meritare qualsiasi risposta.

Zatopek restò sorpreso. «Troppo lenti, dice» osservò. «È sicuro che sia un ritmo troppo lento?»

«Sì» disse Peters. Dopodiché, fu lui a doversi sorprendere.

«Ok. Grazie.» Zatopek prese Peters in parola e accelerò.

Quando schizzò fuori dal tunnel e fece il suo ingresso nello stadio, fu salutato da un boato: non solo dei suoi fan, ma anche degli atleti di ogni nazionalità che affollavano la pista per acclamarlo. Zatopek tagliò il traguardo con il suo terzo record olimpico, ma quando i suoi compagni di squadra lo raggiunsero per congratularsi, era già troppo tardi: i velocisti giamaicani lo avevano già caricato sulle spalle e lo avevano portato in trionfo per lo stadio. «Cerchiamo di vivere in modo tale che quando moriremo anche il becchino sia triste» diceva Mark Twain. Zatopek aveva trovato la maniera di correre in modo tale che quando vinceva perfino le altre squadre impazzivano di gioia.

Non si può pagare qualcuno per farlo correre con una gioia così contagiosa. E non potete neanche costringerlo a farlo, come avrebbe dimostrato in seguito lo stesso Zatopek. Quando l'Armata Rossa marciò su Praga nel 1968 per schiacciare i movimenti democratici cechi, a Zatopek fu offerto di scegliere: poteva salire sul carro dei sovietici e fare da ambasciatore sportivo, oppure passare il resto della vita a pulire cessi in una miniera d'uranio. Zatopek scelse i cessi. E fu così che uno degli atleti più amati al mondo scomparve dalle scene.

Nello stesso momento, per pura coincidenza, anche il suo rivale per il titolo di più grande corridore sulla lunga distanza stava subendo una sconfitta. Rod Clarke, un australiano di fenomenale talento e di una bellezza tenebrosa e trasognata in stile Johnny Depp, era, a ogni buon conto, il tipo di persona che Zatopek avrebbe dovuto odiare. Mentre il ceco aveva dovuto imparare a correre nella neve, di notte, dopo il turno di guardia, il bell'australiano si godeva assolate corse mattutine lungo le spiagge della penisola di Mornington, sotto la guida di un allenatore esperto. Di tutto ciò che Zatopek avrebbe potuto solo desiderare, Clarke ne aveva da vendere. Libertà. Denaro. Eleganza. Capelli.

Ron Clarke era una star, eppure agli occhi dei suoi connazionali restava un perdente. Nonostante avesse battuto diciannove record su tutte le distanze dagli 800 ai 10 mila metri, lo «spompato», come lo chiamavano, non era mai riuscito a vincere le gare che contavano. Nell'estate del '68 bruciò la sua ultima occasione: nella finale dei 10 mila metri ai Giochi di Città del Messico, Clarke fu messo fuori combattimento dal mal di montagna. Prevedendo la raffica di insulti che lo attendeva al rientro in patria, rimandò il suo ritorno facendo una sosta a Praga per una visita di cortesia all'uomo che invece non aveva mai perso. Verso la fine di quell'incontro, Clarke vide che Zatopek gli infilava qualcosa nella valigia.

«Pensavo che cercasse di mandare un messaggio clandestino al mondo esterno, quindi non osai aprire il pacchetto fino a quando l'aereo non fu decollato da un po'» avrebbe detto Clarke. Zatopek lo aveva congedato con un forte abbraccio. «Te lo meriti» aveva detto e Clarke lo trovò un gesto molto gentile e commovente. Benché il vecchio maestro avesse problemi ben più gravi da affrontare, era ancora abbastanza gioviale da dare l'abbraccio che di solito si tributa a un vincitore al giovane ribelle che aveva perso la sua occasione di riceverlo alle Olimpiadi.

Solo più tardi Clarke scoprì che Zatopek non si stava affatto riferendo all'abbraccio: in valigia trovò la medaglia d'oro dei 10 mila metri delle Olimpiadi del 1952. Fu incredibilmente nobile da parte di Zatopek darla all'uomo che gli era succeduto nell'albo dei record; ma regalarla nel momento in cui lui stava perdendo tutto ciò che aveva nella vita era un atto di compassione quasi inimmaginabile.

«Il suo entusiasmo, la sua socievolezza e il suo amore per la vita risplendevano in ogni suo movimento» disse più tardi Ron Clarke, commosso. «Non c'è e non c'è mai stato un uomo più grande di Emil Zatopek.»

Ed ecco la questione fondamentale che l'allenatore Vigil stava cercando di affrontare: Zatopek era un grand'uomo a cui era capitato di correre, oppure era un grand'uomo *perché* correva? Vigil non poteva metterci la mano sul fuoco, ma il suo istinto continuava a dirgli che esisteva un qualche tipo di legame tra la capacità di amare e la capacità di amare *la corsa*. Dal punto di vista ingegneristico erano senz'altro la stessa cosa: entrambe si fondano sul lasciare liberi i propri desideri, mettere da parte ciò che si vorrebbe per apprezzare ciò che si ha, essere pazienti, indulgenti, accomodanti. Sesso e velocità: non erano cresciuti in perfetta simbiosi per la maggior parte della nostra esistenza, intrecciati come le eliche del nostro DNA? Non saremmo qui, se non fosse per l'amore; e non saremmo qui se non fosse per la corsa; forse non dovremmo sorprenderci se un miglioramento in uno dei campi comporta un miglioramento anche nell'altro.

Ma si badi: Vigil era uno scienziato, non un mistico indiano. Odiava perdersi in storie del tipo «Budda sotto l'albero di Loto» e via dicendo, e però non intendeva neanche ignorarle. Si era fatto le ossa trovando connessioni laddove tutti vedevano coincidenze, e più esaminava la compassione e più la faccenda diventava intrigante.

Era stato un semplice caso che il pantheon degli appassionati della corsa comprendesse gente come Abraham Lincoln (che «batteva nella corsa tutti gli altri ragazzi») e Nelson Mandela (un talento nella corsa campestre quando era all'università e che anche quand'era in prigione continuava a correre 10 chilometri al giorno senza muoversi dalla sua cella)? Forse Ron Clarke non aveva affatto cercato un modo poetico per descrivere Zatopek, forse i suoi occhi esperti erano stati chirurgicamente precisi: *Il suo amore per la vita risplendeva in ogni suo movimento.*

Sì! Amore per la vita! Esattamente! Non era questo che aveva fatto battere il cuore di Vigil quando aveva visto Juan e Martimano correre sulla ripida salita con quell'aria libera e felice? Aveva trovato il suo Corridore Nato. Aveva trovato un'intera *tribù* di Corridori Nati e, a quanto aveva visto finora, erano esattamente gioiosi e magnifici come aveva sperato.

Vigil, un vecchio uomo solo nella foresta, improvvisamente sentì un brivido di immortalità. Aveva tra le mani qualcosa di grosso. Di enorme. Non si trattava solo di corsa; si trattava della *vita* in generale, dell'essenza di ciò che siamo in quanto specie e di ciò che dobbiamo essere. Anche Vigil aveva letto Lumholtz, e in quel momento le parole del grande esploratore rivelarono il loro tesoro nascosto; ecco cosa intendeva Lumholtz quando diceva che i Tarahumara erano «i fondatori e i creatori della storia dell'umanità». Forse tutti i nostri guai – la violenza, l'obesità, la malattia, la depressione e l'avidità che non sappiamo sconfiggere – sono iniziati quando abbiamo smesso di vivere come un Popolo Corridore. Rinnegate la vostra natura, e quella verrà fuori in qualche altro modo, peggiore del precedente.

La missione di Vigil era chiara. Doveva ricostruire il percorso a ritroso, a partire da ciò che siamo diventati per giungere a ciò che i Tarahumara sono sempre stati, e cercare di capire qual era il punto in cui ci eravamo perduti. Il cinema d'azione dipinge la distruzione della civiltà come una rumorosa catastrofe, una guerra nucleare o una cometa in rotta di collisione con la terra o una sollevazione di robot che acquistano coscienza, ma può darsi invece che il vero cataclisma stia già silenziosamente avvenendo sotto i nostri stessi occhi: a causa della dilagante obesità, negli Stati Uniti un bambino su tre è a rischio diabete, il che significa che potremmo essere la prima generazione di americani che sopravvive ai propri figli. Forse gli antichi Indù riuscivano a leggere il futuro molto meglio di quanto faccia Hollywood, quando predicevano che il mondo non sarebbe finito con un'esplosione ma con un grosso e stanco sbadiglio. Shiva il distruttore ci avrebbe spazzati via... senza fare niente. Oziando. Facendo sì che la sua forza irascibile fluisse via dai nostri corpi. Lasciandoci diventare delle lumache.

Coach Vigil dopotutto non era nemmeno un fondamentalista. Non voleva proporre a tutti noi di metterci a correre nei canyon con i Tarahumara, di vivere nelle grotte e sgranocchiare topi. Ma c'erano pur sempre delle abilità che si potevano insegnare, no? I principi base dei Tarahumara non potevano sopravvivere e mettere radici sul suolo statunitense?

Perché, santiddio, immaginate i benefici! Come sarebbe correre per decenni senza infortunarsi mai... o macinare centinaia di chilometri ogni settimana e goderseli uno per uno... o vedere la pressione sanguigna scendere e la rabbia svanire mentre le energie salgono alle stelle? Immaginate che il crimine, il colesterolo e l'avidità si dissolvano nel momento in cui un Popolo Corridore riscopre finalmente la sua antica falcata. Più dei suoi corridori olimpici, più dei suoi trionfi e dei suoi record, questa avrebbe potuto essere l'eredità di Joe Vigil.

Non aveva ancora tutte le risposte, ma adesso che guardava i Tarahumara filare via nei loro mantelli da mago, sapeva dove avrebbe dovuto cercarle.

# XVI

La cosa divertente era che il Capellone stava guardando la stessa cosa che Vigil osservava rapito, e tutto ciò che vedeva era un tizio di mezza età con un ginocchio demoniaco.

Fu l'orecchio del Capellone il primo a cogliere che c'era qualcosa che non andava: per ore aveva ascoltato il debole *wishhh... wishhh... wishhh* dei sandali di Juan e Martimano, un suono simile a quello di un batterista che tiene il ritmo con le spazzole. Le suole non colpivano il suolo: lo accarezzavano, piuttosto, grattandolo dolcemente prima di dirigersi verso il fondoschiena tracciando il cerchio della falcata successiva. Ora dopo ora: *wishhh... wishhh... wishhh...*

Ma quando arrivarono sullo stretto sentiero ai piedi del monte Elbert, intorno al chilometro 110, l'Irsuto rilevò un piccolo intoppo nel metronomo. Martimano sembrava cullare un piede, poggiarlo con attenzione anziché farlo ruotare con decisione. Anche Juan lo notò, e cominciò a tenere d'occhio Martimano, che gli stava alle spalle, con un'aria perplessa.

«*¿Qué pasa?*» chiese il Capellone. «Che succede?»

Martimano non rispose subito, soprattutto perché stava ripercorrendo mentalmente le precedenti dodici ore per cercare di individuare la causa precisa del suo dolore: erano stati quei 20 chilometri in cui aveva usato delle scarpe da corsa per la prima volta in vita sua? O era stato l'aver dovuto fare perno su quei frastagliati tornanti al buio? Oppure un passo falso sulle rocce scivolose del fiume? Oppure...

«*La bruja*» disse Martimano; doveva essere stata la strega. Improvvisamente l'episodio nella caserma dei pompieri acquistava un senso. Lo sguardo carico d'odio, quelle formule incomprensibili che gli aveva indirizzato, lo sguardo scioccato sui volti degli astanti, il rifiuto di Kitty di tradurre quelle parole in spagnolo, il commento dell'Irsuto: non c'era alcun dubbio, Ann gli aveva lanciato una maledizione. «Io l'ho superata» disse più tardi Martimano «e lei mi ha fatto un incantesimo al ginocchio.»

Martimano aveva temuto che potesse accadere una cosa del genere fin dal momento in cui il Pescatore si era rifiutato di portare con loro lo sciamano. Nelle Barrancas, gli sciamani proteggono l'*iskiate* e il *pinole* dalle stregonerie, inoltre prevengono le fratture alle anche, alle ginocchia e ai fondoschiena massaggiandoli con pietre lisce e con erbe medicinali. Ma a Leadville i Tarahumara non avevano uno sciamano che li proteggeva, ed ecco cosa era successo: per la prima volta in quarantadue anni, il ginocchio di Martimano non stava funzionando a dovere.

Quando il Capellone comprese cosa stava succedendo, provò uno slancio d'affetto. Non sono dèi, capì. Sono persone. E come può accadere a ogni persona, la cosa che amavano di più poteva gettarli nell'infelicità e nella confusione. Correre per 160 chilometri non era indolore neanche per i Tarahumara; dovevano affrontare i loro dubbi e far tacere il diavoletto sulla loro spalla che continuava a sussurrare degli ottimi motivi per abbandonare la corsa.

Il Capellone guardò Juan, che era incerto se continuare alla sua andatura o restare con il suo mentore. «Non rallentate» disse il Capellone a Juan e al suo battistrada. «Ci penso io al vostro ragazzo. Correte a cacciare quella *bruja* come fosse un cervo!»

Juan annuì e scomparve subito dietro una curva.

Il Capellone strizzò l'occhio a Martimano. «Siamo *tú y yo, amigo.*»

«*Guadajuko*» rispose Martimano. Per me va bene.

Il profumo del traguardo stava già stuzzicando l'olfatto di Ann. Dal momento in cui Juan era partito dalla stazione di sosta di Half Moon, al chilometro 115, Ann aveva quasi raddoppiato il suo vantaggio; era avanti di ventidue minuti e le restavano solo 45 chilometri all'arrivo.

Soltanto per raggiungerla, Juan doveva recuperare mezzo minuto ogni chilometro, e stava per arrivare nel peggior tratto del percorso in cui tentare questo recupero: una strada asfaltata di 11 chilometri. Ann, con la sua esperienza di corsa su strada e le sue Nike con i cuscinetti d'aria poteva distendere le gambe e cominciare a volare. Juan, che non aveva mai toccato un manto bituminoso prima di allora, avrebbe dovuto affrontare quella strana superficie con i suoi sandali fatti a mano.

«I suoi piedi avranno di che soffrire» dichiarò il battistrada di Juan a una troupe televisiva a bordo pista. Appena Juan lasciò la strada sterrata e mise piede sull'asfalto, piegò le ginocchia e accorciò la falcata, riassorbendo gli shock dovuti al terreno grazie alla compressione delle gambe. Reagì così bene, in realtà, che il suo battistrada, stupefatto, cominciò a restare indietro, incapace di tenere quel ritmo.

Juan dette la caccia a Ann da solo. Coprì gli 11 chilometri fino a Fish Hatchery praticamente nello stesso tempo che aveva fatto la mattina, poi girò a sinistra e proseguì sul terreno fangoso che lo portava alla temibile salita Powerline. Molti dei corridori di Leadville temevano la Powerline quasi quanto il passo Hope. «Ho visto persone che si sedevano a bordo pista e piangevano» ricordò un veterano della Leadville. Ma Juan l'attaccò come se non avesse aspettato altro per tutto il giorno, correndo su quella pendenza quasi verticale che costringeva la maggior parte dei corridori ad aiutarsi a salire puntellando le mani sulle ginocchia.

Più avanti, Ann si stava avvicinando alla vetta, ma aveva gli occhi quasi chiusi dalla stanchezza, come se non avesse la forza di sopportare neanche la vista dell'ultimo tratto della salita. Tornante dopo tornante, Juan aveva costantemente accorciato le distanze: finché, dal nulla, si fermò e cominciò a saltellare su un piede solo. Il disastro era avvenuto: la stringa di uno dei suoi sandali si era spezzata e Juan non aveva niente con cui sostituirla. Mentre Ann passava la vetta, Juan si sedette su un masso per esaminare quel che restava del laccio. Fissò di nuovo il sandalo e si rese conto che il laccio era ancora sufficientemente lungo per tenere la suola attaccata al piede. Annodò il laccio accorciato con attenzione e fece un paio di passi di prova. Poteva andare.

Ann, nel frattempo, era giunta in dirittura d'arrivo. Le restavano soltanto i 16 chilometri di sentiero sconnesso che costeggiava il Turquoise Lake prima che le grida degli animali che facevano festa sulla Sixth Street fossero abbastanza vicine perché lei potesse sentirle. Erano già passate le otto di sera e i boschi nei dintorni si stavano facendo bui: fu in quel momento che qualcosa saltò fuori dagli alberi dietro di lei. Le si avvicinò così rapidamente che Ann non ebbe neanche il tempo di reagire; si paralizzò sul posto nel bel mezzo del sentiero, troppo sbigottita per muoversi, mentre Juan con un passo sfrecciava alla sua sinistra fuori dal tracciato e tornava in pista davanti a lei con il passo successivo, con il mantello bianco che ondeggiava dietro di lui. Poi guizzò via e scomparve per il sentiero.

*Non sembrava neanche stanco! Era come se stesse semplicemente... divertendosi!* Ann era così a terra che decise di abbandonare la gara. Era a meno di un'ora dal traguardo, ma la gioia del Tarahumara che aveva estasiato tanto Joe Vigil per lei fu come un colpo al cuore. Eccola lì, che si stava letteralmente *ammazzando* per mantenere il comando, e questo tizio sembrava in grado di passare in testa in qualsiasi momento. Era un'umiliazione; adesso comprese che nel momento stesso in cui lei aveva messo in piedi il suo

Gambetto di Donna, Juan l'aveva data per spacciata. A un certo punto suo marito riuscì a rimetterla in marcia, appena in tempo: Martimano e il resto dei Tarahumara stavano arrivando a tutta birra.

Juan tagliò il traguardo in 17 ore e 30, stabilendo un nuovo record per la Leadville, di venticinque minuti inferiore al precedente. (Stabilì anche un altro primato, passando timidamente sotto il nastro anziché romperlo, non avendone mai visto uno in vita sua.) Ann arrivò quasi mezz'ora più tardi, e finì in 18 ore e 6 minuti. Subito dietro, Martimano e il suo ginocchio con la iettatura arrivarono terzi, mentre Manuel Luna e gli altri Tarahumara portarono a casa il quarto, il quinto, il settimo, il decimo e l'undicesimo posto.

«Wow! Che gara!» gridò con entusiasmo Scott Tinley per i telespettatori a casa piazzando un microfono di fronte a Ann Trason. Lei sbatté le palpebre per la luce della telecamera, sembrò che stesse per svenire ma poi riuscì a gestire anche quest'ultimo scampolo di battaglia.

«A volte» disse «ci vuole una donna per tirar fuori il meglio da un uomo.»

«È vero, ma vale anche il contrario!» avrebbero potuto rispondere i Tarahumara; grazie all'eroico tentativo di sconfiggere con le proprie forze un'intera squadra di maestri della corsa, Ann aveva stracciato il suo record precedente di più di due ore, stabilendo un primato femminile che da allora è rimasto imbattuto.

Ma i Tarahumara, anche se avessero voluto, non erano liberi di dire alcunché, in quel momento. Passarono direttamente dalla pista di gara a una tempesta di merda.

Avrebbe dovuto essere il loro momento: dopo secoli di orrore e paura, dopo che era stata data la caccia ai loro scalpi, dopo essere stati schiavizzati per la loro forza, dopo essere stati angariati per la loro terra, i Tarahumara venivano finalmente rispettati. Si erano dimostrati, senza ombra di dubbio, i più grandi corridori di ultradistanze sulla terra. Il mondo avrebbe visto che avevano doti fantastiche che valeva la pena studiare, uno stile di vita che valeva la pena preservare, una terra che valeva la pena proteggere.

Joe Vigil stava già per vendere la casa e lasciare il lavoro, tanto era su di giri. Ora che Leadville aveva costruito un ponte tra gli Stati Uniti e la cultura tarahumara, era pronto a intraprendere il progetto che aveva meditato a lungo. A sessantacinque anni, era deciso ad andare in pensione dalla Adams State e a trasferirsi con la moglie Caroline sul confine tra Messico e Arizona, dove avrebbe stabilito il suo campo base per gli studi sui Tarahumara. Ci sarebbero voluti ancora alcuni anni, sarebbe tornato a Leadville ogni estate e avrebbe stretto relazioni con i Tarahumara. Avrebbe cominciato a imparare la loro lingua... li avrebbe messi su un tapis roulant con un cardiofrequenzimetro e con un monitor per stabilire il consumo massimo di ossigeno... forse avrebbe anche organizzato dei seminari per i suoi atleti olimpici! Perché, e questa era la parte migliore, Ann aveva avuto ragione sul loro conto: qualsiasi cosa facessero i Tarahumara, il resto di noi può guardarli e imparare a fare altrettanto.

Fu un momento bellissimo. Ma non durò più di un minuto.

«Se pensate di usare una sola dannata foto dei miei Tarahumara» dichiarò Rick Fisher quando Tony Post e gli altri dirigenti della Rockport si affrettarono a congratularsi, «è meglio che abbiate un po' di soldi da tirare fuori.»

Tony Post era sbigottito. «Era veramente uscito di testa. Ci era venuto incontro come se fosse furibondo, come uno di quegli individui che ti danno la caccia e poi ti uccidono.» «Non esattamente» si affrettò ad aggiungere Post. «Sembrava uno di quegli esagitati che possono andare avanti all'infinito a litigare senza ammettere mai di avere torto.»

«Era una scopa in culo» aggiunse Ken Chlouber. «Prima che arrivassero grossi sponsor e troupe televisive era stato tranquillo, dopodiché tenne in ostaggio la Rockport per usare i filmati degli Indios. Tentò di rendermi la vita un inferno perché ero il presidente della gara: era concentrato esclusivamente su stesso, e dei Tarahumara non gli importava un accidente.»

La reazione di Fisher fu di uscire di testa, nello stesso identico modo in cui reagì quando, circondato dai narcotrafficanti nei Copper Canyon, sopravvisse solo andando all'attacco come un pazzo furioso. «Era una gara truccata!» sostenne Fisher. «Volevano che vincesse la loro biondina dagli occhi azzurri, che invece non ha vinto.» Fisher sostenne che tutti i giornalisti erano stati comprati con un baccanale segreto di tre giorni messo in piedi dagli organizzatori della gara di Leadville e tenutosi in un albergo di lusso ad Aspen. Un giornalista aveva addirittura tentato di corromperlo, disse Fisher, offrendogli dei soldi per convincere Juan a rallentare e ad arrivare assieme a Ann Trason. «Questo giornalista, peraltro molto famoso, diceva che sarebbe stato un disastro se avesse vinto Juan, e questo perché, dal punto di vista dei corridori bianchi, la vittoria di un Tarahumara sarebbe stata catastrofica.» Perché? «Per quest'idea malata degli americani per cui le donne possono essere all'altezza degli uomini.» (Quando gli fu chiesto il nome del giornalista, Fisher rifiutò di rispondere.)

Accusare Ken Chlouber e «la crème del sistema mediatico» di cospirare contro quelle che in realtà erano le star della manifestazione non aveva alcun senso, ma ormai Fisher si era surriscaldato. Sostenne che a uno dei suoi corridori fosse stata data una Coca-Cola con dentro della droga, che lo aveva «fatto collassare e gli aveva causato una malattia mortale» e che un altro fosse stato molestato da un «bianco» che, con il pretesto di fargli un massaggio post gara, gli aveva infilato la mano sotto il gonnellino e gli aveva «massaggiato il pene e lo scroto». Quanto alla Rockport, Fisher sostenne che la sua sponsorizzazione era ambigua nella migliore delle ipotesi e criminale nella peggiore. «Avevano promesso di installare una fabbrica di scarpe nei Copper Canyon... Ma era un affare losco... quando la Rockport controllò i libri contabili, scoprirono di essere stati derubati e il presidente venne licenziato...»

I Tarahumara guardarono i *chabochis* che urlavano uno contro l'altro. Sentirono parole di rabbia e videro braccia che puntavano minacciosamente verso di loro. Non sapevano cosa stessero dicendo, ma colsero il messaggio. Avendo a che fare con rabbia e ostilità, il più grande popolo di atleti clandestini reagì come aveva sempre fatto; si diressero verso i loro canyon, svanendo come in sogno e portando con sé i loro segreti. Dopo il trionfo nel 1994, i Tarahumara non sarebbero più tornati a Leadville.

Un uomo però li seguì. E neanche lui fu più visto a Leadville. Era il nuovo amico dei Tarahumara, il Capellone, che presto avrebbe cambiato il suo nome in Caballo Blanco, il viandante solitario della Sierra Madre.

# XVII

E adesso? Che ne sarà di noi, senza barbari?
Loro erano comunque una soluzione.
COSTANTINO KAVAFIS, *Aspettando i barbari*

«È stato dieci anni fa» mi disse Caballo, concludendo il suo racconto. «Da allora sono sempre stato qui.»

La Mamá ci aveva cacciato fuori dal suo salotto-ristorante alcune ore prima ed era andata a letto. Caballo, senza smettere di parlare, mi aveva portato per le strade deserte di Creel fino a una *bodega* in un vicolo. Anche lì restammo fino alla chiusura. Nel tempo in cui Caballo mi aveva fatto ripercorrere la storia dal 1994 a oggi, si erano fatte le due del mattino e ormai mi girava la testa. Mi aveva raccontato molto più di quanto sperassi di venire a sapere intorno alla rapida apparizione dei Tarahumara sulla scena delle ultramaratone americane (e mi aveva anche consigliato di rintracciare Rick Fisher, Joe Vigil e tutti gli altri per scoprire il resto), ma in mezzo a tutte queste storie, non aveva risposto alla sola domanda che gli avevo fatto:

Chi sei, *tu*?

Era come se in vita sua non avesse fatto altro che correre per i boschi con Martimano – o piuttosto come se avesse fatto un sacco di altre cose di cui però evitava di parlare. Ogni volta che provai a sondare il terreno, eludeva le mie domande con una battuta oppure con una non risposta che chiudeva irrevocabilmente l'argomento come la porta di un sotterraneo («Come mi procuro da vivere? Faccio delle cose per delle persone ricche che non hanno voglia di farsele da sole»). E poi cominciava subito a raccontare un'altra storia. L'alternativa era chiara: potevo rompere le scatole e farlo incazzare, oppure potevo lasciar perdere e stare ad ascoltare una bella storia.

Seppi che dopo la corsa di Leadville del '94 Rick Fisher continuò lo scempio. C'erano un sacco di corse, in giro, e c'erano anche altri corridori tarahumara: non passò molto tempo prima che Fisher ne avesse raggruppati di nuovi e li portasse in giro creando un casino dopo l'altro come uno studente ubriaco in un viaggio di addio al celibato. Anzitutto, la squadra tarahumara fu squalificata dall'ultramaratona Angeles Crest 100-Mile Endurance Run, in California, perché Fisher non la smetteva di fare irruzione nell'area della pista riservata ai corridori durante lo svolgimento della corsa. «Squalificare un corridore è l'ultima cosa che voglio» disse il direttore di gara «ma Rick non ci lasciò scelta.»

Poi tre corridori tarahumara furono squalificati dopo essere arrivati primo, secondo e quarto alla Utah's Wasatch Front 100 perché Fisher si era rifiutato di pagare la quota di iscrizione. Poi fu la volta della Western States, in cui perse le staffe al traguardo e accusò i volontari che lavoravano alla corsa di cambiare di proposito i segnali del percorso per confondere i Tarahumara e – parole sue – di «rubargli il sangue». (A tutti i corridori della Western States fu prelevato il sangue per uno studio scientifico sull'attività fisica di resistenza, ma Fisher subodorò un inganno ed esplose. «Il sangue tarahumara è raro, molto, molto raro» si racconta che abbia detto. «Il mondo medico vuole accaparrarselo solo per farci dei test genetici.»)

A quel punto, perfino i Tarahumara sembravano stanchi di aver a che fare con il Pescatore. Avevano anche notato che continuava a cambiare un SUV dopo l'altro, ogni volta più nuovo e più bello, mentre tutto quello che ricavavano loro per le lunghe settimane lontano da casa e le centinaia di chilometri corsi in montagna era qualche sacco di mais. Ancora una volta, avere a che fare con i *chabochis* aveva fatto sentire i Tarahumara degli schiavi. E questa fu la fine della squadra tarahumara. Lasciarono perdere, stavolta definitivamente.

Micah True (o qualunque fosse il suo vero nome) provava una tale affinità con i Tarahumara e una tale repulsione per il comportamento dei suoi compatrioti che si sentì in dovere di riparare al danno che avevano fatto. Subito dopo aver corso al fianco di Martimano nella gara di Leadville del '94, andò da un'emittente radio di Boulder, Colorado, e chiese in diretta a chiunque avesse un vecchio cappotto smesso di portarlo alla sede della radio. Appena ne ebbe raccolti un po', li impacchettò e partì per i Copper Canyon.

Non aveva idea di dove stesse andando e le reali probabilità di trovare il suo amico Martimano erano pari a quelle che aveva Shackleton di tornare vivo dall'Antartide. Vagava per il deserto e in mezzo ai canyon, ripetendo il nome di Martimano a chiunque incontrasse, finché, con sorpresa tanto sua quanto di Martimano, riuscì ad arrivare in cima alla montagna di quasi 3000 metri dove si trovava il suo villaggio. I Tarahumara lo accolsero a modo loro, senza dire una parola: gli parlavano a malapena, ma ogni mattina, quando Caballo si svegliava, trovava qualche *tortilla* e un po' di *pinole* fresco accanto al suo accampamento.

«I Rarámuri non hanno soldi, ma nessuno è povero» disse Caballo. «Negli Stati Uniti, se chiedi un bicchiere d'acqua ti portano alla mensa dei senzatetto. Qui ti invitano a casa e ti danno da mangiare. Chiedi di poterti accampare all'aperto e ti rispondono: "Certo, ma non preferiresti dormire in casa con noi?".»

Ma a Choguita fa freddo di notte, troppo freddo per un tipo pelle e ossa della California (o di dovunque fosse veramente), quindi dopo aver consegnato i suoi cappotti, Micah disse *adiós* a Juan e Martimano e se ne andò per conto suo, verso le profondità temperate dei canyon. Vagò alla cieca in mezzo a covi di narcos e banditi, evitò malattie e febbri dei canyon e alla fine trovò un posto che faceva al caso suo, vicino a un'ansa del fiume. Raccolse qualche pietra per costruirsi un rifugio e si mise a suo agio.

«Ero partito con l'intenzione di scoprire il miglior posto al mondo per correre: be', lo avevo trovato» mi disse quella notte, rientrando all'hotel. «La prima volta che lo vidi restai a bocca spalancata. Ero emozionatissimo e non vedevo l'ora di mettermi in moto. Ero così sovreccitato che non sapevo da che parte cominciare. Ma era un terreno piuttosto selvaggio e dovevo procedere con calma.»

Non aveva scelta, in ogni caso. La ragione per cui aveva fatto da battistrada alla gara di Leadville, anziché partecipare direttamente alla corsa, era che le gambe avevano cominciato a tradirlo, da quando aveva compiuto quarant'anni. «Avevo sempre problemi, m'infortunavo, soprattutto ai tendini della caviglia» disse Micah. Negli anni aveva provato ogni possibile rimedio (fasce, massaggi, scarpe da corsa più costose e più rinforzate) ma non era cambiato nulla. Quando arrivò nelle Barrancas decise di lasciar perdere la logica e di affidarsi completamente ai metodi tarahumara: non avrebbe perso tempo a cercare di capire i loro segreti preferendo la filosofia «o la va o la spacca», sperando che tutto andasse per il meglio.

Si liberò delle sue scarpe da corsa e cominciò a indossare solo sandali. Prese a mangiare *pinole* a colazione (dopo aver imparato a cuocerlo come fosse porridge, con acqua e miele) e a portarlo con sé nel marsupio durante le sue escursioni per i canyon. Fece alcune brutte cadute e a volte riuscì a malapena a tornare al rifugio sulle sue gambe, ma si limitava a stringere i denti, a tenere le ferite nell'acqua gelata del fiume e a considerare questi eventi come investimenti per il futuro. «Soffrire rende umili. Vale la pena imparare a incassare» disse Caballo. «Io ho imparato in fretta che conviene portare il giusto rispetto alla Sierra Madre, che altrimenti ci mette un attimo a mangiarti e digerirti.»

Dal terzo anno, Caballo si muoveva su sentieri che erano invisibili agli occhi di qualsiasi altro non-Tarahumara. Con le farfalle nello stomaco, si spingeva fin sui bordi di discese sconnesse che erano più lunghe, più scoscese e più serpeggianti di qualsiasi pista nera da sci. Discendeva, scivolava, scattava verso valle per chilometri, quasi fuori controllo, contando sui suoi riflessi temprati dai canyon ma sempre con l'orecchio teso a sentire il suono di una cartilagine del ginocchio che si rompe, lo strappo di un legamento o il bruciore violento del tendine di Achille lacerato che si aspettava da un momento all'altro.

Invece non accadde mai. Non si fece mai male. Dopo qualche anno nei canyon, Caballo era più forte, più sano e più veloce di quanto fosse mai stato in vita sua. «Il mio atteggiamento nei confronti della corsa è cambiato completamente, da quando sono qui» mi disse. Per conferma, corse su un sentiero tra le montagne che richiedeva di solito tre giorni a cavallo: ci impiegò sette ore. Non sapeva bene come ci fosse riuscito, quali fossero le proporzioni precise di sandali, *pinole* e *korima*, fatto sta che...

«Ehi» lo interruppi. «Mi faresti vedere?»

«Farti vedere cosa?»

«Il modo in cui corri.»

Qualcosa nel suo sorriso mi fece istantaneamente pentire di averglielo chiesto. «D'accordo: ti porto a fare una corsa» disse. «Vediamoci qui all'alba.»

«*Anf! Pant!*»

Stavo cercando di gridare, ma il grido continuava a trasformarsi in un rantolo. «Caballo» riuscii a dire alla fine, raggiungendo l'orecchio di Caballo Blanco un attimo prima che scomparisse dietro una curva. Eravamo partiti dalle colline dietro Creel, su un sentiero roccioso cosparso di aghi di pino che si arrampicava in mezzo ai boschi. Avevamo corso per meno di dieci minuti e io ero già col fiato cortissimo. Non che Caballo fosse così veloce; è solo che sembrava incredibilmente *leggero*, come se a portarlo verso l'alto fosse la forza del pensiero, e non i muscoli.

Si voltò e trotterellò verso di me. «Ok: lezione numero

uno. Stai sempre dietro di me.» Ricominciò a correre, stavolta più lentamente e io cercai di copiare ogni suo movimento. Le mie braccia fluttuavano con le mani all'altezza delle costole, la mia andatura si trasformò in una serie di piccoli passi leggeri, la mia schiena si raddrizzò al punto che potevo quasi sentire gli scricchiolii delle vertebre.

«Non devi combattere contro la strada» mi disse Caballo voltandosi leggermente. «Prendi ciò che la strada ti offre. Se puoi scegliere tra fare un solo passo tra le rocce oppure due, fanne tre.» Caballo aveva passato così tanti anni a navigare per questi sentieri, che aveva perfino dato un soprannome alle rocce che calpestava: alcune sono *ayudantes*, gli aiutanti che danno una mano a balzare in avanti con forza; altre sono «imbroglione», cioè somigliano ad *ayudantes* ma si muovono a tradimento nel momento in cui ti ci appoggi sopra; alcune infine sono *chingoncitos*, piccole bastarde che cercano solo di farti cadere.

«Lezione numero due» disse Caballo. «Pensa: *facile*, *leggero*, *liscio* e *veloce*. Comincia con *facile*, perché se riesci a ottenere quello, sei già a buon punto. Poi lavora su *leggero*. Togli alla corsa lo sforzo, come se non t'importasse nulla di quanto è alta la collina o di quanta strada devi fare. Quando hai fatto esercizio abbastanza a lungo da dimenticare che stai facendo esercizio, allora puoi passare oltre: devi rendere la corsa *liiiiiscia*. Dell'ultimo punto – *veloce* – non devi preoccuparti: fai bene queste tre, e vedrai che la velocità verrà da sé.»

Tenevo gli occhi sui piedi e sui sandali di Caballo, cercando di riprodurre il suo strano passo, quasi sulle punte. Tenevo lo sguardo così fisso sui suoi piedi che non mi accorsi che eravamo usciti dalla foresta.

«Wow!» esclamai

Il sole stava sorgendo sulle Sierras. Il fumo di legno di pino profumava l'aria, alzandosi dai tubi ammaccati delle stufe delle casupole ai bordi della cittadina. In lontananza, rocce giganti simili alle statue dell'Isola di Pasqua s'innalzavano sopra l'altipiano, mentre sullo sfondo si stagliavano montagne coperte di neve. Anche se non fossi stato in affanno per la corsa, quella vista mi avrebbe lasciato senza fiato.

«Te l'avevo detto» gongolò Micah.

Arrivammo al punto in cui saremmo dovuti tornare indietro, ma anche se sapevo che sarei stato un pazzo a provare a correre per più di 15 chilometri, era così bello percorrere questi sentieri che non ne volevo sapere di fare dietrofront. Caballo capì immediatamente cosa intendevo.

«Mi sono sentito così per dieci anni» disse. «E sto appena iniziando a orientarmi.» Ma aveva fretta: quel giorno doveva rientrare al suo rifugio e aveva appena il tempo per riuscire ad arrivare prima del tramonto. A quel punto cominciò a spiegarmi che cosa ci faceva a Creel. «Sai» cominciò Caballo, «sono successe molte cose da quella corsa a Leadville.» Le ultramaratone un tempo consistevano in quattro pazzoidi che correvano nelle foreste con delle torce, ma negli ultimi tempi si erano trasformate in un'invasione di «Giovani Pistole». Come Karl Meltzer, che correva ascoltando *Strangelove* con l'iPod e vinse per tre volte di seguito la Hardrock 100; o la «diva dello sterrato», Catra Corbett, una ragazza dark bellissima e caleidoscopicamente tatuata che una volta, per divertimento, corse tutti i 340 chilometri del percorso John Muir nel parco nazionale di Yosemite e poi si voltò e li ripercorse tutti in senso contrario; o Tony «il Nudista» Krupicka, che di rado indossava qualcosa che non fosse un paio di pantaloncini succinti e che passò un anno a dormire nell'armadio di un amico mentre si allenava per la corsa di Leadville; o i Fantastici Fratelli Volanti Skaggs, Eric e Kyle, che arrivarono al Grand Canyon in autostop prima di stabilire un nuovo record nel percorso di andata e ritorno da un bordo all'altro.

Queste Giovani Pistole cercavano qualcosa di nuovo, di tosto, di esotico, e gremivano queste corse campestri al punto tale che nel 2002 l'ultramaratona è diventata lo sport all'aperto maggiormente in crescita nel paese. Non erano lì solo perché amavano la corsa: cercavano l'emozione di esplorare quel mondo nuovo con il proprio corpo. La divinità dell'ultramaratona, Scott Jurek, riassunse il credo ufficioso delle Giovani Pistole con una citazione da William James che apponeva a tutte le e-mail inviate: «Al di là dell'estremo limite della fatica e della tensione, possiamo trovare una quantità di benessere e di energia che non avremmo mai sognato di possedere; fonti di forza mai saggiate perché non le abbiamo mai spinte contro un ostacolo».

Quando le Giovani Pistole prendevano le vie dei boschi, si portavano dietro tutto quello che la scienza sportiva aveva appreso negli ultimi decenni. Matt Carpenter, un corridore di montagna di Colorado Springs, cominciò a passare centinaia di ore su un tapis roulant per misurare le variazioni nelle oscillazioni del corpo quando, per esempio, beveva un sorso d'acqua (il modo più efficiente, da un punto di vista biomeccanico, per portare una bottiglia era tenerla sotto l'ascella, e non in mano). Carpenter usava una levigatrice a nastro e un rasoio da barbiere per eliminare alcuni grammi di materiale superfluo dalle sue scarpe da corsa, e poi le immergeva nella vasca da bagno per calcolare l'assorbimento idrico e la velocità di asciugamento. Nel 2005, si servì delle sue conoscenze ossessive per stracciare il record di Leadville: finì la corsa con un sorprendente tempo di 15 ore e 42 minuti, quasi due ore meno di quanto un Tarahumara avesse mai fatto.

Epperò... Cosa avrebbero potuto fare i Tarahumara, se adeguatamente spinti? Ecco, è questo che Caballo voleva scoprire. Victoriano e Juan avevano corso come cacciatori, nel modo in cui era stato insegnato loro: abbastanza veloci da catturare la loro preda, non di più. Chi può dire a che velocità avrebbero potuto correre contro gente come Carpenter? E inoltre, *nessuno* poteva sapere cosa sarebbero stati in grado di fare se avessero corso sul loro territorio. In qualità di campioni in carica, non avevano diritto al vantaggio di giocare in casa, almeno una volta?

Se i Tarahumara non potevano tornare in America, ragionava Caballo, allora sarebbero stati gli americani ad andare dai

Tarahumara. Ma era anche perfettamente cosciente che gli abitanti dei canyon, con la loro feroce timidezza, sarebbero scomparsi tra le colline se si fossero trovati accerchiati da un branco di corridori americani che sparano domande a raffica tra i flash delle macchine fotografiche.

E tuttavia – e questo era il cuore del ragionamento di Caballo – cosa sarebbe successo se si fosse organizzata una corsa in stile tarahumara? Sarebbe stata una specie di duello tra chitarristi d'altri tempi: una settimana di allenamenti, di segreti condivisi, di studio delle tecniche e degli stili degli avversari. E all'ultimo giorno tutti i corridori avrebbero dato vita a uno scontro tra titani in una corsa di 80 chilometri.

Era una grande idea. Che non poteva essere considerata niente più di uno scherzo, naturalmente. Nessun corridore di alto livello avrebbe mai corso il rischio; non era solo una mossa suicida dal punto di vista della carriera, ma era una mossa *letteralmente* suicida. Solo per arrivare alla linea di partenza sarebbero dovuti sgattaiolare in mezzo ai narcos, arrampicarsi sui calanchi e avere un occhio di falco per avvistare ogni possibile sorso d'acqua e ogni boccone di cibo. Se si fossero feriti, sarebbero morti; magari non immediatamente, ma comunque inevitabilmente. Si sarebbero potuti trovare a giorni di cammino dalla strada più vicina e a ore di cammino dalla più vicina fonte d'acqua, senza che nessun elicottero di soccorso riuscisse a scendere tra quegli scoscesi muri di roccia.

Niente da fare: Caballo aveva già cominciato a lavorare al suo piano. Era questo il motivo per cui si trovava a Creel. Aveva lasciato la sua capanna ai piedi dei canyon e aveva camminato fino a una città che detestava, perché aveva sentito dire che a Creel c'era un PC con una connessione internet analogica nel retro di un negozio di dolciumi. Aveva anche imparato i fondamenti dell'uso del computer, si era aperto un indirizzo e-mail e aveva cominciato a mandare messaggi al mondo esterno. E a quel punto ero arrivato io; la sola ragione per la quale l'*indio gringo* si era interessato a me quando gli avevo teso l'imboscata all'hotel era che gli avevo detto di essere uno scrittore. Forse un articolo sulla sua gara avrebbe potuto attirare qualche corridore.

«Allora, chi stai invitando?» chiesi.

«Finora solo un tizio» disse. «Voglio solo corridori con lo spirito giusto, dei veri campioni. Ho scritto a Scott Jurek.»

*Scott Jurek?* Scott Jurek il sette volte vincitore della Western States e tre volte Ultramaratoneta dell'anno? Caballo doveva essere completamente fuori di melone se pensava che Scott Jurek sarebbe andato fin là per correre con un branco di signor nessuno nel bel mezzo del nulla. Scott era il miglior ultramaratoneta del paese, probabilmente il migliore al mondo, forse di tutti i tempi. Quando Scott Jurek non correva, collaborava con la ditta di calzature Brooks per progettare nuove scarpe da corsa – le Cascadia – oppure organizzava campeggi per corridori che facevano sempre il tutto esaurito, oppure ponderava a quale evento sportivo di alto profilo in Giappone, Svizzera, Grecia o Francia avrebbe partecipato prossimamente. Scott Jurek era un'impresa che dipendeva completamente dalla salute di Scott Jurek: il che significava che l'ultima cosa che il capo dell'azienda avrebbe voluto era correre il rischio di ammalarsi, di farsi sparare o di essere sconfitto in una qualche insignificante gara organizzata in uno sperduto angolo del Messico costantemente pattugliato da cecchini.

Ma da qualche parte Caballo aveva letto un'intervista di Jurek e aveva avvertito un'immediata affinità di sentimenti. A suo modo, Scott in effetti era misterioso quasi quanto Caballo. Mentre le altre star dell'ultramaratona – pur molto inferiori a lui – come Dean Karnazes e Pam Reed andavano in tv a fare pubblicità, scrivevano autobiografie in cui si autoincensavano e (nel caso di Dean) promuovevano una bevanda sportiva correndo a petto nudo su un tapis-roulant in Times Square facendosi riprendere da una telecamera aerea, il più grande ultramaratoneta americano invece restava praticamente invisibile. Sembrava essere un puro animale da corsa, il che spiegava due altre sue abitudini peculiari: all'inizio di ogni gara emetteva un grido da far gelare il sangue e, dopo aver vinto, si rotolava per terra come un cane iperattivo. Quando si rialzava, si dava una ripulita e spariva di nuovo a Seattle, fino a che non giungeva il momento in cui il suo grido di guerra riecheggiava nuovamente nell'oscurità.

Ecco: era *questo* il tipo di campione che Caballo stava cercando; non qualche esibizionista che avrebbe usato i Tarahumara per dare una spintarella al suo marchio, ma un vero studioso dello sport che avrebbe apprezzato la maestria e lo sforzo anche nella performance del corridore più lento. Caballo non aveva bisogno di altre conferme del valore di Scott Jurek, ma ne ebbe comunque: quando alla fine dell'intervista gli chiesero quali fossero i suoi idoli, Jurek parlò dei Tarahumara. «Per ispirarsi» notava l'articolo «Jurek ripete un detto degli indiani tarahumara: "Quando corri sulla terra e corri con la terra, puoi correre per sempre".»

«Vedi?» insistette Caballo. «Ha un'anima tarahumara.»

Ma, un attimo... «Anche se Scott Jurek accettasse di venire, come la prenderebbero i Tarahumara?» chiesi. «Parteciperebbero alla gara?»

«Forse» scrollò le spalle Caballo. «La persona che voglio è Arnulfo Quimare.»

Ecco: questo di certo non sarebbe mai successo. Sapevo, per esperienza personale, che Arnulfo avrebbe a malapena *parlato* a un forestiero, figuriamoci andarsene in giro per una settimana con un gruppo di stranieri e condurli per i sentieri nascosti della sua terra. Ammiravo il gusto e l'ambizione di Caballo, tuttavia misi seriamente in discussione la sua capacità di valutare la realtà dei fatti. Nessun corridore americano sapeva chi fosse e la maggior parte dei Tarahumara non erano neanche sicuri di che *cosa* fosse. E ciò nonostante continuava a pensare che tutti loro gli avrebbero dato fiducia?

«Sono abbastanza sicuro che Manuel Luna verrà» continuò Caballo. «Forse anche suo figlio.»

«Marcelino?»

«Sì» disse Caballo. «È bravo.»

«È eccezionale!»

Avevo ancora sulla retina il residuo dell'immagine del ragazzo-Torcia Umana che sfrecciava sul sentiero sconnesso veloce come la fiamma su una miccia. Be', in quel caso, a chi importava se Scott Jurek o un qualsiasi altro pezzo grosso sarebbe venuto? Anche solo poter correre fianco a fianco con Manuel, Marcelino e Caballo sarebbe valsa la pena. Il modo in cui Caballo e Marcelino correvano era quanto di più simile al volare fosse possibile per un essere umano. Ne avevo avuto solo un assaggio sui sentieri di Creel, e ne volevo ancora; era come sbattere fortissimo le braccia e sollevarsi di un centimetro dal suolo: dopo esserci riusciti, come si può pensare di non farlo di nuovo?

«Ce la posso fare» dissi a me stesso. Quando era arrivato qui, Caballo era nella stessa posizione in cui mi trovavo io in quel momento; era un tizio sui quaranta con le gambe a pezzi, eppure un anno dopo fluttuava senza sforzo tra le vette delle montagne. Se aveva funzionato per lui, perché non poteva funzionare per me? Se avessi applicato davvero le sue tecniche, sarei potuto diventare anch'io abbastanza forte da correre 80 chilometri sui Copper Canyon? Le probabilità che la sua gara avesse effettivamente luogo erano all'incirca... be', in realtà non c'era alcuna probabilità. Non si sarebbe mai fatta. Ma se per qualche strano miracolo fosse riuscito a organizzare una corsa con i migliori Tarahumara della loro generazione, io volevo esserci.

Quando tornammo a Creel, io e Caballo ci stringemmo la mano.

«Grazie per le lezioni» dissi. «Mi hai insegnato molto.»

«*Hasta luego, Norawa*» replicò Caballo. Alla prossima, amico. Poi se ne andò.

Lo guardai. C'era qualcosa di tremendamente triste, ma anche di terribilmente edificante, nel guardare questo profeta dell'antica arte della corsa voltare le spalle a tutto tranne che al suo sogno e tornarsene nel «miglior posto al mondo per correre».

Da solo.

## XVIII

«Hai mai sentito parlare di Caballo Blanco?»

Quando tornai dal Messico chiamai Don Allison, da molti anni direttore della rivista «Ultrarunning». Caballo si era lasciato scappare un paio di dettagli sul suo passato su cui valeva la pena indagare: aveva detto di essere stato un lottatore professionista di qualche tipo e di aver vinto alcune ultramaratone. Il dettaglio dei combattimenti era spaventosamente difficile da verificare, con quella ingarbugliata rete di discipline ed enti riconosciuti; ma per quanto riguardava l'ultramaratona, tutte le strade portavano da Don Allison, a Weymouth, Massachusetts. Don Allison conosceva tutti e tutto nell'ambiente, era una specie di centro di raccolta e smistamento di ogni pettegolezzo, risultato e promessa sportiva del mondo dell'ultramaratona, e per questo motivo la prima sillaba che pronunciò in risposta alla mia domanda fu doppiamente deludente:

«*Chi?*»

«Penso che si faccia chiamare anche Micah True» dissi. «Ma non ho capito bene se è il suo vero nome o quello del suo cane.»

Silenzio.

«Mi ascolti?» dissi.

«Certo, continua...» rispose alla fine Allison. «Stavo solo cercando una cosa. Dici sul serio?»

«Pensi che stia scherzando?»

«No, intendevo dire: *esiste* sul serio?»

«Certo che esiste. L'ho conosciuto in Messico.»

«Bene» disse Allison. «È matto?»

«No, è...» Adesso toccava a me fare una pausa. «*Non credo.*»

«In effetti un tizio con quel nome mi ha mandato un paio di articoli. Li stavo cercando proprio un attimo fa. Devo dirtelo: erano semplicemente impubblicabili.»

Ecco, questa era già una notizia significativa. «Ultrarunning» infatti, più che a una rivista vera e propria assomiglia a un giornale parrocchiale, fatto per lo più di informazioni, aggiornamenti, resoconti e qualche considerazione personale. All'incirca l'80 per cento di ogni numero è composto da liste di nomi e tempi, risultati di corse che nessuno ha mai sentito nominare che si tengono in posti che pochi, a parte gli ultramaratoneti, riuscirebbero mai a trovare. Oltre ai resoconti delle gare, ogni numero ospita qualche articolo che i corridori scrivono di propria iniziativa per esporre le proprie recenti osservazioni, del tipo «L'uso della bilancia per determinare il vostro bisogno idrico ottimale», oppure «Combinazioni di lampade da testa e torce elettriche». Non occorre aggiungere che bisogna mettercela veramente tutta per riuscire a meritare un rifiuto da «Ultrarunning», il che mi trattenne anche solo dal chiedermi ciò che Caballo, isolato nella sua capanna come un Unabomber dei canyon, avesse scritto nei suoi manifesti sull'ultramaratona.

«Sembrava... non so... minaccioso o qualcosa del genere?»

«No» disse Allison. «Non parlava neanche di corsa. Erano per lo più pistolotti sulla fratellanza e il karma e gli americani avidi.»

«Parlava anche della gara che sta organizzando?»

«Sì, parlava di una qualche corsa con i Tarahumara. Ma a quanto mi è dato di capire, lui è l'unico a crederci. Lui e forse tre dei suoi indiani.»

Neanche Joe Vigil, l'allenatore, aveva mai sentito parlare di Caballo. Avevo sperato che magari si fossero incontrati durante quell'epica gara a Leadville, oppure più tardi nelle Barrancas. Ma subito dopo la gara di Leadville la vita del coach aveva subito una svolta improvvisa e drammatica. La cosa era cominciata con una telefonata: era una giovane donna, che chiedeva se Vigil poteva aiutarla a qualificarsi per le Olimpiadi. Era stata un'atleta piuttosto dotata al college, ma poi si era stufata di correre e aveva abbandonato con l'intenzione di aprire un bar-panetteria. A meno che coach Vigil non pensasse che valesse la pena insistere con la corsa...

Vigil, da gran maestro dell'arte della motivazione, sapeva esattamente cosa dirle: «Scordatelo. Datti a brioche e cappuccini che è meglio». Deena Kastor (che all'epoca si chiamava ancora Deena Drossin) sembrava una ragazzina dolce, ma non aveva neanche lontanamente idea di cosa significasse lavorare con coach Vigil. Era una ragazza che veniva dalle spiagge californiane, abituata a correre dietro casa e sulle piste di Santa Monica sotto il gradevole sole del Pacifico. Quello che invece proponeva Vigil era un programma di allenamento a misura di guerriero spartano: un programma di sopravvivenza del più forte per selezione naturale che univa carichi di lavoro omicidi e montagne gelide e ventose del Colorado.

«Provai a scoraggiarla, dato che Alamosa non è esattamente Los Angeles» avrebbe spiegato Vigil in seguito. «È un po' isolato, in mezzo ai monti, e fa davvero freddo – a volte il termometro arriva anche a meno trenta. Solo le persone con la scorza più dura possono correre qui e sopravvivere.» Quando Deena si presentò da lui ignorando il suo rifiuto, Vigil si mostrò abbastanza gentile da premiare la sua persistenza testando la sua tenuta atletica e il suo potenziale di allenamento. I risultati non cambiarono di una virgola l'opinione di Vigil: era un'atleta mediocre.

Ma più l'allenatore la respingeva, più Deena restava affascinata. Sulla parete dell'ufficio di Vigil era riportata una formula magica per correre velocemente che, a quanto ne capiva Deena, non aveva assolutamente niente a che fare con la corsa: era roba del tipo «Pratica l'abbondanza nella restituzione», «Migliora le tue relazioni personali» e «Dimostra integrità nel tuo sistema di valori». I consigli di Vigil in fatto di regime alimentare erano completamente privi di nozioni sportive o scientifiche. La sua strategia nutrizionale per un promettente maratoneta olimpico era: «Mangia come se fossi povero».

Vigil stava costruendo il suo micro-ecosistema tarahumara. Finché non si fosse liberato dei suoi impegni e trasferito nei Copper Canyon, avrebbe fatto del suo meglio per ricreare i Copper Canyon a casa sua, in Colorado. Se Deena voleva anche solo pensare di allenarsi con lui, avrebbe fatto bene a essere pronta ad allenarsi come una Tarahumara. Il che significava vivere in maniera frugale e lavorare per edificare la propria anima, oltre che la propria forza.

Deena lo capì, e non vedeva l'ora di iniziare. Coach Vigil credeva che si dovesse diventare persone spiritualmente forti, prima di poter diventare corridori forti. Da quel punto di vista, era impossibile che Deena ci perdesse qualcosa. Fu così che, controvoglia, Vigil accettò di darle una possibilità. Nel 1996 cominciò a inserirla nel suo programma di allenamento a misura di Tarahumara. Nel giro di un anno, l'aspirante pasticciera era sulla via per diventare una delle più grandi maratonete della storia americana.

Si rivelò così dotata da vincere i campionati nazionali di corsa campestre e continuò a battere i record statunitensi per distanze che andavano dai 5 chilometri fino alla maratona. Alle Olimpiadi di Atene, Deena superò l'attuale primatista mondiale Paula Radcliffe e ottenne un bronzo: la prima medaglia olimpica di un maratoneta americano da vent'anni. Domandate a Vigil quali risultati ha ottenuto Deena, però, e quasi sempre prima di ogni altra cosa vi risponderà che nel 2002 ha vinto il premio «Atleta umanitaria dell'anno».

Un passo alla volta, coach Vigil era stato assorbito dal mondo della corsa sulla lunga distanza statunitense, e i suoi progetti di stabilirsi nei Copper Canyon erano diventati sempre meno realizzabili. Prima dei Giochi del 2004, gli fu chiesto di allestire a Mammoth Lakes, sui monti della California, un campo di allenamento per le promesse olimpiche. Era un carico di lavoro spaventoso per un uomo di settantacinque anni e Vigil finì per pagarne lo scotto: un anno prima delle Olimpiadi ebbe un infarto e gli dovettero mettere un triplo bypass. La sua ultima occasione di imparare dai Tarahumara, capì in quel momento, era svanita per sempre.

Al mondo restava un solo cercatore che era ancora sulle tracce dell'arte segreta dei Tarahumara: Caballo Blanco, le cui scoperte però erano archiviate solo nella sua memoria muscolare.

Quando uscì il mio articolo su «Runner's World» si accese un bel po' di curiosità attorno ai Tarahumara, ma non ricevemmo l'attesa miriade di adesioni entusiastiche da parte di grandi ultramaratoneti, bensì qualcosa di meno. Qualcosa meno di uno, per la precisione.

Può darsi che in parte sia stata colpa mia; mi era stato impossibile descrivere Caballo con sincerità senza ricorrere alla parola «cadaverico» o senza dire che i Tarahumara lo definivano un tipo «piuttosto strano». Non importava, di conseguenza, quanto le persone fossero entusiaste per la gara: ci avrebbero comunque pensato due volte prima di mettere la loro vita nelle mani di un misterioso lupo solitario dal nome fasullo, i cui amici più intimi vivevano in spelonche e mangiavano topi e ciò nonostante consideravano *lui* un tizio bizzarro.

Non fu di grande aiuto neanche il fatto che fosse così difficile scoprire dove e quando avrebbe concretamente avuto luogo la gara. Caballo aveva messo in piedi il suo sito internet, ma scambiarsi messaggi con lui era come aspettare di ricevere un messaggio in una bottiglia abbandonata in mare alla deriva. Per controllare l'e-mail, Caballo doveva correre quasi 50 chilometri in montagna, guadare un fiume, arrivare alla minuscola città di Urique e cercare di persuadere un insegnante a lasciargli usare il cigolante computer della scuola e la sua linea analogica. Inoltre poteva coprire i suoi 100 chilometri di andata e ritorno solo se faceva bel tempo; altrimenti avrebbe rischiato di morire scivolando su una pietra bagnata dalla pioggia o di essere travolto dalle correnti impetuose del fiume. Il servizio telefonico era arrivato a Urique solo nel 2002, quindi la manutenzione era, nel migliore dei casi, saltuaria; un affaticato Caballo poteva quindi giungere a Urique solo per scoprire che la linea era fuori uso da giorni. Una volta non aveva potuto controllare l'e-mail perché era stato attaccato da un branco di cani randagi e aveva dovuto annullare il viaggio per andare in cerca di un vaccino antirabbia.

Il fatto stesso di veder apparire il nome «Caballo Blanco» nella mia casella e-mail era di per sé un sollievo. A causa della sua indifferenza al rischio, Caballo conduceva una vita estremamente pericolosa. Ogni volta che partiva per una corsa, avrebbe potuto essere l'ultima; gli piaceva credere che i sicari dei narcos lo considerassero un innocuo *indio gringo*, ma chi può prevedere il comportamento di gente del genere? Inoltre, c'erano i suoi strani svenimenti: ogni tanto, Caballo perdeva improvvisamente conoscenza e si accasciava. Questi occasionali blackout sono abbastanza rischiosi anche in posti in cui puoi chiamare un'ambulanza, figurarsi là fuori, nella solitaria vastità delle Barrancas, dove un Caballo svenuto non sarebbe mai stato trovato (e per di più nessuno avrebbe notato la sua assenza). Una volta svenne poco dopo aver attraversato un villaggio, andando a tanto così dal restarci secco. Quando si riprese, si trovò uno spesso bendaggio attorno alla testa e del sangue rappreso tra i capelli. Se fosse svenuto mezz'ora prima, si sarebbe trovato sperduto in mezzo al nulla con la testa fracassata. Ma anche se fosse sopravvissuto ai cecchini e agli scherzi della pressione sanguigna, la morte poteva sempre essere in agguato sotto i suoi piedi; bastava un *chingoncito* valutato male su uno di quei sentieri tarahumara larghi quanto un filo interdentale e di Caballo sarebbe rimasta solo l'eco delle sue grida mentre scompariva in un baratro.

Niente però riusciva a fermarlo. La corsa sembrava essere il solo piacere sensuale della sua vita, e in quanto tale lo assaporava come fosse un piatto prelibato più che un esercizio fisico. Persino quando la sua capanna veniva praticamente demolita da uno smottamento, prima di rimettersi un tetto sulla testa Caballo si faceva una corsa.

Poi, con la primavera arrivò anche il disastro. Ricevetti questa e-mail:

> Ehi, amigo, sto a Urique dopo una corsa piena di accidenti e che ho fatto zoppicando. Mi sono fottuto la caviglia sinistra per la prima volta in tanti anni! Non sono più abituato a correre con le suole spesse, ormai. Ecco cosa mi sono meritato per aver fatto lo spaccone e aver indossato le scarpe mentre cercavo di risparmiare i sandali leggeri per correre più veloce e gareggiare! Ero a 15 chilometri da Urique en la Sierra e sapevo che questo schianto non era affatto buono, e ho dovuto arrancare dolorosamente fino a Urique, dato che non avevo altra scelta che arrivare lì, e il mio piede sinistro sembra che abbia l'elefantiasi!

Merda. Avevo il brutto sospetto che la colpa di quell'incidente fosse mia. Poco prima di salutarci a Creel, notando che io e Caballo avevamo lo stesso numero di piede, tirai fuori dallo zaino un paio di scarpe da corsa nuove della Nike e gliele regalai. Lui aveva annodato i lacci e se le era messe sulle spalle, immaginando che sarebbero potute tornargli utili nel caso i suoi sandali si fossero rotti. Era troppo educato per puntare il dito contro di me, nel suo resoconto dell'incidente, ma ero abbastanza sicuro che si riferisse alle mie scarpe quando aveva menzionato il fatto che stava correndo su suole spesse quando si era rotto la caviglia.

A questo punto il mio senso di colpa era gigantesco. Dovunque mi girassi, avevo trovato il modo di rovinare Caballo. Prima di tutto, avevo piazzato una bomba a orologeria dandogli quelle scarpe, in secondo luogo avevo scritto un articolo in cui avevo parlato delle sue eccentricità abbastanza da nuocere ai suoi obiettivi di pubbliche relazioni. Caballo rischiava di ammazzarsi purché la corsa avesse luogo e ora, dopo mesi di sforzi, il solo che si sarebbe presentato ero io: il peggior corridore possibile, il mezzo zoppo capace solo di procurargli sofferenze.

Caballo era riuscito a non guardare in faccia la verità, preso dal piacere delle sue corse erranti, ma adesso che giaceva a Urique, infortunato e senza nessuno che gli desse una mano, la realtà aveva fatto irruzione nella sua vita. Non si può vivere in quel modo senza sembrare un tipo strambo e adesso ecco che ne stava pagando lo scotto: nessuno lo prendeva sul serio. Non era neanche sicuro di poter convincere i Tarahumara a dargli fiducia, e quello era più o meno il solo popolo al mondo che sapeva chi fosse Caballo. E allora perché lo faceva? Perché dava la caccia a un sogno che tutti gli altri consideravano nient'altro che uno scherzo?

Se non si fosse rotto la caviglia avrebbe dovuto aspettare la risposta ancora a lungo. Ma proprio quando si trovava in quella situazione, durante la sua convalescenza a Urique, ricevette un messaggio da Dio. O per lo meno dall'unico dio al quale avesse mai rivolto le sue preghiere.

# XIX

> Inizio sempre queste competizioni con degli obiettivi ambiziosi, come se dovessi fare qualcosa di speciale. E poi raggiungo un punto di deterioramento fisico dopo il quale gli obiettivi vengono ridimensionati fino ad arrivare al punto in cui mi trovo adesso, in cui il massimo cui posso aspirare è di evitare di vomitarmi sulle scarpe.
>
> EPHRAIM ROMESBERG, *ingegnere nucleare e ultramaratoneta, dopo aver corso 100 chilometri all'Ultramaratona di Badwater*

Qualche giorno prima, nel minuscolo appartamento di Seattle che condivideva con la moglie e con una montagna di trofei, anche il più grande ultramaratoneta americano era costretto a confrontarsi con i limiti del proprio corpo.

Quel corpo aveva ancora un aspetto grandioso; abbastanza da far girare le donne ogni volta che Scott Jurek e la sua bionda e slanciata consorte, Leah, pedalavano nel quartiere di Capitol Hill, dove vivevano, andando in libreria, al bar o al loro solito ristorante vegano thailandese: una bellissima giovane coppia *hipster* che girava in mountain bike anziché in macchina. Scott era alto e dotato di una muscolatura flessuosa, intensi occhi castani e un sorriso da cantante pop. Non si era più tagliato i capelli da quando Leah lo aveva rasato con la macchinetta prima della sua prima vittoria alla Western States e adesso, sei anni dopo, aveva una chioma di riccioli da divinità greca che quando correva ondeggiavano al vento.

Il modo in cui l'allampanato secchione – il cui cognome i compagni di scuola storpiavano in *Jerker*, Rompiballe – era diventato una star dell'ultramaratona ancora sconcerta quelli che lo hanno conosciuto nella sua giovinezza a Proctor, Minnesota. «Gli facevamo un culo così» disse Dusty Olson, stella sportiva di Proctor all'epoca in cui entrambi erano adolescenti. Durante le corse campestri, Dusty e compagni lo bersagliavano con il fango e poi scappavano. «Non riusciva mai a raggiungerci» disse Dusty. «Nessuno capiva com'è che fosse così lento, dato che *Jerker* era quello che si allenava più di chiunque altro.»

Non che Scott avesse molto tempo per allenarsi, in realtà. Quando era ancora alle elementari, sua madre si ammalò di sclerosi multipla, e Scott, il maggiore dei tre figli, aveva il compito di accudirla dopo la scuola, pulire la casa e raccogliere la legna per la stufa mentre suo padre era al lavoro. Anni dopo, i veterani dell'ultramaratona avrebbero storto il naso sentendo le grida di Scott sulla linea di partenza e vedendo le sue mosse di kung-fu nelle stazioni di sosta; ma quando avete passato l'infanzia a lavorare come mozzo di bordo e a guardare vostra madre affogare in una sofferenza da incubo, forse vi resterà sempre questa sensazione di essere sopraffatti dalla gioia quando riuscite a lasciarvi tutto alle spalle e a lanciarvi nella corsa all'aria aperta.

In seguito al trasferimento di sua madre in una struttura sanitaria assistita, Scott si trovò da solo, con i pomeriggi vuoti e il cuore in affanno. Per fortuna, proprio quando Scott aveva bisogno di un amico, Dusty aveva bisogno di un battistrada. Erano una strana coppia, ma curiosamente ben assortita; Dusty aveva sete di avventura, Scott di fuga. Il gusto di Dusty per la competizione era insaziabile; subito dopo aver vinto i campionati *sia* di sci nordico (a livello nazionale) *sia* di corsa campestre (a livello regionale), convinse Scott a seguirlo nell'ultramaratona Minnesota Voyageur Trail Ultra 50-Mile Footrace, di 80 chilometri. «Sì, per convincerlo a venire dovetti ingannarlo» avrebbe detto Dusty in seguito. Scott non aveva mai corso neanche la metà di quella distanza, però ammirava troppo Dusty per potergli dire di no.

Durante la gara, Dusty perse una scarpa nel fango. Prima che riuscisse a rimettersela, Scott era già lontano. Sfrecciò nella foresta e finì la sua prima ultra in seconda posizione, battendo Dusty di più di cinque minuti. «Cosa diavolo sta succedendo?» si chiese Dusty. Quella notte il suo telefono squillò senza sosta. «Tutti gli amici mi prendevano in giro; mi dicevano: "Sfigato! Sei stato battuto da Jerker!".»

Scott era altrettanto sorpreso. Capì che tutta quella sofferenza alla fine gli aveva portato anche qualcosa di buono. Tutta la disperazione provata stando accanto a una madre che non sarebbe mai guarita, tutta la frustrazione che sentiva nel rincorrere gli idioti che lo prendevano in giro e che non sarebbe mai riuscito a raggiungere: tutto questo si era trasformato nella capacità di andare sempre più forte quanto più la situazione diventava difficile. Coach Vigil sarebbe stato toccato da questa storia: Scott non chiese nulla alla sua resistenza e ottenne molto più di quanto avrebbe potuto sperare.

Assolutamente per caso, Scott si era imbattuto nell'arma più temibile nell'arsenale di un ultramaratoneta: non temere la fatica ma abbracciarla con gioia. Non lasciarsela scappare. Si arriva a conoscerla così bene da non averne più paura. Lisa Smith-Batchen, un'ultramaratoneta dell'Idaho con la coda di cavallo e incredibilmente solare, che si allenava in mezzo alle bufere di neve per vincere una corsa di sei giorni nel Sahara, parlava della spossatezza come di un cucciolo con cui giocare. «Io adoro la Bestia» disse. «In realtà io guardo dritto davanti a me e aspetto di vederla apparire, perché ogni volta che torna riesco a gestirla meglio, a tenerla sotto controllo.» Quando la Bestia arriva, Lisa sa con chi ha a che fare e ci dà dentro. E non è forse questa la ragione fondamentale per cui va a correre nei deserti, perché vuole darci dentro? Perché vuole avere una piccola zuffa amichevole con la Bestia per poterle mostrare chi è che comanda? Non si può odiare la Bestia e sperare di sconfiggerla; il solo modo per conquistare veramente una cosa, come vi dirà qualsiasi grande filosofo o qualsiasi genetista, è amarla.

Scott non avrebbe mai più indugiato all'ombra di Dusty o di qualsiasi altro corridore. «Chiunque lo abbia visto correre forte su un terreno montuoso negli ultimi chilometri di una gara di 160 ne è uscito cambiato» dichiarò rapito una volta un corridore su Letsrun.com (il forum internet numero uno al mondo per tutto ciò che abbia attinenza con la corsa), dopo aver visto Scott stracciare il record della Western States. Scott era un eroe anche tra i fanalini di coda, i corridori troppo lenti per vederlo in azione, ma stavolta per un motivo molto diverso. Di solito, dopo aver vinto una gara di 160 chilometri, infatti, Scott – che avrebbe avuto un disperato bisogno di una doccia calda e di lenzuola fresche – si infilava in un sacco a pelo vicino al traguardo. All'alba del giorno dopo era ancora lì, a incitare con la sua voce rauca ogni singolo corridore che arrivava, per far sapere anche all'ultimo ostinato ultramaratoneta che non era solo.

Quando Scott compì trentun anni, era virtualmente imbattibile. Ogni giugno un nuovo gruppo di pistoleri arrivavano alla Western States con il proposito di strappargli il titolo e ogni anno se lo ritrovavano avvolto nel suo sacco a pelo, al termine della gara. «E adesso?» si chiedeva Scott. Adesso che aveva trasformato il suo corpo in una splendida e impeccabile Ferrari, cosa doveva fare? Continuare a combattere contro il cronometro e contro i pistoleri in attesa che qualcuno di loro finalmente lo battesse? Correre non è una faccenda di vincere o perdere, lo sapeva sin dai giorni solitari in cui era il Jerker, sin dai tempi in cui annaspava inseguendo Dusty con la faccia coperta di fango. La vera bellezza della corsa era... era...

Be', Scott non ne era più tanto sicuro. Ma nel momento in cui conquistò la sua settima vittoria alla Western States nel 2005, capì in quale direzione doveva cercare la risposta.

Due settimane dopo la Western States, Scott scese dalle montagne e fece un lungo viaggio in macchina attraverso il deserto del Mojave per giungere alla linea di partenza della famigerata ultramaratona di Badwater. Quando Ann Trason corse due ultra in un mese, per lo meno lo fece restando incollata al pianeta terra; Scott invece andò a correre la sua seconda ultramaratona sulla superficie del sole.

La Valle della Morte è il posto perfetto per grigliare la carne: un gigantesco barbecue nella cucina di Madre Natura. Si tratta di un grande, scintillante mare di sale circondato da montagne che impediscono al calore di uscire rispedendolo direttamente sul vostro cranio. La temperatura media si attesta attorno ai 51 °C, ma quando il sole si alza e inizia a scaldare il suolo desertico, il terreno può arrivare a tostare i piedi di Scott alla gradevole temperatura di 93 °C: la stessa precisa temperatura che vi serve per arrostire a fuoco lento delle succulente costolette di maiale. Inoltre l'aria è così secca che nel momento in cui sentite di aver sete potreste essere già passati a miglior vita; il sudore viene risucchiato dal vostro corpo così rapidamente che potreste essere pericolosamente disidratati ben prima che la vostra gola possa registrare l'informazione. Se provate a risparmiare l'acqua che avete con voi, siete morti.

Ciò nonostante ogni luglio novanta corridori da tutto il mondo passano fino a sessanta ore filate correndo giù per le sfrigolanti strade d'asfalto nero della superstrada 190, facendo ben attenzione a camminare sulle strisce bianche per evitare che le suole delle scarpe si sciolgano. Al chilometro 27 passano per Furnace Creek, in cui è stata registrata la massima temperatura nella storia degli Stati Uniti (56,7 °C). Da lì, la faccenda riesce perfino a peggiorare: bisogna ancora scalare tre montagne e fronteggiare allucinazioni, stomaco in subbuglio e almeno una lunga notte di corsa nel buio prima di raggiungere il traguardo. *Sempre che* si raggiunga: Lisa Smith-Batchen è la sola americana ad aver mai vinto la Maratona delle Sabbie, un'ultramaratona di sei giorni nel Sahara, ma anche lei dovette abbandonare la Badwater nel 1999 e farsi reidratare d'urgenza per bloccare la disidratazione dei reni poco prima che smettessero definitivamente di funzionare.

«Questo è il paesaggio della catastrofe» scrisse un cronista a proposito della Valle della Morte. È un'esperienza bizzarra e in un certo modo transilvanica, quella di correre una gara nel cuore di un terreno letale in cui gli escursionisti smarriti si lacerano la lingua annerita prima di morire di sete, come il dottor Ben Jones vi può raccontare per averlo constatato con i propri occhi. Il dottor Jones stava correndo la Badwater nel 1991 quando fu chiamato in tutta fretta per esaminare il corpo di un escursionista trovato nella sabbia.

«Io sono il solo, a quanto ne so, ad aver effettuato un'autopsia durante una gara» sottolineò. Non che fosse estraneo agli spettacoli morbosi; «Badwater Ben» era famoso anche per aver fatto trascinare dal suo staff una bara piena di acqua ghiacciata perché potesse rinfrescarsi lungo il percorso. Quando alcuni inseguitori lo raggiunsero, restarono allibiti nel vedere l'atleta più esperto disteso in un sarcofago a bordo strada, con gli occhi chiusi e le braccia incrociate sul petto.

Cosa pensava di fare Scott, che era cresciuto in mezzo alle piste da sci di fondo del Minnesota? Cosa poteva saperne di scarpe che si sciolgono e di bare di ghiaccio? Lo stesso direttore di gara della Badwater, Chris Kostman, si rese conto che Scott era un pesce fuor d'acqua: «Questa corsa era di oltre 50 chilometri più lunga della corsa più lunga che lui avesse mai fatto» avrebbe commentato Kostman «e il doppio di quanto avesse mai corso sul selciato, per non dire che la temperatura era significativamente più elevata di quanto lui avesse mai potuto sperimentare.»

E Kostman era ben lungi dal conoscere tutta la verità: Scott quell'anno era stato così concentrato nel migliorare le sue abilità sullo sterrato per la Western States, che non aveva mai corso sull'asfalto più di 15 chilometri tutti insieme. E quanto ad acclimatarsi... be', non è che a Seattle piova proprio *tutti* i giorni, ma ci siamo vicini. La Valle della Morte era nel bel mezzo di una delle estati più calde della storia, con temperature che s'impennavano fino a 54 °C. Il momento più fresco del giorno più fresco restava comunque più caldo che a Seattle in tutta l'estate.

La sola speranza per un corridore di sopravvivere alla Badwater era di avere uno staff esperto che monitorasse costantemente il suo stato vitale e che gli fornisse calorie ad alta digeribilità e bevande ricche di elettroliti. Uno dei maggiori rivali di Scott quell'anno aveva portato un nutrizionista e quattro camper attrezzati per sostenerlo nel corso della gara. Scott, dal canto suo, poteva contare solo su sua moglie, due amici di Seattle e Dusty, ammesso che Dusty riuscisse a riprendersi dai postumi di una sbronza che ancora si portava dietro quando si presentò poco prima della partenza.

E la concorrenza degli avversari sarebbe stata spietata quanto il caldo. Correva contro Mike Sweeney, il due volte campione della torrida H.U.R.T. 100 delle Hawaii, e Ferg Hawke, un canadese estremamente ben preparato che era arrivato di poco secondo nella Badwater dell'anno precedente. Era tornata inoltre anche la due volte campionessa della Badwater Pam Reed, così come lo stesso Mister Badwater in persona: Marshall Ulrich, l'ultramaratoneta che si era fatto asportare le unghie dei piedi. Marshall non solo aveva vinto la Badwater quattro volte, ma aveva anche corso tutto il percorso *senza soste.* Una volta, tanto per non farsi mancare niente, si era trascinato per tutto il percorso un carrello dotato di ruote di bicicletta in cui aveva messo tutto il cibo e l'acqua di cui avrebbe avuto bisogno. E se Marshall era ben oltre il concetto convenzionale di *duro,* non per questo era meno astuto; una delle sue strategie notturne preferite consisteva nel far coprire gradualmente le luci posteriori del suo furgone con del nastro isolante. I corridori che cercavano di raggiungerlo, al buio, sarebbero in questo modo stati spinti a rinunciare, credendo che Marshall fosse scomparso in lontananza quando in realtà era solo alcune centinaia di metri davanti a loro.

Pochi secondi prima delle dieci del mattino, qualcuno accese uno stereo. Le mani si portarono immediatamente sopra i cuori non appena cominciò a crepitare l'inno nazionale. Anche solo starsene lì, sotto i raggi del sole mattutino, era insopportabile per chiunque eccetto che per i veri veterani della Badwater, la cui saggezza traspariva dal vestiario: Pam Reed, Ferg Hawke e Mike Sweeny, in pantaloncini di seta e canottiera, sembravano non preoccuparsi affatto del sole incandescente che picchiava sulle loro teste. Scott, d'altra parte, poteva già essere entrato in una zona di biorischio: era coperto da capo a piedi con una specie di tuta da bagno bianca e sembrava il perfetto bifolco del Minnesota, coi capelli lunghi raccolti dentro uno sciocco cappellino della Legione straniera francese.

*Via!* Scott sulla linea di partenza lanciò un urlo alla Braveheart, ma, per una volta, il suo urlo risuonò debole e lamentoso, essendo inghiottito dalla maestosa vastità del deserto del Mojave come un'eco nel fondo di un pozzo. Anche Mike Sweeney, dal canto suo, aveva architettato un modo per far tacere l'urlo di Scott: per evitare che quel ragazzino prodigio si piazzasse alle sue spalle per arrivare bello fresco ai chilometri conclusivi, Sweeney avrebbe condotto la gara con un ritmo irresistibile fin dall'inizio. Poteva permetterselo, del resto. In uno sport in cui l'aggressività è merce rara, Sweeney era uno dei pochi che davvero si potevano definire «duri». Quando aveva vent'anni era stato un tuffatore dalle scogliere di Acapulco («mi colpivo da solo sulla testa per renderla più dura») prima di diventare capitano di una nave a San Francisco, dove comandava un equipaggio di marinai addetti al trasporto di carichi pesanti. Mentre Scott passava l'estate godendosi la fresca aria di montagna con i suoi aromi di pino selvatico, Sweeney combatteva col timone di una nave in mezzo a venti forza nove e facendo jogging per due ore al giorno in una sauna iper-riscaldata.

Mike Sweeney era in testa quando passò per Furnace Creek, poco prima di mezzogiorno. Il termometro aveva raggiunto i 52 °C, ma Sweeney era imperturbabile e continuava ad aumentare il suo distacco dagli inseguitori. Al chilometro 115 aveva ormai un solido vantaggio di 15 chilometri sul secondo, Ferg Hawke. Il team di Sweeney si stava comportando a meraviglia. Come battistrada aveva tre ottimi ultramaratoneti, compreso un campione della H.U.R.T. 100, Luis Escobar. Come nutrizionista aveva una tizia dal nome perfettamente calzante, la solare Sunny Blende, una bellissima specialista di sport di resistenza che non solo monitorava le sue calorie, ma talvolta sollevava la maglietta e mostrava rapidamente il seno quando capiva che Sweeney aveva bisogno di riprendere animo.

La squadra di Jerker non si poteva dire che avesse un automatismo altrettanto impeccabile. Uno dei battistrada di Scott lo sventolava da dietro con una felpa, senza rendersi conto che Scott era troppo sfinito per lamentarsi del fatto che la cerniera della felpa gli frustava in continuazione la schiena. La moglie e il miglior amico di Scott, nel frattempo, stavano litigando come due pazzi. A Dusty dava fastidio il modo in cui Leah continuava a cercare di motivare Scott dandogli dei parziali completamente inventati, mentre Leah non era troppo contenta dell'abitudine di Dusty di chiamare suo marito «brutta checca».

Al chilometro 96 Scott vomitava e tremava. Le mani gli caddero sulle ginocchia, e le ginocchia caddero al suolo. Collassò sul ciglio della strada in mezzo al sudore e alla saliva. Leah e i suoi amici non si disturbarono a tirarlo su; sapevano che non esisteva al mondo una voce più persuasiva della vocina interiore di Scott.

Scott restò lì, pensando a quanto fosse disperata la situazione. Non era neanche a metà strada e Sweeney era già troppo lontano anche solo per poterlo vedere. Ferg Hawke era già a metà della salita che portava alla postazione di osservazione Father Crowley, e Scott doveva ancora iniziarla. Per non parlare del vento! Sembrava di correre in mezzo al getto del motore di un aereo. Un paio di chilometri prima, Scott aveva provato a rinfrescarsi immergendo la testa e il dorso in una vasca gigante piena di ghiaccio, restando immerso fino a quando i polmoni non cominciarono a urlare. Non appena fuori di lì, cominciò immediatamente ad arrostire di nuovo.

«Non c'è speranza» si disse Scott. «Sei finito. Dovresti fare qualcosa di completamente folle per vincere la gara adesso.»

«Folle in che senso?»

«Nel senso di ricominciare tutto da capo. Nel senso di fare finta di esserti appena alzato da una splendida notte di sonno e che la gara non sia ancora iniziata. Devi correre i prossimi 130 chilometri più velocemente di quanto tu abbia mai corso 130 chilometri in vita tua.»

«Impossibile, Jerker.»

«Certo. Lo so.»

Per dieci minuti, Scott restò a terra come un cadavere. Poi si rialzò e fece esattamente quello che si era proposto, stracciando il record della Badwater con un tempo di 24 ore e 36 minuti.

Re dello sterrato e re dell'asfalto. Quella doppia vittoria nel 2005 è stata una delle più grandi performance nella storia dell'ultramaratona, e non poteva arrivare in un momento migliore: proprio quando Scott stava diventando la più grande stella dell'ultramaratona, l'ultramaratona cominciava ad acquistare un certo sex appeal. C'era Dean Karnazes, che mostrava i muscoli sulle copertine delle riviste e raccontava a David Letterman di come ordinava le pizze con il cellulare nel bel mezzo di una corsa di 400 chilometri. E poi c'era Pam Reed: quando Dean annunciò che si stava preparando per una corsa da 482 chilometri, Pam corse difilato 483 chilometri, conquistando anche lei la sua apparizione da David Letterman, il contratto per un libro e uno dei più bei titoli di rivista della storia del giornalismo: CASALINGA DISPERATA TALLONA SUPERMODELLO MASCHIO IN UNA MARCIA SPORTIVA MORTALE.

*Indiragionpercui*: dov'era l'autobiografia di Scott? E la sua campagna pubblicitaria? E il tapis roulant a petto nudo in Times Square, alla Karnazes? «Se parli di corse da centinaia di chilometri sullo sterrato, non c'è nessuno nella storia che si avvicini a lui. Se volete sostenere che è il miglior ultramaratoneta di tutti i tempi, ne possiamo parlare» fu il giudizio del direttore di «Ultrarunning» Don Allison. «Ha abbastanza talento da poter affrontare chiunque.»

Quindi, di nuovo: dov'era finito Scott?

Se n'era andato. Invece di mettersi a fare autopromozione, dopo la sua gloriosa estate Scott sparì immediatamente nelle foreste con Leah per festeggiare in completa solitudine. A Scott non gliene poteva fregare di meno dei talk show: non aveva neanche la tv. Aveva letto il libro di Dean, quello di Pam e gli articoli delle riviste, e tutti gli davano il voltastomaco. «Saltimbanchi» mormorò; stavano prendendo questo sport meraviglioso, questo grande dono celeste, e lo stavano trasformando in una pagliacciata.

Quando lui e Leah tornarono nel loro minuscolo appartamento, Scott trovò ad aspettarlo un'altra di quelle folli e-mail. Le aveva ricevute a fasi alterne per circa due anni da un tizio che continuava a firmarsi in modi diversi: Caballo Loco... Caballo Confuso... Caballo Blanco. Diceva cose riguardo a una gara, chiedeva se lui poteva partecipare, il potere al popolo, bla bla bla... Di solito, Scott ci dava un'occhiata veloce e le eliminava, ma questa volta una parola catturò la sua attenzione: *chingón*.

Ehi! Non era per caso la parolaccia messicana? Scott non sapeva granché di spagnolo, ma sapeva riconoscere un'offesa quando se la trovava davanti. Non è che per caso questo Cavallo pazzo lo stava insultando? Scott lesse di nuovo il messaggio, stavolta con attenzione:

> Ho detto ai miei amici Rarámuri che il mio amico Apache Ramón Chingón dice che batterà tutti quanti. I Tarahumara sono più o meno buoni corridori, paragonati agli Apache, e i Quimares un po' di più che di meno. Ma la domanda è: chi è più chingón di Ramón?

Decifrare la lingua di Caballo non era semplice, ma quello che Scott riusciva a capire, con un certo impegno, era che a quanto pareva lui doveva essere Ramón Chingón, il Nemico Malvagio che sarebbe andato a prendere a calci nel sedere i Tarahumara. Quindi questo tizio che lui non aveva mai visto stava cercando di arrivare alla resa dei conti tra i Tarahumara e i loro antichi nemici Apache e voleva che Scott giocasse il ruolo del cattivo mascherato? Be', dargli dello psicopatico era il minimo che si potesse fare...

Scott posò il dito sul tasto per cancellare l'e-mail, poi si fermò. Ma, a pensarci bene... non era esattamente quello che Scott aveva intenzione di fare? Scoprire i migliori corridori e i percorsi più duri al mondo e conquistarli tutti? Un giorno nessuno, neanche tra gli ultramaratoneti, si ricorderà più dei nomi di Pam Reed o di Dean Karnazes. Ma se Scott era bravo come credeva di essere – se era bravo come *osava* essere – allora doveva correre come nessuno aveva mai corso. Scott non voleva essere il migliore del mondo; voleva diventare il migliore di tutti i tempi.

Ma, come ogni campione, doveva lottare contro la Maledizione di Alì: poteva battere chiunque fosse vivo ma non poteva battere gli avversari ormai morti (o, quanto meno, che si erano ritirati). Ogni grande pugile dei pesi massimi sa che un giorno dovrà sentirsi dire: «Certo, sei forte, ma non saresti mai riuscito a battere Mohammed Alì nel pieno del suo splendore». Allo stesso modo, non importa quanti record Scott battesse, ci sarebbe stata sempre una domanda senza risposta: cosa sarebbe accaduto se avesse partecipato all'ultramaratona Leadville nel 1994? Avrebbe potuto battere Juan Herrera e la squadra tarahumara o lo avrebbero abbattuto come un cervo, esattamente come fecero con la *bruja*?

Gli eroi del passato sono intoccabili, protetti per sempre dalle inespugnabili porte del tempo... a meno che un misterioso straniero potesse aprirle con una chiave magica. Forse Scott, con l'aiuto di questo Caballo, sarebbe stato il solo atleta in grado di riportare indietro le lancette dell'orologio per sfidare gli immortali.

*Chi è più chingón di Ramón?*

# XX

Nove mesi dopo, mi ritrovai sul confine messicano con un orologio in mano e nessun margine di errore. Era sabato sera, il 25 febbraio 2006, e avevo ventiquattr'ore per trovare di nuovo Caballo.

Appena ricevette la risposta di Scott Jurek, Caballo cominciò a mettere in piedi un'organizzazione da funambolo della logistica. Aveva un ventaglio di possibilità molto limitato, dato che la gara non poteva tenersi nel periodo del raccolto autunnale, nella stagione delle piogge invernali o sotto l'incandescente canicola estiva, durante la quale molti Tarahumara migravano verso grotte più fresche nei canyon più alti. Caballo inoltre doveva evitare il periodo di Natale, la settimana di Pasqua, la Fiesta Guadalupana e almeno una mezza dozzina di weekend tradizionalmente dedicati ai matrimoni tarahumara.

Alla fine stabilì la data della corsa per domenica 5 marzo. E a quel punto cominciò il difficile: avendo a malapena il tempo di andare una sola volta di villaggio in villaggio ad annunciare la logistica della gara, doveva decidere immediatamente, prima di partire, dove e quando con precisione i Tarahumara avrebbero dovuto incontrarsi con noi per raggiungere il luogo in cui si sarebbe tenuta. Il minimo errore di calcolo, e la sua corsa era spacciata; già era un azzardo confidare che qualche Tarahumara fosse disposto a partecipare, ma di sicuro se fossero venuti nel luogo convenuto e non avessero trovato nessuno, se ne sarebbero tornati a casa.

Caballo fece le stime più accurate che poteva, poi si tuffò nei canyon a spargere la voce, come mi scrisse in un messaggio poche settimane dopo:

> Corso circa 50 chilometri nel paese dei Tarahumara, tornato oggi, da messaggero quale sono. Il messaggio mi ha alimentato più del sacco di *pinole* che mi portavo dietro. Sono stato abbastanza fortunato da vedere sia Manuel Luna sia Felipe Quimare nello stesso giro e lo stesso giorno. Quando ho parlato a ciascuno di loro, riuscivo a vedere eccitazione anche nella solennità da Geronimo della faccia di Manuel.

Tuttavia, mentre le cose si mettevano bene per Caballo, la parte delle operazioni di mia competenza era difficile da impazzire. Una volta che si cominciò a spargere la voce che Jurek sarebbe andato a correre fianco a fianco con i Tarahumara, altri assi dell'ultramaratona cominciarono a voler partecipare. Ma non si poteva prevedere in quanti si sarebbero presentati realmente (e non si poteva essere certi neanche che la star stessa alla fine avrebbe tenuto fede all'impegno).

In perfetto stile Jurek, Scott non aveva detto praticamente a nessuno che sarebbe venuto, quindi le voci sulla sua partecipazione cominciarono a circolare solo un mese prima della corsa. Anche a me, che pure ero il suo punto di riferimento per poter partecipare, Scott non dava nessuna garanzia; mi mandò qualche e-mail con domande relative al viaggio, ma quando la data cominciò ad avvicinarsi, il suo segnale sparì dal mio radar. Due settimane prima del giorno della gara lessi sbigottito sul forum di «Runner's World» il post di un corridore che diceva di aver preso un colpo, quella mattina, quando era arrivato alla linea di partenza della maratona di Austin, Texas, e si era trovato accanto il più grande (e candidato a essere anche il più solitario) ultramaratoneta americano.

*Austin?* L'ultima volta che l'avevo sentito, Scott diceva di essere a 3000 chilometri di distanza, in viaggio attraverso la Bassa California con sua moglie per andare a Chihuahua a prendere il treno per Creel. Per quale motivo invece era andato a correre una maratona in città? Perché se ne andava in giro per il paese per una gara universitaria su strada, quando avrebbe dovuto perfezionare l'allenamento in vista della gara della vita che si sarebbe tenuta sullo sterrato? Aveva qualcosa in mente, senza dubbio; e, come sempre, qualsiasi strategia covasse dentro di sé restava ermeticamente chiusa nella sua testa.

Così, fino al momento in cui arrivai a El Paso, Texas, quel sabato, non potevo sapere se sarei stato alla testa di un plotone di persone o se mi sarei dovuto presentare da Caballo tutto solo. Mi registrai all'hotel Hilton dell'aeroporto e mi misi d'accordo per attraversare il confine il mattino successivo alle cinque, quindi tornai all'aeroporto, benché fossi piuttosto sicuro che si trattava solo di un'ulteriore perdita di tempo. Tuttavia andai, nell'eventualità che arrivassero anche Jenn «Cucciola» Shelton e Billy «Testa di Legno» Barnett, una coppia di ossi duri di ventun anni che davano spettacolo nel circuito delle ultra della Costa Orientale, per lo meno quando non erano impegnati a surfare, organizzare feste o pagare cauzioni per violenza privata (Jenn), disturbo dell'ordine pubblico (Billy) o atti osceni in luogo pubblico (entrambi, per un'esplosione di passione a bordo pista sfociata in un arresto commutato poi in servizi di pubblica utilità).

Jenn e Billy avevano cominciato a correre appena due anni prima, ma Billy stava già vincendo alcune delle più dure corse da 50 chilometri sulla Costa Orientale, mentre «la giovane e bella Jenn Shelton» (come l'aveva definita il blogger esperto di ultra Joey Anderson) aveva appena finito una corsa da 160 chilometri con uno dei migliori tempi del paese. «Se questa signorina sapesse usare una racchetta da tennis come sa correre» scrisse Anderson «sarebbe una delle donne sportive più ricche al mondo, con tutti gli sponsor ai suoi piedi.»

Avevo parlato con Jenn una volta per telefono e sembrava che lei e Billy morissero dalla voglia di farsi la sfacchinata per raggiungere i Copper Canyon; tuttavia mi restava oscuro come ci sarebbero riusciti: né lei né Testa di Legno avevano un soldo, né una carta di credito, né tempo libero dai corsi all'università. Andavano ancora tutti e due al college e la gara di Caballo era precisamente nel bel mezzo degli esami parziali: nel caso in cui se la fossero svignata per venire alla gara, avrebbero buttato il semestre. Ma due giorni prima del mio volo per El Paso avevo ricevuto improvvisamente questa e-mail frenetica:

> Aspettaci! Possiamo arrivare per le 20.10.
> El Paso è in Texas, no?

Dopodiché, silenzio. Nell'eventualità remota che Jenn e Billy fossero riusciti a trovare la città e avessero rimediato in qualche modo i biglietti aerei, io ero comunque andato all'aeroporto a dare un'occhiata. Non li avevo mai incontrati, ma la loro reputazione di fuorilegge creava un'immagine mentale piuttosto vivida. Quando arrivai alla zona di ritiro bagagli, il mio sguardo fu catturato da quella che sembrava una coppia di adolescenti scappati di casa che facevano autostop in direzione del festival di Lollapalooza.

«Jenn?» chiesi.

«Ci puoi giurare!»

Jenn portava un paio di infradito, calzoncini da surf e una maglietta psichedelica. I capelli colore del grano erano raccolti in due trecce che le davano l'aspetto di una Pippi Calzelunghe più bionda e meno famosa. Era carina e abbastanza minuta da sembrare una pattinatrice artistica, un'immagine di sé che in passato aveva cercato di cancellare rasandosi la testa a zero e tatuandosi un grosso pipistrello vampiro nero sull'avambraccio destro, scoprendo solo in seguito che era identico al logo della Bacardi. «*Chissene*» aveva detto Jenn scrollando le spalle. «È una pubblicità-verità.»

Billy condivideva con lei la bellezza rude e il guardaroba da spiaggia. Aveva un tatuaggio tribale sotto la nuca e spesse basette che si univano ai capelli scarmigliati e schiariti dal sole. Con i suoi bermuda a fiori e la corporatura da surfista palestrato, sembrava (per lo meno a Jenn) «un piccolo yeti che cerca di saccheggiare il vostro guardaroba intimo».

«Non posso credere che ce l'abbiate fatta» dissi. «Purtroppo però c'è stato un cambiamento di programma. Scott Jurek non ci raggiungerà in Messico.»

«Oh, cazzo!» disse Jenn. «Sapevo che era troppo bello per essere vero.»

«Nel senso che lo incontreremo direttamente qui a El Paso.» Venendo verso l'aeroporto avevo visto due tizi che correvano nel parcheggio. Erano troppo lontani perché riuscissi a riconoscerli, ma la loro falcata fluida li tradiva. Li raggiunsi, e dopo una rapida presentazione loro si diressero al bar mentre io proseguii per l'aeroporto.

«Scott è qui?»

«Esatto. L'ho appena visto. È tornato al bar dell'hotel con Luis Escobar.»

«Scott *beve*?»

«Così sembra.»

«Mi-ti-co!!!»

Jenn e Billy presero la loro attrezzatura (un sacchetto della Nike da cui spuntava un bastone per esercizi chiropratici e un borsone con un sacco a pelo incastrato nella cerniera) e tornammo al parcheggio.

«Allora, com'è Scott?» chiese Jenn. L'ultramaratona, come il rap, era divisa per aree geografiche: essendo della Costa Orientale, Jenn e Billy avevano corso quasi sempre vicino a casa e non avevano mai incrociato la strada (o la spada) di molti dei grandi corridori della Costa Occidentale. Per loro – come per qualsiasi ultramaratoneta, in realtà – Scott era una figura mitica non meno dei Tarahumara.

«Gli ho dato solo un'occhiata» dissi. «È un tipo piuttosto difficile da decifrare, vi posso dire solo questo.»

Dopo di che, avrei fatto bene a tenere chiusa la mia stupida bocca. Ma chi può prevedere quand'è che il banale sconfinerà nel tragico? Come potevo sapere che un gesto amichevole, come quello di regalare le mie scarpe a Caballo, gli sarebbe quasi costato la vita? Allo stesso modo, non avrei mai sospettato che le successive undici parole in procinto di uscire dalla mia bocca sarebbero state i primi sassolini di una disastrosa valanga:

«Forse» suggerii «potete farlo ubriacare e vedere se si scioglie un po'.»

# XXI

«Preparatevi a incontrare il vostro dio» dissi quando entrammo nel bar dell'hotel. «È laggiù a scolarsi una birra ghiacciata.»

Scott era seduto su uno sgabello e sorseggiava una Fat Tire. Billy lasciò cadere il suo borsone e gli tese la mano, mentre Jenn esitava dietro di me. Mentre attraversavamo il parcheggio non aveva praticamente lasciato a Billy il tempo di aprire bocca, ma adesso, in presenza di Scott, era rimasta abbagliata dalla vista di una tale celebrità. O almeno così credevo, finché non la guardai negli occhi. Non era per niente in imbarazzo, anzi: lo stava studiando. Scott era venuto per dare la caccia ai Tarahumara, ma avrebbe fatto bene a stare attento a chi dava la caccia a lui.

«Siamo tutti?» chiese Scott.

Mi guardai in giro e feci mentalmente il conto dei presenti. Jenn e Billy stavano ordinando delle birre. Oltre a loro c'era Eric Orton, un allenatore di sport estremi del Wyoming e studioso di lungo corso dei Tarahumara che aveva fatto di me il suo progetto personale di ricostruzione dopo il disastro: Eric aveva accettato di provare a trasformarmi da catorcio umano in ultramaratoneta indistruttibile, e perciò nei precedenti nove mesi ci eravamo sentiti ogni settimana, a volte ogni giorno. Era il tipo di persona sulla quale si può fare totale affidamento; a costo di lasciare soli la moglie con il figlio neonato nel bel mezzo di un feroce inverno del Wyoming, non sarebbe mai potuto restare a casa mentre io mettevo alla prova la sua arte. Gli dissi chiaramente che non aveva speranze e che non c'era modo per me di riuscire a correre 80 chilometri: adesso avevamo l'occasione di vedere chi aveva ragione.

Ai due lati di Scott c'erano Luis Escobar e suo padre, Joe Ramírez.

Luis non era solo un ultramaratoneta che aveva vinto la H.U.R.T. 100 e aveva partecipato alla Badwater, ma era anche uno dei migliori fotografi sportivi in circolazione (la sua maestria era favorita, naturalmente, dal fatto che le sue gambe erano in grado di portarlo in luoghi che nessun normale fotografo avrebbe mai potuto raggiungere). Per puro caso, Luis aveva di recente chiamato Scott per assicurarsi che si sarebbero incontrati alla Coyote Fourplay, una festa semisegreta cui si accedeva solo su invito, descritta come «un'orgia di idiozia della durata di quattro giorni, che prevede teste di coyote mozzate, spuntini avvelenati, mutandine appese agli alberi e 200 chilometri di cammino in posti in cui vorreste non trovarvi mai».

La Fourplay si tiene ogni anno alla fine di febbraio in un luogo isolatissimo vicino a Oxnard, California, ed esiste al solo scopo di dare a un gruppetto di ultramaratoneti l'opportunità di frustarsi le natiche a vicenda e cospargere la tazza del water di colla in modo che poi le suddette natiche vi restino appiccicate. Ogni giorno, i partecipanti corrono tra i 50 e gli 80 chilometri su sentieri segnalati da teschi di coyote e biancheria intima. Ogni notte, si sfidano in tornei di bowling, in talent show e in un'interminabile guerriglia di scherzi, come scambiare le barrette energetiche con cibo per gatti congelato o incollare le confezioni di cibarie in modo che non si riesca ad aprirle. La Fourplay era una vera e propria battaglia per corridori amatoriali a cui piaceva correre molto e giocare duro; non era per professionisti che dovevano preoccuparsi dei loro programmi di allenamento e degli impegni presi con gli sponsor. Naturalmente, Scott non si era mai perso una Fourplay in vita sua.

Fino al 2006. «Scusa, ma c'è stato un contrattempo» disse

Scott a Luis. Quando Luis seppe di cosa si trattava, il cuore gli balzò in gola. Nessuno aveva mai fatto una foto ai corridori tarahumara in volo sui sentieri dei loro canyon, per il validissimo motivo che i Tarahumara correvano solo per divertimento, e non trovavano per nulla divertente avere intorno qualche diavolo dalla pelle bianca che cercava di fotografarli. Le loro corse erano spontanee, private e assolutamente al riparo da sguardi indiscreti. Ma visto che a organizzare la cosa era Caballo, allora poteva darsi che qualche fortunato diavolo bianco avesse l'occasione di passare dalla parte dei Tarahumara. Per la prima volta, sarebbero stati tutti insieme il Popolo Corridore.

Il padre di Luis, Joe, aveva un volto che sembrava cesellato nella quercia, portava i capelli grigi a coda di cavallo e anelli turchesi da saggio nativo americano, ma in realtà era un ex lavoratore emigrante che, nei suoi sessant'anni difficili da nascondere, aveva lavorato nella polizia stradale in California, poi era diventato cuoco e infine artista, e aveva uno stile che richiamava i colori e la cultura del suo paese, il Messico. Quando Joe seppe che suo figlio stava tornando in patria per vedere i suoi eroici antenati in azione, puntò i piedi e volle assolutamente andare anche lui. Già solo il viaggio avrebbe potuto quasi letteralmente ucciderlo, ma Joe non si preoccupava. Quest'uomo cresciuto nei campi era uno che avrebbe potuto sopravvivere a ogni situazione, anche più dei giovani ultramaratoneti che gli stavano intorno.

«E il tizio scalzo?» chiesi. «Ha ancora intenzione di venire?»

Qualche mese prima, un tipo che si firmava «Ted lo Scalzo» aveva cominciato a tempestare Caballo con un torrente di messaggi. Sembrava il Bruce Wayne della corsa a piedi nudi, il ricco ereditiere di una fortuna fondata sui parchi di divertimento in California che si dedicava a combattere il peggior crimine che l'uomo avesse mai perpetrato ai danni dei propri piedi: l'invenzione delle scarpe da corsa. Ted lo Scalzo credeva che il genere umano avrebbe potuto eliminare gli infortuni ai piedi semplicemente gettando via le Nike, e stava cercando di corroborare la sua intuizione testandola su se stesso: aveva corso le maratone di Los Angeles e di Santa Clara a piedi nudi finendo in tempi abbastanza buoni da qualificarsi alla prestigiosa maratona di Boston. Si diceva che si allenasse correndo a piedi nudi sui monti San Gabriel e portando moglie e figlia in giro per Burbank su un risciò. Adesso stava venendo in Messico per confrontarsi con i Tarahumara e per capire se il segreto della loro straordinaria resistenza stesse proprio nel fatto che correvano a piedi quasi nudi.

«Ha lasciato un messaggio dicendo che sarebbe arrivato più tardi» disse Luis.

«Allora dovremmo essere tutti. Caballo andrà fuori di testa.»

«Dunque, che mi dici di questo Caballo?» chiese Scott.

Scrollai le spalle. «Non lo conosco troppo bene, in realtà. L'ho visto solo una volta.»

Scott aggrottò la fronte. Billy e Jenn si voltarono dal bancone e allungarono le orecchie: improvvisamente erano più interessati a quello che dicevo che alle loro birre. In un attimo l'atmosfera nel gruppo cambiò completamente. Pochi secondi prima tutti bevevano e chiacchieravano, adesso non volava una mosca e si percepiva una certa tensione.

«Che c'è?» chiesi.

«Pensavo foste buoni amici» disse Scott.

«Amici? Per nulla» dissi. «È un mistero totale. Non so neppure dove abiti. E non conosco neanche il suo vero nome.»

«E allora come sai che non è un criminale?» chiese Joe Ramírez. «Cazzo, potrebbe anche non conoscere nessun Tarahumara.»

«Loro lo conoscono» dissi. «Tutto quello che posso dirvi è quello che ho scritto. È piuttosto strambo, è un corridore grandioso ed è stato lì per un sacco di tempo. Questo è tutto quello che ho scoperto su di lui.»

Tutti si sedettero per qualche secondo per metabolizzare l'informazione, me compreso. Perché ci stavamo fidando di Caballo? Ero stato così preso dall'allenamento per la gara che mi ero scordato che la vera sfida era sopravvivere al viaggio. Non avevo idea di chi fosse veramente Caballo, né sapevo dove avesse intenzione di portarci. Poteva essere un pazzo scriteriato o un perfetto incapace, e il risultato non sarebbe cambiato: una volta nelle Barrancas, eravamo fritti.

«Allora!» disse Jenn d'impulso. «Che pensate di fare stasera? Io ho promesso a Billy che ci saremmo fatti qualche margarita coi controcazzi.»

Se anche gli altri della truppa si erano lasciati prendere dai dubbi, immediatamente se li gettarono alle spalle. Scott, Luis, Eric e Joe furono tutti d'accordo a stiparsi nel minivan dell'albergo e andare in centro per farsi qualche bicchiere. Io no, però. Ci aspettavano un bel po' di chilometri e volevo riposare più che potevo. A differenza degli altri ci ero già stato, laggiù, e sapevo perfettamente cosa ci aspettava.

Nel bel mezzo della notte, fui svegliato da un vociare che sembrava provenire da un punto imprecisato nelle vicinanze. Non proprio dalle vicinanze, a dire il vero: si trattava della mia stanza. Poi uno schianto squassò il bagno.

«Billy, alzati!» gridò qualcuno.

«Mmm... 'sciatemi qui... Sto bene.»

«Devi alzarti!»

Accesi una luce e vidi Eric Orton, l'allenatore di sport estremi, in piedi nell'andito. «Questi ragazzini...» disse scuotendo la testa. «Ma guarda tu...»

«Stanno bene?»

«Ma guarda tu...»

Mi misi a sedere sul letto ancora intontito e andai sulla porta del bagno. Billy era disteso nella vasca, in posizione scomposta e con gli occhi chiusi. C'erano schizzi di vomito rosa sulla sua camicia... e sul water... e sul pavimento. Jenn non aveva più i vestiti e in compenso aveva rimediato un occhio nero; indossava solo i pantaloncini e un reggiseno viola, e il suo occhio sinistro era chiuso per la tumefazione. Teneva Billy per un braccio e stava tentando di rimetterlo in piedi.

«Puoi aiutarmi a tirarlo su?» chiese Jenn.

«Cosa hai fatto all'occhio?»

«*Maddichepparli?*»

«LASCIATEMI QUI!» gridava Billy. Poi, dopo una risatina diabolica, perse di colpo i sensi.

Cristo. Mi chinai su di lui e cercai un appiglio che non fosse sporco di vomito. Lo presi sotto le braccia, ma non riuscivo a trovare della carne morbida per afferrarlo; Billy era così pieno di muscoli che tentare di issarlo era come cercare di sollevare un quarto di vitello magro. Alla fine riuscimmo a tirarlo fuori dalla vasca e a portarlo nell'anticamera. Quando Jenn e Billy si erano presentati all'albergo senza avere una prenotazione e, a quanto pareva, senza neppure i soldi per pagarsi una stanza, io ed Eric li avevamo invitati a imbucarsi nella stanza che avevamo prenotato per noi due.

Di conseguenza, fecero irruzione senza troppi complimenti. Non appena Eric aprì il divano-letto, Jenn si lasciò cadere come un sacco di stracci. Io distesi Billy accanto a lei, lasciandogli la testa penzoloni fuori dal bordo del letto. Poi gli posizionai un cestino dell'immondizia sotto la testa, giusto un attimo prima che un nuovo fiume rosa gli zampillasse dalla bocca. Quando spensi la luce era ancora in preda ai conati.

Tornati nella stanza adiacente, Eric mi fece un sunto della serata. Erano andati a un ristorante tex-mex, e mentre tutti gli altri mangiavano, Jenn e Billy avevano fatto una gara di bevute con margarita delle dimensioni di un acquario. A un certo punto, Billy era andato barcollando alla ricerca di un bagno e non era più tornato. Jenn, nel frattempo, si divertiva a strappare il cellulare di mano a Scott (mentre stava dando la buonanotte alla moglie) e a gridare: «Aiuto! Sono circondata da peni!».

Per fortuna in quel momento apparve Ted lo Scalzo. Quando era arrivato all'hotel e aveva saputo che i suoi compagni di viaggio erano fuori a bere, aveva richiesto il minivan dell'hotel e costretto l'autista a portarlo in giro finché non li avesse trovati. Alla prima sosta, l'autista vide Billy addormentato nel parcheggio. Quindi lo tirò dentro il minivan mentre Ted lo Scalzo raggiungeva gli altri. Se per il momento Billy era a corto di brio, in compenso Jenn era di una vivacità difficilmente contenibile. Durante il viaggio di ritorno all'hotel, Jenn saltellava sui sedili del minivan, finché a un certo punto l'autista inchiodò di colpo e minacciò di buttarla fuori se non si decideva a restare seduta.

La giurisdizione dell'autista, tuttavia, non superava le portiere del minivan, quindi quando arrivarono davanti all'hotel Jenn si scatenò di nuovo. Corse dentro, sbandò nella hall e andò a schiantarsi in una fontana piena di piante acquatiche, sbattendo la faccia contro il marmo e rimediando l'occhio nero. Riemerse bagnata fradicia, agitando sopra la testa le mani piene di fogliame come avesse appena vinto un Kentucky Derby.

«Signorina! Signorina!» implorava la concierge dell'albergo, sgomenta, prima di ricordare che le implorazioni non funzionano con gli ubriachi caduti in una fontana. «Tenetela sotto controllo» intimò agli altri «o vi caccio tutti.»

Ricevuto. Luis e Ted lo Scalzo placcarono Jenn e con una presa da wrestling riuscirono a infilarla nell'ascensore. Jenn continuava ad agitarsi e a cercare di liberarsi, mentre Scott ed Eric trascinavano Billy dentro la hall. Lo staff dell'hotel sentì Jenn ululare un «Lasciatemi *andaaaaare*!» mentre le porte dell'ascensore si chiudevano. «Farò la brava! Ve lo *giuuuuuuro*!»

«Merda» dissi. Guardai l'orologio. «Dobbiamo portare fuori di qui i loro culi ubriachi tra cinque ore.»

«A Billy ci penso io. Ma Jenn è tutta tua.»

A un certo punto, dopo le tre del mattino, squillò il telefono della camera.

«Signor McDougall?»

«Mmm?»

«Sono Terry, dalla reception. La sua amichetta ha bisogno di una mano per salire in camera. Di nuovo.»

«Eh? No, non è lei stavolta» dissi, cercando di raggiungere l'interruttore. «Lei è proprio...» mi guardai intorno. Nessuna traccia di Jenn. «Arrivo.»

Quando raggiunsi la hall, trovai Jenn ancora in pantaloncini e reggiseno. Mi fece un sorriso radioso, come a dire: «Anche tu qui! Che coincidenza!». Accanto a lei c'era un tizio con stivali da cowboy e un cinturone con la fibbia da rodeo. Guardò l'occhio nero di Jenn, poi guardò me, poi di nuovo l'occhio nero e cercò di decidere su due piedi se prendermi a calci nel sedere.

A quanto pareva, si era svegliata per andare in bagno, ma poi aveva superato il bagno finendo nella hall. Dopo avere sbrigato la sua impellenza vicino a un distributore automatico di bevande, aveva sentito della musica e si era messa a esplorare da dove venisse. Al piano di sotto stavano festeggiando un matrimonio.

«EHI!» gridarono tutti quando Jenn fece capolino.

«EHI!» gridò Jenn, ed entrò ballando per farsi una bevuta. Si strusciò un po' allo sposo, si scolò una birra e allontanò i tizi che credevano che quella squinzia barcollante e seminuda magicamente apparsa alle tre del mattino fosse un regalino destinato a loro. A un certo punto Jenn riuscì a sgattaiolare via e riemerse nella hall.

«Tesoro, sarà meglio che tu non beva così nel posto in cui sei diretta» disse la receptionist mentre Jenn barcollava verso l'ascensore. «Ti stupreranno e lasceranno il tuo cadavere per strada.» La donna sapeva bene di cosa stava parlando; la nostra prima tappa per arrivare ai canyon era Juárez, una città di frontiera in cui la legge contava così poco che negli anni precedenti centinaia di ragazze dell'età di Jenn erano state uccise e scaricate nel deserto; in un solo anno si contavano cinquecento omicidi. Qualsiasi dubbio su chi comandasse a Juárez fu fugato nel momento in cui dozzine di comandanti della polizia furono messi a tacere o uccisi dopo che i signori della droga avevano appeso una lista coi loro nomi ai pali del telefono.

«*Occhei*» disse Jenn salutando. «Mi dispiace per le piante.»

La aiutai a rimettersi nel divano-letto e chiusi la porta con due mandate per evitare una nuova fuga. Controllai l'ora. Merda: le tre e mezzo. Dovevamo essere in strada tra novanta minuti, altrimenti non avevamo speranza di incontrare Caballo. Al momento lui stava uscendo dai canyon in direzione di Creel. Da lì ci avrebbe guidato nelle Barrancas. Due giorni dopo, avremmo dovuto essere tutti in un certo posto sulla catena montuosa di Batopilas, dove avremmo incontrato i Tarahumara. Il problema più grosso al momento era l'orario dell'autobus per Creel; se fossimo partiti in ritardo l'indomani, non avremmo potuto prevedere quando saremmo arrivati. Sapevo che Caballo non ci avrebbe aspettati; per lui la scelta tra aspettare noi o lasciare aspettare i Tarahumara non si poneva nemmeno.

«Senti, dovete andare avanti da soli» dissi a Eric quando tornai in camera. «Il padre di Luis parla spagnolo, quindi vi può portare fino a Creel. Io vi raggiungerò con questi due non appena saranno in grado di reggersi in piedi.»

«E come lo troveremo, Caballo?»

«Lo riconoscerete. È unico nel suo genere.»

Eric ci pensò su. «Sei sicuro di non preferire che io dia a quei due una sveglia militare con un secchio di acqua gelida?»

«Mi tenta molto» dissi. «Ma a questo punto li preferisco addormentati.»

Circa un'ora più tardi sentimmo dei rumori provenire dal bagno. «Non c'è speranza» mormorai, alzandomi per andare a vedere chi era che stava vomitando stavolta. Contro ogni aspettativa, trovai Billy che si insaponava nella doccia e Jenn che si lavava i denti.

«Buongiorno» disse Jenn. «Cosa mi è successo all'occhio?»

Mezz'ora dopo, tutti e sei eravamo di nuovo nel minivan dell'hotel e stavamo percorrendo le umide strade mattutine di El Paso, diretti al confine messicano. Dovevamo attraversarlo e arrivare a Juárez, poi saltellare da un autobus all'altro attraverso il deserto di Chihuahua fino ai confini delle

Barrancas. Anche se la fortuna fosse stata dalla nostra parte, dovevamo affrontare almeno quindici ore filate sui cigolanti autobus messicani prima di arrivare a Creel.

«L'uomo che mi darà una gazzosa potrà avere il mio corpo» gracidò Jenn, con gli occhi chiusi e il viso premuto contro il freddo finestrino del minivan. «E anche quello di Billy.»

«Se questi due corrono come fanno casino, i Tarahumara non hanno speranza» mormorò Eric. «Dove sei andato a pescarli?»

# XXII

Jenn e Billy si erano conosciuti nell'estate del 2002: Billy aveva appena finito il suo primo anno alla Virginia Commonwealth University ed era tornato a casa per fare il bagnino sulle spiagge di Virginia Beach. Una mattina arrivò alla sua postazione e scoprì che la buona stella dei Testa di Legno gli aveva fatto un altro regalo. La sua nuova collega assomigliava a una ragazza immagine della birra Corona, una bellezza che meritava il massimo dei voti in tutti i criteri di valutazione di Testa di Legno: era una surfista, un topo di biblioteca in incognito, una festaiola incallita, e aveva una vecchia Mitsubishi sul cui cofano campeggiava un'immagine a grandezza naturale dello scrittore e fondatore del «gonzo journalism» Hunter S. Thompson con in mano una .44 Magnum.

Però quasi immediatamente Jenn cominciò a infastidirlo. Si era fissata sul suo cappellino da baseball dell'Università del North Carolina e non lo lasciava in pace un attimo. «Zio...» diceva Jenn «devi darlo a me.» Era andata alla UNC per un anno prima di mollare e trasferirsi a San Francisco a scrivere poesie, quindi se esisteva una qualche forma di giustizia del karma su quella spiaggia, era *lei* a dover portare gli indumenti dei Tar Heels della UNC e non qualche bel surfista come lui, che lo portava soltanto per evitare che le sue ciocche da bel surfista gli cadessero sugli occhi.

«E va bene!» cedette Billy. «È tuo.»

«Mitico!»

«*A patto che...*» continuò Billy «tu faccia una corsa completamente nuda sulla spiaggia.»

Jenn rise. «Affare fatto, zio. Appena finisco il turno lo faccio.»

Billy scosse la testa. «No. Adesso.»

Pochi istanti dopo, fischi e grida di acclamazione si levarono dalla spiaggia, quando Jenn balzò fuori da un bagno chimico lasciando dietro di sé la sua divisa da bagnino. *Così si fa, baby!* Corse fino alla successiva postazione dei bagnini, che si trovava a un centinaio di metri di distanza, si voltò e tornò indietro in direzione della folla di mamme e bambini che lei era lì per proteggere, tra l'altro, dalle esibizioni di nudismo degli studenti fuori corso usciti di testa. Per qualche strano motivo, non la licenziarono (almeno fino a quando non mise fuori uso il motore del furgone del capobagnino infilandogli un granchio vivo dentro il cofano).

Nei momenti di calma, Jenn e Billy parlavano di onde e di libri. Jenn aveva una tale ammirazione per i poeti della beat generation che stava meditando di andare a studiare scrittura creativa alla Scuola Jack Kerouac di Poesia Disincarnata, se mai avesse deciso di tornare al college e prendere la laurea. Poi le capitò tra le mani il libro del ciclista Lance Armstrong, *Non solo ciclismo*, e s'innamorò di una nuova categoria di poeti guerrieri.

Capì che Lance non era solo un bruto che pestava sui pedali di una bicicletta: era un filosofo, un poeta beat di nuova concezione, un vagabondo del Dharma che navigava su mari d'asfalto in cerca di ispirazione e di un'Esperienza Pura. Sapeva che Armstrong era guarito dal cancro, ma non aveva idea di quanto in realtà fosse stato a un passo dalla tomba. All'epoca in cui era finito sotto i ferri, le metastasi si stavano diffondendo al cervello, ai polmoni, ai testicoli. Dopo la chemioterapia, anche se era troppo debole per camminare, doveva prendere una decisione urgente: poteva incassare una polizza assicurativa del valore di un milione e mezzo di dollari oppure rifiutarla e tentare di tornare a fare l'atleta che pratica uno sport di resistenza. Se avesse preso i soldi, si sarebbe sistemato per tutta la vita. Se avesse rifiutato e poi avesse avuto una ricaduta, era spacciato: non aveva soldi, né assicurazione sanitaria, né speranza di arrivare a trent'anni.

«Vaffanculo il surf» disse d'impulso Billy. Capì che vivere al limite non aveva niente a che fare con il pericolo. Era questione di curiosità; di curiosità e di audacia, di quella che Lance aveva avuto quando era stato dato per spacciato eppure aveva deciso di vedere se sarebbe riuscito a trasformare un corpo devastato in un campione di livello mondiale. Come Kerouac quando si mise sulla strada e poi scrisse le sue esperienze in un flusso folle e disinteressato che non pensava avrebbe mai visto la luce della pubblicazione. Dal loro punto di vista, Jenn e Billy potevano tracciare una linea diretta che partiva da uno scrittore beatnik, passava per un campione di ciclismo e arrivava a una coppia di bagnini a Virginia Beach con una dipendenza totale dalla birra Pabst Blue Ribbon. Dato che nessuno si aspettava niente da loro, potevano fare qualsiasi cosa. L'audacia li chiamava a gran voce.

«Hai mai sentito parlare di Mountain Masochist?» chiese Billy.

«No. Chi è?»

«È una corsa, scoppiata che non sei altro. Ottanta chilometri in montagna.»

Nessuno dei due aveva mai corso una maratona prima di allora. Per tutta la vita erano stati ragazzi da spiaggia e avevano a malapena visto una montagna da lontano, figuriamoci correrci su. Non sarebbero stati in grado neanche di allenarsi a dovere; la cosa più alta che c'era dalle parti di Virginia Beach era una duna di sabbia. Ottanta chilometri in montagna era *mooolto* al di sopra delle loro possibilità.

«Mi sembra perfetto, zio» disse Jenn. «Io ci sto.»

Avevano bisogno di qualche aiuto serio, e Jenn lo cercò, come ogni volta che aveva bisogno di una guida, tra i suoi fumatori alcolizzati preferiti, che anche quella volta le vennero in soccorso. Anzitutto, lei e Billy si tuffarono nella lettura dei *Vagabondi del Dharma* e cominciarono a imparare a memoria le descrizioni di Kerouac della scalata della Catena delle Cascate.

«Prova a meditare sul sentiero, devi solo camminare fissando la strada sotto i piedi senza guardarti intorno e così cadi in trance mentre la terra scorre sotto di te» scriveva Kerouac. «I sentieri di montagna sono così: ci si libra nel paradiso shakespeariano della foresta di Arden e ci si aspetta di vedere ninfe e fauni, poi all'improvviso ci si ritrova a faticare sotto un sole bruciante come l'inferno tra polvere e ortiche e sommacco... proprio come accade nella vita.»*

«Il nostro atteggiamento nei confronti della corsa lo ricavammo in tutto e per tutto dai *Vagabondi del Dharma*» mi disse in seguito Billy. E per trarre la giusta ispirazione, ecco che saltò fuori Charles Bukowski: «Se vuoi provarci, fallo fino in fondo» scriveva lo sceneggiatore di *Barfly – Moscone da bar*. «Non ci sono sensazioni come questa / sarai solo con gli dei / e le notti arderanno tra le fiamme. / ... / Guiderai la vita alla / risata perfetta, è / la sola battaglia buona che esista.»

Dopo questa svolta esistenziale, i pescatori sulle spiagge dell'Atlantico cominciarono a notare ogni sera al tramonto degli strani avvenimenti. Tra le dune riecheggiavano dei cori (*«Visiooooooni! Pre-e-e-e-esagi! AllucinAAAAAzioni!»*) seguiti dall'apparizione di una specie di mutante a quattro zampe che galoppava e ululava. Avvicinandosi, i pescatori potevano vedere che si trattava in realtà di due persone impegnate a correre schiena contro schiena: una era una donna giovane e snella con una bandana del Gay Pride in testa e un pipistrello vampiro tatuato sul braccio; l'altra, a quanto riuscivano a intuire, quello che sembrava essere un licantropo peso medio che ululava alla luna nascente.

*J. Kerouac, *I vagabondi del Dharma*, trad. it. di Nicoletta Vallorani, Milano, Oscar Mondadori, 1975, pp. 222, 224. [*NdT*]

Prima di uscire per le loro corse al crepuscolo, Jenn e Billy mettevano nel walkman una cassetta con Allen Ginsberg che leggeva *Urlo*. Quando la corsa fosse diventata meno divertente del surf, concordarono, avrebbero smesso. Così, per mantenere le stesse sensazioni di librarsi in volo, di essere sollevati e trascinati via, correvano al ritmo della poesia beat.

«*Miracoli! Estasi! Che discendono il fiume americano!*» gridavano, correndo a passi felpati sulla riva del mare.

«*Nuovi amori! Generazione ribelle! Giù sulle rocce del Tempo!*»

Alla Old Dominion 100, un'ultramaratona da 160 chilometri, pochi mesi dopo, i volontari della stazione di sosta a metà del percorso sentirono delle grida provenire dalla foresta. Poco dopo, una ragazza con le trecce schizzò fuori dal bosco. Fece una verticale, balzò di nuovo in piedi e si mise a mimare dei colpi di boxe.

«È tutto quello che sai fare, Old Dominion?» gridò, continuando a tirare pugni all'aria. In quanto unico membro del team di Jenn, Billy la stava aspettando con il suo spuntino di metà gara preferito: gazzosa e pizza ai quattro formaggi. Jenn smise di dimenarsi e se ne tagliò alla bell'e meglio una fetta.

I volontari della stazione di sosta non ci potevano credere. «Ehi» la avvertì uno di loro. «Faresti meglio ad andarci piano. Non puoi dire di essere arrivato a metà di una corsa di 160 chilometri finché non arrivi agli ultimi 30.»

«Ok» disse Jenn. Si pulì la bocca unta sul reggiseno sportivo, tracannò un po' di gazzosa e schizzò via.

«Dovresti tenerla un po' a freno» disse un volontario a Billy. «È in anticipo di tre ore sul record della gara.» Affrontare 160 chilometri di corsa in montagna non è come farsi una maratona in città; se ti metti in qualche pasticcio durante una gara del genere, al buio, sei già fortunato se riesci a uscirne vivo.

Billy scrollò le spalle. Dopo un anno che stava insieme a Jenn aveva imparato che era capace di qualsiasi cosa, ma non di moderarsi. Anche quando aveva intenzione di controllarsi, qualsiasi cosa si facesse strada dentro di lei – passione, ispirazione, irritazione, ilarità – inevitabilmente avrebbe finito per esplodere. Dopo tutto, lei era la donna che si era unita alla squadra di rugby della UNC e aveva stabilito un record considerato irraggiungibile per tutti i centosettant'anni della storia di quello sport: essere dichiarata «Troppo Scatenata per una Festa di Rugbisti». «Dava così di matto che i giocatori della squadra maschile dovevano placcarla e portarla di peso in camera sua» raccontò Jessie Polini, la sua migliore amica alla UNC. Jenn andava sempre al massimo, ponendosi il problema di poter finire contro un muro solo a cose fatte.

Stavolta, il muro si era vendicato contro di lei al chilometro 120. Erano le sei di sera. Il sole aveva già compiuto quasi tutta la sua traiettoria nel cielo da quando Jenn era partita alle cinque di mattina, e lei aveva ancora un'intera maratona da percorrere. Stavolta non tirava pugni all'aria quando arrivò barcollando nella stazione di sosta. Si fermò davanti al tavolo del cibo, inebetita dalla fatica, troppo stanca per mangiare e troppo confusa per decidere cosa fare invece di mangiare. L'unica certezza era che se si fosse seduta non si sarebbe rialzata.

«Andiamo, cucciola!» gridò qualcuno.

Billy era appena arrivato e si stava togliendo la giacca. Sotto portava pantaloncini da surf e la maglietta di un gruppo rock con le maniche strappate. Alcuni maratoneti sono emozionati quando un amico accetta di fare da battistrada per gli ultimi cinque o sei chilometri; Billy stava buttandosi in pista per fare con lei un'intera maratona. Jenn sentì lo spirito che si risollevava. Il suo Testa di Legno! Che uomo!

«Vuoi un altro po' di pizza?» chiese Billy.

«Manco morta.»

«Bene. Sei pronta?»

«Certo.»

Ed eccoli che si rimettono in pista. Jenn correva in silenzio, ancora in uno stato comatoso, domandandosi se non fosse il caso di tornare alla stazione di sosta e abbandonare la gara. Billy con la sua semplice presenza la convinceva ad andare avanti. Jenn faticò per un chilometro, tre chilometri, poi cominciò ad accadere qualcosa di strano: la disperazione cominciò a trasformarsi in esaltazione, sentendo che – dannazione – era davvero troppo fico essere lì a correre in questa meravigliosa terra selvaggia, sotto un tramonto infuocato, libera e nuda e veloce, con la brezza della foresta che le asciugava il sudore sulla pelle.

Alle dieci e mezzo di sera, Jenn e Billy avevano superato ogni altro corridore nel bosco, eccetto uno. Non solo Jenn riuscì a finire la gara, ma arrivò seconda nella classifica generale e fu la donna più veloce di sempre in quella corsa, avendo stracciato il record precedente di ben tre ore (a oggi il suo record di 17 ore e 34 minuti è ancora imbattuto). Quando uscirono le classifiche nazionali, pochi mesi dopo, Jenn scoprì di essere fra le prime tre atlete degli Stati Uniti che correvano le ultra da 160 chilometri. Nel giro di poco tempo avrebbe stabilito un record mondiale: il suo tempo di 14 ore e 57 minuti alla Rocky Raccoon 100 era – e resta – il tempo migliore sui 160 chilometri sullo sterrato mai fatto da una donna in qualsiasi luogo del pianeta.

Quell'autunno sulla rivista «Ultrarunning» apparve una foto: mostrava Jenn alla fine di una gara di 50 chilometri in qualche posto sperduto della Virginia. Non che ci fosse qualcosa di particolarmente esaltante nella sua prestazione (arrivò terza), né nella sua mise (normali pantaloncini neri, un normale reggiseno nero) e nemmeno nella qualità della foto (male illuminata e male inquadrata). Jenn non stava affrontando un rivale in una lotta all'ultimo sangue, né scalando la vetta di un monte con la maestosità e le mascelle d'acciaio di un modello della Nike, né affannandosi verso la gloria con una smorfia di determinazione che spezzava il cuore. Tutto quello che faceva era... correre. Correre e sorridere.

Eppure quel suo sorriso era stranamente entusiasmante. Come se se la stesse spassando da matti, come se sulla faccia della terra non esistesse nient'altro di meglio di quello che stava facendo lì, su quel sentiero sperduto in mezzo ai selvaggi Appalachi. Anche se stava correndo otto chilometri in più rispetto a una maratona, aveva un'aria leggera e spensierata, i suoi occhi brillavano e la coda di cavallo le mulinava attorno alla testa come la maglietta in mano a un calciatore brasiliano in festa. Quel suo puro splendore era inconfondibile; le disegnava sulle labbra un sorriso così onesto e indifeso da farla sembrare persa nell'estasi di un'ispirazione artistica.

Forse era proprio così. Quando una forma d'arte perde il sacro fuoco che la alimenta, quando un eccesso di intellettualismo finisce per fiaccarla e i suoi principi svaniscono per diventare una tradizione stantia, compare talvolta una frangia di artisti radicali che demoliscono tutto e ricostruiscono l'edificio a partire dalle sue macerie. Le Giovani Pistole dell'ultramaratona erano come la generazione perduta degli anni Venti, la beat generation degli anni Cinquanta e i musicisti rock degli anni Sessanta: poveri, ignorati da tutti e senza il peso di aspettative e inibizioni. Erano artisti del corpo che si divertivano a improvvisare con la tavolozza della resistenza umana.

«Ma perché non le maratone?» chiesi a Jenn quando la chiamai per intervistarla a proposito delle Giovani Pistole. «Pensi che potresti qualificarti per le selezioni alle Olimpiadi?»

«Non scherziamo, zio» disse lei. «Lo standard richiesto per qualificarsi è 2 ore e 48 minuti. Chiunque può farlo.» Jenn poteva correre una maratona in meno di tre ore con indosso un microbikini e scolandosi una birra al chilometro 37 (cosa che avrebbe fatto appena cinque giorni dopo aver corso una gara di 80 chilometri sullo sterrato nei monti Blue Ridge).

«Ma poi?» continuò Jenn. «Non lo sopporto, tutto quel clamore intorno alla maratona. Dov'è il mistero? Conosco una ragazza che si allena per le qualificazioni e ha già tutti gli allenamenti programmati per i prossimi tre anni! Tipo un giorno sì e uno no fa un allenamento di velocità su pista: io non ce la farei mai. Una volta dovevo correre con lei alle sei di mattina, e l'ho chiamata alle due di notte per dirle che mi ero devastata di margarita e che *puah-babilmente* non ce l'avrei fatta.»

Jenn non aveva un allenatore né un programma di allenamento; non aveva nemmeno un orologio. Semplicemente, si svegliava la mattina, ingoiava un hamburger vegetariano e correva fin dove aveva voglia e alla velocità che le andava, il che di solito significava una trentina di chilometri. Poi saltava sullo skateboard che aveva comprato al posto di un buono per il parcheggio all'università e correva a lezione alla Old Dominion, dove si era recentemente reiscritta infilando un 30 dopo l'altro.

«Non ho mai discusso questa cosa con nessuno, perché sembra pretenzioso, ma ho cominciato a correre le ultra per diventare una persona migliore» mi disse Jenn. «Pensavo che, correndo per 160 chilometri, si poteva arrivare a una specie di stato zen. Saresti diventato un Buddha, cazzo, uno di quelli che portano la pace e il sorriso a tutto il mondo. Nel mio caso non ha funzionato – sono rimasta lo stesso catorcio punkettaro di sempre – ma c'è ancora la speranza che la corsa ti trasformi nella persona che vorresti essere: una persona migliore, in pace con se stessa e col mondo.

«Quando faccio una corsa lunga» continuò «la sola cosa al mondo che conta è arrivare al traguardo. Una volta tanto non ho il cervello che gira a vuoto. Tutto si placa, e la sola cosa che accade è un puro flusso. Ci sono solo io, e il movimento, e il moto. È questo che adoro: essere semplicemente una selvaggia che corre per i boschi.»

Sentir parlare Jenn era come comunicare con il fantasma di Caballo Blanco. «Sai, mi ricordi molto un tizio che ho incontrato in Messico» le dissi. «Tornerò lì tra qualche settimana per una corsa che sta cercando di organizzare insieme ai Tarahumara.»

«Non ci credo!»

«Potrebbe esserci anche Scott Jurek.»

«Mi stai prendendo per il culo!?» esclamò la Buddha in erba. «Sul serio? Possiamo venire anch'io e il mio ragazzo? Oh no! Merda! Abbiamo gli esami parziali, in quei giorni. Dovrò inventarmi qualcosa, per convincerlo a venire. Dammi fino a domani, ok?»

La mattina dopo, come promesso, ricevetti un messaggio da Jenn:

> Mia mamma pensa che tu sia un serial killer che ci ucciderà nel deserto. Ma vale assolutamente la pena rischiare. Allora dove vi troviamo, ragazzi?

# XXIII

Arrivammo ansimando a Creel ben dopo il tramonto; l'autobus avanzò sussultando fino alla fermata, dove frenò con un sibilo che sembrava un sospiro di sollievo. Guardando dal finestrino, vidi lo spettrale vecchio cappello di paglia di Caballo alzarsi e abbassarsi nell'oscurità.

Non potevo credere che fossimo riusciti ad attraversare il deserto di Chihuahua senza nessun problema. Normalmente le probabilità di attraversare il confine e prendere quattro autobus di fila senza che nessuno di essi abbia un guasto o arrivi con mezza giornata di ritardo sono più o meno le stesse di vincere a una slot machine di Tijuana. Praticamente in ogni viaggio attraverso il Chihuahua è matematico che qualcuno verrà a consolarvi ripetendovi il proverbio locale: «Niente va secondo i piani, ma alla fine tutto si aggiusta». Il nostro viaggio, invece, finora era andato liscio, dimostrando di essere a prova di pazzi, di alcolizzati e di cartelli della droga.

Naturalmente questo fu prima che Caballo incontrasse Ted lo Scalzo.

«CABALLO BLANCO! SEI TU, VERO?»

Prima ancora che potessi farmi strada per uscire dall'autobus, sentii una voce esplodere come un cannone da assedio. «TU SEI CABALLO! FICHISSIMO! Puoi chiamarmi *MONO*. LA SCIMMIA! SONO IO, LA SCIMMIA. È il mio spirito animale...»

Quando scesi, trovai Caballo che fissava incredulo Ted lo Scalzo. Come avevamo avuto modo di scoprire durante il lungo viaggio in autobus, Ted lo Scalzo parlava come Charlie Parker suonava il sassofono: prendeva al volo ogni imbeccata e partiva con un'improvvisazione torrenziale impressionante, respirando a quanto pareva con il naso mentre il flusso ininterrotto di parole continuava a uscire dalla bocca. Nei nostri primi trenta secondi a Creel, Caballo fu investito da una quantità di parole superiore a quelle che aveva sentito in un anno intero. Provai una punta di compassione (ma solo una punta). Avevamo ascoltato una compilation di Ted lo Scalzo senza interruzioni per le precedenti quindici ore: adesso toccava a lui.

«... i Tarahumara sono stati una GRANDE ispirazione, per me. La prima volta che ho letto che potevano correre in sandali per 160 chilometri, questa rivelazione fu incredibilmente scioccante e SOVVERSIVA, incredibilmente controintuitiva rispetto a quello che pensavo fosse NECESSARIO perché un essere umano riuscisse a correre per quella distanza, tanto che mi ricordo che pensai: "*Ma che DIAVOLO! Come DIAVOLO è possibile*?". Quella fu forse la prima CREPA NEL MURO: mi resi conto che FOOORSEEE i moderni marchi di scarpe da corsa non avevano tutte le risposte...»

Non c'era neanche bisogno di ascoltarlo, Ted lo Scalzo, per apprezzare quel frullatore di pensieri che era la sua mente: bastava guardarlo. La sua tenuta era un incrocio tra quella di un monaco guerriero tibetano e quella di uno skater alla moda: pantaloni da kickboxing con un cordoncino in vita, gilet bianco aderente, ciabatte infradito giapponesi, amuleto d'ottone a forma di scheletro che gli penzolava in mezzo al petto e bandana rossa annodata al collo. Con la testa rasata, il fisico di cemento, gli occhi che danzavano senza sosta in cerca di attenzione come la sua voce, sembrava una specie di zio Fester in assetto da guerra.

«Ehi, sì, ok» mormorò Caballo, oltrepassando con cautela Ted per andare a salutare il resto della compagnia. Prendemmo i nostri zaini e seguimmo Caballo per la sola strada principale di Creel, diretti all'accampamento che aveva allestito ai confini della città. Stavamo morendo di fame ed eravamo esausti per il lungo viaggio. Morti di freddo come eravamo, non desideravamo altro che un letto caldo e una ciotola di *frijoles* di Mamá; l'unico a pensarla diversamente era Ted, convinto che la questione più impellente fosse continuare il racconto della sua vita a Caballo, incominciato un secondo dopo che si erano incontrati.

Caballo si stava innervosendo, ma decise di non interromperlo. Aveva in serbo alcune pessime notizie e non aveva ancora deciso qual era il modo migliore per comunicarcele senza che tutti noi facessimo dietrofront e ce ne tornassimo dritti all'autobus.

«La mia vita è un'esplosione controllata» ama ripetere Ted lo Scalzo. Vive a Burbank in una casetta che ricorda l'appartamento dello stravagante ragazzino interpretato da Tom Hanks nel film *Big*. Ovunque si vedono macchinine Spider color chewing-gum, cavalli da giostra, biciclette vittoriane con le ruote alte, jeep d'epoca, poster del circo, una piscina di acqua salata e una vasca calda presidiata da una tartaruga del deserto della California in via d'estinzione. Al posto del garage ci sono due tendoni da circo giganti. Un vasto assortimento di cani e gatti entrano ed escono dal suo bungalow a un piano, e a questi si aggiungono un'oca, un passero addomesticato, trentasei piccioni viaggiatori e una manciata di bizzarri polli asiatici con le zampe coperte da piume che sembrano una pelliccia.

«Ho dimenticato la complicata parola heideggeriana, ma è quella che significa che io sono un'espressione di casa mia» dice Ted, anche se quella casa, a essere precisi, non è affatto sua. Appartiene a suo cugino Dan, un genio autodidatta della meccanica che senza alcun aiuto aveva creato la più importante impresa di riparazione di giostre del mondo. «Dita von Teese fa i suoi spogliarelli su uno dei nostri cavalli» dice

Ted. «E Christina Aguilera ne ha portato uno nel suo tour.» Quando qualche anno prima Dan stava attraversando un brutto momento a causa del divorzio, Ted decise che ciò di cui il cugino aveva bisogno era vederlo più spesso: si presentò quindi alla porta di Dan con la moglie, la figlia e tutto lo zoo al completo, e vi si insediò in pianta stabile. «Dan passa la giornata a combattere con aggeggi meccanici grossi, freddi e crudeli, ed emerge dal lavoro con il grasso che gli cola dalle dita come sangue dagli artigli di un predatore» dice Ted. «È per questo che noi gli siamo indispensabili. Se non ci fossi io per fare quattro chiacchiere diventerebbe un sociopatico.»

Ted si era reso utile mettendo in piedi un piccolo negozio online di oggetti da giostra, che mandava avanti da un Mac installato nella camera per gli ospiti di Dan. Non fruttava molti soldi, ma gli lasciava un sacco di tempo libero per allenarsi per le gare di 80 chilometri su biciclette vittoriane alte quasi due metri e per le corse campestri trasportando moglie e figlia su un risciò. Caballo quindi si era fatto un'idea completamente sbagliata, pensando che Ted fosse ricco sfondato. Ma era stato fuorviato soprattutto dalle sue e-mail, piene di domande che sembravano poste da un investitore Microsoft della prima ora. Mentre tutti noi controllavamo i prezzi dei biglietti economici per El Paso, per esempio, Ted chiedeva informazioni su piste di atterraggio nell'entroterra messicano per un aereo privato. Non che Ted abbia un aereo: ha a malapena una macchina, un cigolante Maggiolone Volkswagen del '66 talmente malandato da non permettergli di allontanarsi più di 40 chilometri da casa. Ma per Ted va benissimo: fa anch'esso parte del piano superiore. «In questo modo, non devo mai spostarmi troppo» spiega. «Io sono povero per scelta e lo trovo molto liberatorio.»

Ai tempi in cui era studente all'Art Center College of Design di Pasadena, Ted si era preso una cotta tremenda per una compagna di corso, Jenny Shimizu. Una sera a casa di lei conobbe due nuovi amici: Chase Chen, un giovane artista cinese, e sua sorella Joan. Nessuno dei due parlava troppo bene l'inglese, quindi Ted si autoinvestì della carica di loro personale ambasciatore culturale. Quell'amicizia funzionò alla grande per tutti: Ted aveva un pubblico obbligato a sentire il suo sinfonico flusso di coscienza, i Chen erano investiti da un torrente instancabile di parole nuove e Jenny aveva un po' di tregua dal corteggiamento di Ted. Nel giro di pochi anni, tre componenti di quel quartetto sarebbero diventati dei nomi noti a livello internazionale: Joan Chen divenne una star di Hollywood e rientrò nella classifica della rivista «People» delle «50 persone più belle al mondo». Chase divenne un pittore di ritratti acclamato dalla critica, nonché l'artista asiatico più pagato della sua generazione. Jenny Shimizu divenne una modella e una delle lesbiche più famose del pianeta («una delle personalità di spicco del mondo omosessuale» come dichiarò la rivista gay «The Pink Paper») grazie alle sue relazioni con Madonna e Angelina Jolie (un'evoluzione di carriera che – nonostante il tatuaggio sul bicipite destro di Jenny, che raffigurava una ragazza discinta a cavalcioni su una chiave inglese – Ted non si sarebbe mai aspettato).

Quanto a Ted, be'...

Era riuscito a entrare nella Top 30 mondiale di apnea. «Sono arrivato a cinque minuti e quindici secondi» dice Ted. «Ho passato tutta l'estate a fare pratica in piscina.» Ma l'apnea, ahimè, è un'amante volubile, e non passò molto che Ted fu sbattuto fuori dalla classifica da altri avversari perfino più dediti di lui all'arte di respirare meno del resto dell'umanità. Dovreste provare un moto di compassione per questo pover'uomo, gorgogliante sul fondo di una piscina insieme ai suoi sogni di gloria mentre praticamente tutti quelli che frequentava da giovane dipingono capolavori, si portano a letto delle superstar o sono impegnati a farsi fare primi piani da Bernardo Bertolucci.

E sapete qual è la parte peggiore? Il Ted che tratteneva il respiro era in effetti Ted nel suo massimo splendore. In un certo senso, fu questo ad attrarre Lisa, la donna che sarebbe diventata sua moglie. Erano coinquilini in una casa dove abitavano diverse persone, ma siccome Lisa faceva la buttafuori in un bar di metallari e non rientrava prima delle tre del mattino, vedeva Ted solo nei momenti in cui lui non giaceva sul fondo della piscina. Dopo il lavoro, lei tornava a casa e lo trovava seduto in silenzio al tavolo della cucina che mangiava riso e fagioli immerso in qualche libro di filosofia francese. Tra i coinquilini la sua resistenza e la sua intelligenza erano già leggendarie; Ted era in grado di dipingere tutta la mattina, andare sullo skateboard tutto il pomeriggio e memorizzare verbi giapponesi tutta la notte. Quando Lisa rientrava lui le preparava un piatto caldo di fagioli e poi, quando ormai il suo motore ossessivo aveva esaurito il carburante, metteva in pausa la sua iperattività e lasciava che fosse lei a parlare. Ogni tanto interveniva giusto per fare una considerazione molto sensibile, e poi la incoraggiava a continuare a parlare. In pochi hanno visto questa versione di Ted. Gli altri si sono persi qualcosa (e anche lui).

Chase Chen era uno di quelli che l'avevano vista. Il suo occhio di artista fu in grado di vedere anche la quieta intensità di ciò che l'Uragano Ted si lasciava alle spalle. La specialità di Chase era la «drammatica danza della luce con le ombre» e, ci potete giurare, quella drammatica danza calzava a pennello a Ted. Ciò che affascinava Chase non era l'azione, ma l'anticipazione; non il balzo della ballerina, ma l'istante prima che si librasse in aria, quell'istante in cui la forza si raccoglie e tutto diventa possibile. La stessa cosa la ritrovava nei momenti di quiete di Ted: la stessa potenza trattenuta e la stessa possibilità illimitata, ed era allora che Chase afferrava il suo blocco da disegno. Per anni aveva usato Ted come modello; alcuni dei suoi lavori migliori, in effetti, sono i ritratti di Ted, di Lisa e della loro adorabile figlia, Ona. Chase era così affascinato dal modo in cui Ted rifletteva il mondo che pubblicò un intero libro fatto solo di ritratti di Ted e della sua famiglia: Ted e Ona nel vecchio Maggiolone... Ona immersa in un libro... Lisa che guarda da sopra una spalla Ona, prodotto vivente della luce e delle ombre di suo padre.

Alle soglie dei quaranta, però, Ted si rese conto che le sue quattro decadi di danza drammatica non gli avevano fruttato molto più che qualche apparizione nei capolavori di altri e una stanza per gli ospiti nel bungalow di suo cugino. Ma proprio quando sembrava aver varcato il confine tra una grande promessa e un talento sprecato, accadde una cosa meravigliosa.

Gli venne il mal di schiena.

Nel 2003, Ted decise di festeggiare il suo quarantesimo compleanno con una gara di resistenza di sua invenzione: l'Ironman Anacronistico. Si trattava di una gara di triathlon nella versione Ironman – 3,8 chilometri a nuoto, 180 chilometri in bicicletta e 42 chilometri di corsa – con la particolarità che, per motivi noti solo a Ted, tutti gli equipaggiamenti dovevano essere quelli usati alla fine dell'Ottocento. Aveva ormai completato i due terzi del suo percorso di preparazione: era abbastanza forte da gestire la parte del nuoto con un costume intero di lana ed era diventato un asso della bicicletta alta. Ma quanto alla corsa... be', la corsa lo stava uccidendo.

«Ogni volta che correvo per un'ora, dopo avevo dei dolori di schiena *lancinanti*» dice Ted. «Era davvero deprimente. Non riuscivo neanche a immaginare di riuscire a correre una maratona.» E il peggio doveva ancora arrivare: se non riusciva a correre 10 chilometri indossando moderne scarpe da corsa ammortizzate, figuriamoci cosa avrebbe dovuto patire con delle scarpe vittoriane. Le scarpe da corsa esistono all'incirca da quando esistono gli Space Shuttle; prima, i nostri genitori usavano semplici scarpe con la suola piatta di gomma e i nostri nonni correvano con scarpe da ballo di cuoio. Per milioni di anni, gli esseri umani avevano corso senza sostegni alla pianta del piede, senza controllo della pronazione e senza capsule di gel sotto il tacco. Come diavolo ci riuscissero, per Ted restava un mistero. Ma anzitutto bisognava affrontare le priorità: mancavano meno di sei mesi al suo compleanno, e la questione principale da risolvere era trovare un modo (*qualsiasi* modo) per riuscire a correre 42 chilometri. Una volta capito quello, poteva preoccuparsi dell'altra faccenda, di passare cioè alle letali scarpe in pelle di vacca.

«Se mi fossi spremuto le meningi, sarei riuscito a trovare una soluzione» dice Ted. «Quindi cominciai a fare delle ricerche.» Per prima cosa, si fece dare un'occhiata da un chiropratico e da un ortopedico, ed entrambi confermarono che non c'era niente che non andava. Correre era semplicemente uno sport costitutivamente pericoloso, gli dissero, e uno dei pericoli era il modo in cui i traumi della corsa si ripercuotono sulle gambe e sulla spina dorsale. Ma i medici avevano anche qualche buona notizia: se Ted voleva continuare a correre, probabilmente una carta di credito poteva aiutarlo a guarire. Le migliori scarpe da corsa sul mercato e qualche plantare con il tallone morbido, dissero, potevano proteggere le sue gambe abbastanza da permettergli di correre una maratona.

Ted spese una fortuna, di cui in realtà non disponeva, per comprare le scarpe più costose che trovò e fu psicologicamente devastato quando scoprì che non funzionavano. Ma, invece di incolpare i dottori, incolpò le scarpe: evidentemente aveva ancora più bisogno di protezione di quanta gliene potesse offrire la trentennale esperienza della Nike con le sue R&D a iniezione d'aria. Decise allora di fare questo difficile passo e inviò trecento dollari in Svizzera per un paio di Kangoo Jumps, le scarpe più molleggiate al mondo. Le Kangoo sono come i rollerblade progettati da Wile E. Coyote, ma anziché sulle ruote ogni stivaletto è collocato sopra un sistema di sospensioni con molle d'acciaio che vi permette di saltare come se vi trovaste sulla luna.

Quando arrivò il pacco, sei settimane dopo, Ted non stava in sé dalla gioia. Fece qualche balzo di prova: fantastiche! Era come camminare con le labbra di Mick Jagger attaccate sotto le suole delle scarpe. «Questa sì che è la soluzione» pensò

Ted, mentre cominciava a balzellare giù per la strada. Prima che fosse arrivato all'angolo di casa sua, però, aveva già le mani sulla schiena e lanciava improperi. «La sensazione che di solito provavo dopo un'ora che avevo le scarpe da corsa addosso, con le Kangoo arrivò quasi istantaneamente» dice Ted. «Tutte le mie convinzioni riguardo a ciò di cui avevo bisogno andarono in pezzi.»

Furioso e frustrato, si strappò le scarpe dai piedi. Non vedeva l'ora di sbattere quelle stupide Kangoo nella loro scatola e rispedirle in Svizzera allegando istruzioni dettagliate in merito a dove potessero infilarle in seguito. Tornò a casa a piedi nudi, così arrabbiato e deluso che gli ci volle quasi tutta la camminata per rendersi conto di cosa stava succedendo: la schiena non gli faceva più male. Neanche un po'.

«Ehi...» pensò Ted. «Forse posso farmi tutta la maratona a piedi nudi!» I piedi nudi sicuramente potevano essere considerati come attrezzatura da fine Ottocento.

Così ogni giorno Ted indossava le scarpe da corsa e camminava fino a Hansen Dam, un'oasi di arbusti e laghetti che lui chiamava «l'ultimo angolo selvaggio di Los Angeles». Una volta arrivato si toglieva le scarpe e correva scalzo per i sentieri sterrati destinati all'equitazione. «Ero completamente esterrefatto da quanto fosse godibile» ricorda. «Con le scarpe soffrivo moltissimo, ma appena le toglievo era come se i piedi diventassero dei pesci che venivano ributtati in acqua dopo essere stati pescati. Alla fine cominciai a lasciare direttamente le scarpe a casa.»

Ma com'è che il dolore alla schiena spariva solo se aveva *meno* ammortizzazione, anziché il contrario, come sembrerebbe logico? Andò su internet alla ricerca di risposte, e gli capitò qualcosa di strano: come se si fosse fatto strada nel verde di una foresta pluviale e avesse scoperto una tribù dell'Amazzonia, Ted s'imbatté in una comunità internazionale di gente che correva a piedi nudi, con tanto di antica saggezza condivisa e di soprannomi tribali, alla cui guida stava un grande saggio barbuto, «Ken Bob lo Scalzo» Saxton. E, per fortuna, era una tribù che amava scrivere. Ted studiò con attenzione gli archivi accumulati negli anni da Ken Bob lo Scalzo. Scoprì che Leonardo da Vinci considerava il piede umano – con il suo fantastico sistema di ammortizzazione del peso formato da un quarto del totale delle ossa del corpo – «un capolavoro d'ingegneria e un'opera d'arte». Imparò cose che riguardavano Abebe Bikila – il maratoneta etiope che corse a piedi nudi sull'acciottolato di Roma e vinse la maratona olimpica nel 1960 – e sul dottor Charlie Robbins, una voce isolata nel panorama medico, che correva scalzo e sosteneva che una maratona di per sé non comporta nessun rischio di infortunio, mentre le scarpe da corsa sì, senza alcun dubbio.

Soprattutto, Ted fu ammaliato dal «Manifesto del dito del piede nudo» (Naked Toe's Manifesto) di Ken Bob lo Scalzo. Gli dava i brividi il modo in cui il «Manifesto» sembrava rivolgersi personalmente a lui. «Molti di voi soffrono d'infortuni cronici legati alla corsa» iniziava Ken Bob lo Scalzo:

*Le scarpe bloccano il dolore, non l'impatto!*
*Il dolore ci insegna a correre in maniera giusta e comoda!*
*Dal momento in cui cominciate ad andare scalzi, cambierete completamente il vostro modo di correre.*

«Quello fu il mio *Eureka!*» ricordava Ted. Improvvisamente, ogni cosa acquistava un senso. Ecco perché le maledette Kangoo Jumps gli facevano venire il mal di schiena! Tutte quelle protezioni e ammortizzazioni sotto i piedi lo facevano correre con falcate ampie e distratte, sconvolgendo e modificando l'assetto della sua zona lombare. Quando andava scalzo, immediatamente riprendeva una postura corretta: la schiena si raddrizzava e le gambe rimanevano perfettamente sotto le anche.

«Non c'è da stupirsi che i piedi siano così sensibili» rifletteva Ted. «Sono strumenti impostati precisamente per autocorreggersi. Coprire i piedi con scarpe ammortizzate è come spegnere i vostri allarmi antifumo.»

Nella sua prima corsa a piedi nudi, Ted andò avanti per

8 chilometri e sentì... be', non sentì nulla. Neanche un pizzicotto. Cominciò a prolungare la corsa a un'ora, poi a due. Nel giro di un mese, Ted si era trasformato dal dolorante e timoroso non-corridore che era in un maratoneta scalzo così veloce da saper centrare un obiettivo che resta precluso al 99,9 per cento dei corridori: qualificarsi alla maratona di Boston.

Inebriato dal suo nuovo sorprendente talento, Ted continuò a cercare di migliorare. Partecipò alla Mother Road 100 (una corsa su asfalto di 160 chilometri sulla celebre Route 66), alla corsa da 80 chilometri Leona Divide e alla Angeles Crest 100-Mile Endurance Run, 160 chilometri attraverso i frastagliati monti San Gabriel. Ogni volta che doveva affrontare un tratto in cui il terreno era coperto di ghiaia o c'erano vetri rotti, si metteva dei guanti di gomma da piede chiamati Vibram FiveFingers e continuava a correre. Improvvisamente non era più un corridore tra tanti; era uno dei migliori corridori a piedi nudi in America e un'autorità molto richiesta per quanto riguarda le tecniche e l'abbigliamento da corsa del passato. Un giornale pubblicò perfino un articolo sulla salute del piede dal titolo *Cosa ne direbbe Ted lo Scalzo?*

L'evoluzione di Ted era completata. Uscì dalle profondità marine, imparò a correre e catturò la sola preda che desiderava: non la ricchezza, ma la fama.

«Basta!»

Caballo stava parlando a tutti noi, non solo a Ted. Ci fece fermare all'improvviso in mezzo a un traballante ponte di legno che passava sopra un fosso di scarico.

«Ho bisogno che tutti voi facciate un giuramento di sangue» disse. «Alzate la mano destra e ripetete dopo di me.»

Eric mi lanciò un'occhiata. «Cos'è questa storia?»

«Non ne ho idea.»

«Dovete fare il giuramento esattamente in questo posto, prima che passiamo dall'altra parte del ponte» insistette Caballo. «Da quella parte del ponte si esce, da questa si entra. Se volete entrare, se veramente volete prendere parte a questa cosa, dovete giurare.»

Scrollammo tutti le spalle, mollammo le borse e alzammo le mani.

«Se sarò ferito, mi perderò o morirò» cominciò Caballo.

«Se sarò ferito, mi perderò o morirò» gli facemmo eco noi.

«Sarà solo per colpa mia.»

«Sarà solo per colpa mia.»

«Uh... Amen.»

«AMEN!»

Caballo ci portò alla minuscola casa dove avevamo mangiato insieme la sera che l'avevo conosciuto. Ci stringemmo tutti nel soggiorno di Mamá mentre sua figlia univa due tavoli. Luis e suo padre uscirono in strada e tornarono con due grossi sacchetti pieni di birre. Jenn e Billy assaggiarono qualche sorso di Tecate e ripresero brio. Alzammo tutti le nostre birre e brindammo con Caballo. Poi lui si voltò verso di me e cominciò a parlare di cose più serie. Improvvisamente il giuramento del ponte cominciava ad acquistare senso.

«Ti ricordi il figlio di Manuel Luna?»

«Marcelino?» Certo che mi ricordavo della Torcia Umana. Avevo cominciato a firmare mentalmente contratti con la Nike a suo nome dalla prima volta che lo avevo visto alla scuola tarahumara. «Viene anche lui?»

«No» disse Caballo. «È morto. Qualcuno l'ha massacrato di botte. L'hanno assassinato da qualche parte sul sentiero. È stato pugnalato al collo e sotto il braccio, poi gli hanno sfondato la testa.»

«Chi... Cosa è successo?» balbettai.

«Ci sono un sacco di casini legati alla droga in questi giorni» disse Caballo. «Forse Marcelino ha visto qualcosa che non doveva vedere. Forse volevano costringerlo a portare della marijuana fuori dal canyon e lui si è rifiutato. Non lo sa nessuno. Manuel è a pezzi. Ha passato la notte da me quando è venuto a raccontare il fatto ai *federales*. Ma loro non faranno niente. La legge si tiene alla larga da questo posto.»

Rimasi lì, pietrificato. Mi ricordai i corrieri della droga nella Macchina della Morte rosso fuoco che avevo visto mentre andavo alla scuola tarahumara l'anno prima. Immaginai un Tarahumara furtivo che la rovesciava oltre il bordo di un burrone, di notte, mentre i corrieri della droga si aggrappavano convulsamente alle cinture di sicurezza e il pick-up rotolava giù per la scarpata ed esplodeva in una gigantesca palla infuocata. Non avevo idea se i tizi della Macchina della Morte fossero coinvolti nella fine di Marcelino. Sapevo solo che avevo una gran voglia di ammazzare qualcuno.

Caballo riprese a parlare. Aveva già assorbito la morte di Marcelino e aveva ricominciato a ossessionarsi per la gara. «So che Manuel Luna non verrà, ma spero che Arnulfo venga. E magari Silvino.» Durante l'inverno Caballo si era dato da fare per assicurare un bel po' di premi; non solo ci metteva dei soldi di tasca sua, ma era stato anche contattato dal nulla da Michael French, un triatleta texano che aveva fatto fortuna con un'azienda informatica. French era rimasto affascinato dal mio articolo su «Runner's World», e anche se non poteva partecipare alla gara di persona si era offerto di mettere a disposizione del denaro e del mais per i primi classificati.

«Scusa» dissi. «Hai detto che Arnulfo verrà?»

«Sì» annuì Caballo.

Doveva essere uno scherzo. Arnulfo? Non mi aveva neanche *parlato*, figuriamoci se sarebbe venuto a correre insieme a me. Se non voleva correre con un tizio che era venuto a rendergli omaggio alla porta di casa sua, perché avrebbe dovuto attraversare le montagne per venire a correre con una manica di *gringos* che non aveva mai visto prima? Per non parlare di Silvino; l'avevo conosciuto l'ultima volta che ero stato qui. Lo avevamo incontrato per caso a Creel, subito dopo la corsa che avevo fatto con Caballo. Era nel suo pick-up e aveva indosso i suoi jeans: il bottino della maratona che aveva corso in California. Com'è che Caballo si era fatto l'idea che Silvino si sarebbe disturbato a partecipare a questa corsa? Silvino non si sarebbe lasciato convincere a correre un'altra maratona neanche con la prospettiva di una buona ricompensa. Avevo imparato abbastanza sui Tarahumara – e su questi due in particolare – per sapere che il clan Quimare non aveva la minima intenzione di partecipare alla gara.

«Gli sport vittoriani erano *affascinanti*!» Ignaro del fatto che improvvisamente sembrava molto improbabile che un qualsiasi corridore tarahumara si presentasse, Ted riprese il suo sproloquio. «Quella fu la prima traversata della Manica a nuoto... Avete mai provato ad andare su una bici con le ruote giganti? L'ingegneria è così *ingegnosa*...»

Dio, che disastro! Caballo si stava massaggiando le tempie; era quasi mezzanotte, e il fatto stesso di trovarsi in presenza di altri esseri umani gli dava il mal di testa. Jenn e Billy avevano un plotone di lattine di Tecate vuote davanti a loro e si stavano addormentando sul tavolo. Io ero disperato, e avrei detto che Eric e Luis stavano cominciando a percepire la tensione e a preoccuparsi. Scott invece no; se ne stava seduto comodo, divertito. Aveva capito tutto ma sembrava non preoccuparsi di niente.

«Senti, io vado a dormire» disse Caballo. Ci condusse a un ordinato gruppo di vecchie capanne ai confini della cittadina. Le stanze erano spoglie come le celle di un monastero, ma pulitissime e riscaldate da grosse stufe dove crepitavano rami di pino. Caballo borbottò qualcosa e poi se ne andò. Gli altri si divisero a coppie. Io ed Eric prendemmo una stanza, Jenn e Billy si diressero nell'altra.

«Perfetto!» disse Ted, battendo le mani. «Chi viene con me?»

Silenzio.

«D'accordo» disse Scott, «ma devi promettere di lasciarmi dormire.»

Chiudemmo le porte e ci infilammo sotto spesse coperte di lana. Il silenzio cadde su Creel, finché l'ultima cosa che si sentì fu la voce di Ted lo Scalzo nel buio.

«Ok, cervello» mormorò Ted. «Rilassati. È il momento di fare una pausa.»

# XXIV

*Tap-tap-tappititap.*

Quando l'alba irruppe, le finestre erano coperte di brina e qualcuno picchiettava alla nostra porta.

«Ehi» sussurrò una voce da fuori. «Siete svegli?»

Camminai con passo felpato fino alla porta, rabbrividendo per il freddo e domandandomi cosa avessero combinato questa volta i Ragazzini Festaioli. Fuori c'erano Luis e Scott che si soffiavano nelle mani a coppa per riscaldarsi. Era così presto che il cielo era ancora color caffellatte. I galli non avevano ancora cominciato a cantare.

«Ti va se andiamo a farci una corsetta?» chiese Scott. «Caballo ha detto che dobbiamo partire per le otto, quindi se vogliamo farla, dobbiamo muoverci adesso.»

«D'accordo» dissi. «Caballo mi ha portato su un sentiero stupendo, l'ultima volta. Vediamo se riesco a trovarlo e...»

Una finestra si spalancò di colpo nella capanna accanto alla nostra e sbucò la testa di Jenn. «Ragazzi, state andando a farvi una corsetta? Io ci STO! BILLY!» urlò lei da sopra la spalla. «Alza il culo, zio!»

Afferrai un paio di pantaloncini a caso e una maglietta di polipropilene. Eric sbadigliando prese le sue scarpe da corsa. «Questi sono dei veri fanatici» disse. «Dov'è Caballo?»

«Non ne ho idea. Vado a cercarlo.»

Andai all'ultima capanna della fila, immaginando che Caballo avesse scelto di stare il più lontano possibile da noi. Diedi qualche colpetto alla porta dell'ultima capanna. Niente. Era una porta abbastanza robusta, tuttavia, quindi per sicurezza provai a bussare più forte, con il pugno.

«COSA C'È?!» ruggì una voce dall'interno. Si aprirono le tende della finestra e apparve la testa di Caballo. Aveva gli occhi rossi e gonfi.

«Scusa» dissi. «Ti sei preso il raffreddore?»

«No» rispose lui in tono stanco. «Stavo giusto per addormentarmi.» Dopo neanche dodici ore dall'inizio delle operazioni Caballo era già così stressato da aver passato la notte a rigirarsi nel letto con il mal di testa. Trovarsi a Creel era già di per sé sufficiente a portarlo al limite della sopportazione. In realtà Creel è una cittadina gradevole, ma agli occhi di Caballo rappresentava le due cose che lui disprezza di più: menzogne e soprusi. La città deve il suo nome a Enrique Creel, un possidente terriero di una grandiosità così ignobile che sostanzialmente la rivoluzione messicana fu fatta in suo onore. Enrique non solo progettò una conquista di terre che spodestò migliaia di contadini di Chihuahua cacciandoli dalle loro fattorie, ma si assicurò anche personalmente che ogni contadino un po' esuberante fosse sbattuto in galera, capeggiando nel tempo libero una rete di spie al soldo del dittatore messicano Porfirio Díaz.

Enrique fuggì in esilio a El Paso quando i ribelli di Pancho Villa arrivarono con fragore alle sue calcagna (e lasciò dietro di sé un figlio per cui dovette poi pagare un riscatto di un milione di dollari ai rivoluzionari). Ma una volta che il Messico fu, com'era inevitabile, rimesso in riga e tornò alla buona vecchia corruzione, anche Enrique risalì in auge, con tutta la sua gloriosa serie di intrighi. La cittadina che, omaggiando l'uomo che aveva infettato l'intera regione, prendeva nome da Enrique Creel è stata sempre l'epicentro da cui si diramavano tutte le epidemie che affliggevano i Copper Canyon: estrazioni a cielo aperto, deforestazioni, coltivazioni di droga, autobus turistici. Passare del tempo in quel posto faceva uscire di testa Caballo; per lui era come stare in un bed and breakfast nel bel mezzo di una piantagione piena di schiavi.

Soprattutto, però, non era abituato a rispondere di nessun essere vivente al mondo che non fosse Caballo Blanco. Ora, dovendo pensare a tutti noi, era normale che l'apprensione gli stringesse costantemente il petto. Aveva passato dieci anni a costruire una reciproca fiducia con i Tarahumara e adesso rischiava di mandare tutto all'aria nel giro di dieci minuti. Caballo non riusciva a non pensare a Ted lo Scalzo e Jenn che continuavano ad abbaiare nelle orecchie di un attonito Tarahumara... a Luis e suo padre che gli facevano esplodere i loro flash negli occhi... a Eric e me che li tempestavamo di domande. Un incubo.

«No, non vengo a fare una corsa» gemette, prima di richiudere la tenda.

Poco dopo, noi sette (Scott, Luis, Eric, Jenn, Billy, Ted lo Scalzo e io) eravamo sul sentiero coperto di aghi di pino su cui mi aveva portato Caballo qualche tempo prima. Uscimmo dalla volta alberata nel momento stesso in cui il sole usciva da dietro una gigantesca roccia, abbagliandoci come se il mondo fosse improvvisamente diventato d'oro. Una nebbiolina e goccioline d'acqua scintillanti aleggiavano intorno a noi.

«Che meraviglia!» disse Luis.

«Non ho mai visto un posto del genere» disse Billy. «Caballo ha avuto l'idea giusta. Mi piacerebbe vivere qui: campare con nulla e godermi le corse in montagna.»

«Vi ha già fatto il lavaggio del cervello» gridò Luis. «Ecco a voi la Setta del Cavallo Bianco.»

«Non è stato lui» protestò Billy. «È questo posto.»

«Bel cavallino mio...» lo prese in giro Jenn. «Lo sai, assomigli già un po' a Caballo...»

Mentre si svolgeva questa scenetta, Scott era impegnato a tenere d'occhio Ted lo Scalzo. Il sentiero si snodava su un terreno roccioso, ma anche se eravamo costretti a saltare da un masso all'altro, Ted non aveva rallentato per niente.

«Zio, cosa sono quegli affari che porti ai piedi?» chiese Jenn.

«FiveFingers della Vibram» disse Ted. «Non sono mitiche? Sono il loro primo atleta sponsorizzato!»

Era vero; Ted era diventato il primo corridore scalzo professionista d'America dell'era moderna. Le FiveFingers erano state progettate come scarpe di bordo per i regatisti; l'idea era quella di dare una maggiore aderenza sulle superfici scivolose mantenendo però la sensazione dell'essere scalzi. Per accorgersi che qualcuno le sta indossando bisogna guardarlo da vicino; si adattavano così perfettamente alla pianta del piede e a ogni dito che Ted sembrava avesse immerso i piedi in un inchiostro verdino. Poco prima del viaggio ai Copper Canyon, si era imbattuto in una foto delle FiveFingers su internet e aveva immediatamente preso il telefono. In qualche modo, era riuscito a farsi strada attraverso una selva di centralinisti e segreterie e si era fatto passare l'amministratore delegato della Vibram per gli Stati Uniti, che si rivelò essere nient'altri che...

Tony Post! Il direttore della Rockport che aveva sponsorizzato i Tarahumara a Leadville!

Tony ascoltò Ted, pur restando molto scettico. Non che gli dispiacesse l'idea di correre affidandosi al piede e alla sua forza anziché ai sistemi di ammortizzazione e di *motion-control;* anzi, una volta Tony aveva perfino corso la maratona di Boston con indosso un paio di Rockport non sportive, per dimostrare che la comodità e la buona fattura di una scarpa è ciò di cui si ha bisogno per correre, altro che tutti quegli affari anti-shock/anti-pronazione/con cuscinetti gel. Ma perlomeno le scarpe non sportive della Rockport avevano gli archi e le suole rinforzati; le FiveFingers non erano altro che uno strato di gomma con uno strappo di velcro. E tuttavia Tony fu affascinato dall'idea e decise di provarle lui stesso. «Andai a farmi una corsettina molto tranquilla, giusto un chilometro e mezzo» racconta. «Alla fine ne macinai undici. Non avevo mai pensato alle FiveFingers come scarpe da corsa, ma, dopo averle provate, ho pensato che erano le *uniche* calzature con cui valesse la pena correre.» Quando tornò a casa, firmò un assegno per mandare Ted lo Scalzo alla maratona di Boston.

Avevamo corso una decina di chilometri sull'altipiano e stavamo tornando verso Creel quando, a una certa distanza, saltò fuori dagli alberi un'esile ombra nera che veniva verso di noi.

«Ma non è Caballo?» chiese Scott.

Jenn e Billy guardarono attentamente, poi si buttarono verso di lui come cani liberati dal guinzaglio. Ted lo Scalzo e Luis li seguirono subito. Scott restò con noi, ma il suo istinto da purosangue lo faceva scalpitare. Guardò con aria di scusa verso me ed Eric. «Vi spiace se io...?» chiese.

«Nessun problema» dissi. «Raggiungili.»

«Perfetto.» Prima di finire la parola, era già a una mezza dozzina di metri da noi, i capelli come stelle filanti al vento.

«Merda» brontolai. Vedere Scott partire in quel modo mi ricordò Marcelino. Scott avrebbe potuto imparare un sacco da quel ragazzino. E anche Jenn e Billy; sarebbero impazziti di gioia se avessero avuto la possibilità di unirsi al gruppo dei ragazzini tarahumara. Cercavo di immaginare perfino come si sentisse Manuel Luna. No, non era vero: mi stavo sforzando di non pensarci. Il male aveva seguito i Tarahumara fin qui, fino ai confini della terra, dove non avevano più un posto dove fuggire. Anche se era ancora in lutto per il suo magnifico figlio, Manuel probabilmente si stava già chiedendo quale degli altri figli sarebbe stato il prossimo.

«Vuoi fare una pausa?» mi chiese Eric. «Come va?»

«No, sto bene. Ho solo qualche pensiero.»

Caballo si stava avvicinando; dopo aver incontrato gli altri, aveva continuato a correre verso me ed Eric, mentre gli altri riprendevano fiato e posavano per una foto ricordo di Luis. Era un'ottima cosa che Caballo avesse cambiato idea e fosse venuto a correre con noi; per la prima volta da quando eravamo scesi dall'autobus stava sorridendo. L'alba scintillante e il vecchio, familiare piacere di sentire il corpo che si riscaldava dovevano aver alleviato la sua ansia. E, accidenti, era proprio bello vederlo di nuovo in azione! Anche solo a guardarlo, sentivo la schiena drizzarsi e i miei piedi diventare più veloci, come se qualcuno avesse acceso in sottofondo la colonna sonora di *Momenti di gloria*.

A quanto pareva, l'ammirazione fu reciproca. «Ma guardati!» gridò Caballo. «Sei diventato un orso nuovo di zecca!» Qualche tempo prima, aveva deciso di affibbiare anche a me uno spirito animale; mentre lui era un lucente ed elegante cavallo bianco, io ero *Oso*, uno sgraziato orso. Ma, per lo meno, il modo in cui mi guardava adesso rendeva questo nomignolo molto meno beffardo dell'anno precedente, quando avevo arrancato pateticamente dietro di lui.

«Non assomigli per niente al tizio che ho portato su questi sentieri la volta scorsa» disse Caballo.

«Il merito è tutto di quest'uomo» dissi, puntando il pollice in direzione di Eric. Nove mesi di allenamento con lui in stile tarahumara avevano fatto miracoli: ero dimagrito più di dieci chili e correvo con facilità su percorsi che prima mi avrebbero ucciso. Nonostante tutti i chilometri fatti (anche 130 in una settimana), mi sentivo leggero e sciolto e avevo voglia di migliorare ancora. Soprattutto, per la prima volta in dieci anni, non mi stavo curando per nessun infortunio. «Questo signore fa miracoli.»

«Sembrerebbe proprio» sorrise Caballo. «So bene con che razza di materia prima ha dovuto lavorare. Qual è il suo segreto?»

«È una storia abbastanza bizzarra...» cominciai, ma nel frattempo avevamo raggiunto Scott e gli altri, in semicerchio attorno a Ted lo Scalzo che teneva banco con i suoi discorsi. «Te lo racconterò più tardi» promisi a Caballo.

Ted lo Scalzo si era tolto le FiveFingers e stava mostrando qual era il movimento perfetto per correre senza scarpe. «Correre a piedi nudi stuzzicava molto il mio senso artistico» diceva Ted. «Si tratta di un principio base del bricolage, per cui "less is more", la soluzione migliore è anche la più elegante. Perché aggiungere qualcosa se sei nato con tutto ciò che ti occorre?»

«Farai bene ad aggiungere qualcosa ai piedi quando attraverseremo i canyon» disse Caballo. «Hai portato altre scarpe, vero?»

«Certo» disse Ted. «Ho le mie infradito.»

Caballo sorrise, aspettando che Ted lo facesse a sua volta a conferma che stava solo scherzando. Ma Ted non sorrise; e non stava scherzando.

«Non ti sei portato le scarpe?» chiese Caballo. «Vuoi andare nelle Barrancas con le *infradito*?»

«Non preoccuparti per me. Ho scalato i monti San Gabriel a piedi nudi. La gente continua a guardarmi come se fossi "quel tizio fuori di testa", ma io dico...»

«Ma questi non sono i monti San *Gay*-briel!» lo interruppe Caballo, prendendosi gioco dei monti californiani con tutto il sarcasmo da *gringo* che riuscì a mettere insieme. «Le spine dei cactus da queste parti sono come lame di rasoio. Te ne becchi una nel piede e siamo tutti fottuti. Questi sentieri sono già abbastanza pericolosi senza doverti portare sulle spalle.»

«Ehi, ehi, ragazzi» disse Scott, mettendosi tra i due e spingendoli entrambi un passo indietro. «Caballo, probabilmente Ted si è sentito dire per anni "Ehi Ted, vatti a mettere le scarpe!". Ma se dice di sapere quello che fa, vuol dire che sa quello che fa.»

«Non sa *un cazzo* delle Barrancas.»

«Però una cosa la so» rispose Ted «ed è che se qualcuno finirà nei guai là fuori, vi posso garantire che non sarò io.»

«Ah sì?» ringhiò Caballo. «Lo vedremo, *amigo.*» Si voltò e se ne andò giù per il sentiero.

«Oh, mamma!» disse Jenn. «E adesso chi è il guastafeste, Ted?»

Seguimmo Caballo verso le capanne, mentre Ted lo Scalzo ad alta voce e senza sosta continuava a spiegare le sue ragioni a noi, alla schiena di Caballo e alla città di Creel che si stava svegliando. Diedi uno sguardo all'orologio; ero tentato di dire a Ted lo Scalzo di tacere e comprare un paio di scarpe da quattro soldi giusto per far felice Caballo, ma non avevamo tempo. C'era un solo autobus al giorno che faceva il viaggio di dieci ore fino ai canyon, e sarebbe partito prima che qualsiasi negozio aprisse.

Tornati alle capanne, cominciammo a infilare gli indumenti negli zaini. Indicai agli altri dove potevano trovare qualcosa per fare colazione e poi andai a dare un'occhiata nella capanna di Caballo. Non c'era. E neanche il suo zaino.

«Magari vuole solo far sbollire la rabbia standosene per i fatti suoi» mi dissi. Magari. Ma avevo il brutto presentimento che avesse deciso di mandarci all'inferno tutti quanti e se ne fosse andato definitivamente. Dopo una notte passata a domandarsi se non avesse fatto un errore madornale, ero abbastanza sicuro che ormai avesse trovato la risposta.

Decisi di non dire niente e sperai che le cose si aggiustassero da sole. In un modo o nell'altro, nel giro di trenta minuti avremmo saputo se l'operazione era ormai defunta o se era ancora tenuta in vita artificialmente. Mi misi lo zaino in spalla e tornai indietro, lungo il ponte di legno che passava sopra le acque di scarico, lo stesso ponte sul quale avevamo fatto il giuramento il giorno prima. Trovai il resto della truppa in un piccolo ristorante vicino alla fermata dell'autobus; stavano facendo il pieno di fagioli e *burritos* di pollo. Ne divorai un paio anch'io, e ne misi via qualcuno per dopo. Quando arrivammo all'autobus, il motore rombava ed era pronto a partire. L'autista stava gettando le ultime borse sul tettuccio e ci faceva cenno di passargli i nostri zaini.

«*Espera*» dissi. Aspetta un attimo. Caballo non si vedeva da nessuna parte. Infilai la testa dentro l'autobus e passai in rassegna tutte le file di sedili. Nessuna traccia. Dannazione. Uscii per dare agli altri la brutta notizia, ma erano tutti scomparsi. Andai sul retro dell'autobus e trovai Scott sulla scaletta che portava sul tettuccio.

«Sali, Oso!» Caballo era sopra l'autobus e afferrava le borse che gli tirava l'autista. Jenn e Billy erano accanto a lui, accomodati su una morbida pila di bagagli. «Un viaggio così non ti capita più.»

Non c'era da stupirsi se i Tarahumara pensavano che Caballo fosse un fantasma. Non c'era modo di prevedere cosa avrebbe fatto o dove sarebbe apparso la volta successiva. «Scordatelo» dissi. «Ho già visto questa strada. Mi metto in posizione di sicurezza in mezzo ai due più grassi che trovo sull'autobus.»

Ted lo Scalzo salì la scaletta dopo Scott.

«Ehi» dissi. «Perché non vieni dentro con me?»

«No grazie. Faccio un po' di surf sul tettuccio.»

«Senti» gli dissi senza mezzi termini. «Forse dovresti dare un po' di tregua a Caballo. Se lo metti troppo sotto pressione questa gara non si farà mai.»

«Ma figurati! Io e lui siamo a posto» disse Ted. «Deve soltanto conoscermi meglio.»

Certo. Era proprio quello di cui c'era bisogno. L'autista si stava sistemando al volante, così io ed Eric salimmo a bordo e ci stringemmo nell'ultima fila. Il motore si inceppò, si fermò e poi tornò in vita. In breve tempo stavamo serpeggiando nella foresta, verso la vecchia città mineraria di La Bufa; poi da lì saremmo andati fin dove arrivava la strada, nel villaggio di Batopilas, al confine con i canyon. Il resto avremmo dovuto farcelo a piedi.

«Mi aspetto di sentire un grido da un momento all'altro e di vedere Ted lo Scalzo volare giù dal tettuccio» disse Eric.

«C'è poco da scherzare.» Le ultime parole di Caballo mi risuonavano ancora nelle orecchie: *Lo vedremo, amigo!*

Avremmo scoperto in seguito che Caballo aveva preso una decisione: avrebbe dovuto dare una lezione a Ted lo Scalzo prima che ci mettesse tutti nei guai. Sfortunatamente, quella lezione ci avrebbe fatto rischiare la pelle a tutti.

# XXV

Ted lo Scalzo aveva ragione, ovviamente.

Tra i fuochi d'artificio che esplodevano tra Ted e Caballo, si nascondeva una questione importante: forse le scarpe da corsa erano una delle forze più distruttive che mai avessero colpito un piede umano. Forse Ted lo Scalzo, a suo (bizzarro) modo, stava diventando il Neil Armstrong della corsa sulla lunga distanza del XXI secolo, un grande collaudatore i cui piccoli passi avrebbero potuto essere di estremo beneficio per il resto dell'umanità. E se questo sembra un peso eccessivo da mettere sulle sole spalle di Ted, in aggiunta si può leggere ciò che dice in proposito Daniel Lieberman, professore di antropologia biologica all'Università di Harvard:

«Molti degli infortuni al piede e al ginocchio che ci tormentano sono dovuti all'uso di scarpe che in realtà indeboliscono il nostro piede, inducono un'iperpronazione e ci danno problemi alle ginocchia. Fino al 1972, quando la Nike inventò le moderne scarpe da atletica, la gente correva con scarpe con le suole molto sottili, aveva piedi più forti e la frequenza di infortuni alle ginocchia era molto inferiore.»

E il costo di questi infortuni? Una malattia tremenda di proporzioni epidemiche. «Gli esseri umani devono obbligatoriamente fare attività aerobica per restare in salute e io credo che questa necessità affondi le radici nella nostra storia evolutiva» diceva il professor Lieberman. «Se c'è una panacea in grado di rendere sani gli esseri umani, quella è la corsa.»

Una panacea? L'ultima volta che uno scienziato con le credenziali del professor Lieberman aveva usato un'espressione del genere, aveva inventato la penicillina. Lieberman lo sapeva e usava quei toni deliberatamente. Se le scarpe da corsa non fossero mai esistite, ci sarebbero state più persone che correvano. E se più persone avessero corso, ne sarebbero morte molte meno per disturbi cardiaci degenerativi, infarti improvvisi, ipertensione, ostruzione delle arterie, diabete e molte altre malattie mortali tipiche del mondo occidentale.

In questo modo si addossa alla Nike una bella dose di responsabilità in questa epidemia. Ma sapete qual è la cosa più impressionante di tutta questa storia? Che la Nike ne era perfettamente consapevole.

Nell'aprile 2001, due agenti della Nike andarono ad assistere a un allenamento della squadra di atletica dell'Università di Stanford. Parte del lavoro di un agente della Nike consiste nel registrare le reazioni dei corridori sponsorizzati riguardo alle scarpe che preferiscono, ma in quel caso questa parte del lavoro non stava funzionando troppo bene, dato che i corridori di Stanford sembravano preferire... non indossare nulla.

«Vin, che cos'è questa storia che i ragazzi corrono a piedi scalzi?» avevano domandato al capo allenatore Vin Lananna. «Non vi abbiamo mandato abbastanza scarpe?»

L'allenatore Lananna si avvicinò per dare loro delle spiegazioni. «Non sono in grado di provarlo» disse, «ma sono convinto che se i miei atleti si allenano scalzi, alla fine corrono più veloci e si infortunano di meno.»

Più veloci *e* con meno infortuni? Se questa cosa fosse stata detta da chiunque altro, i signori della Nike avrebbero annuito con un sorriso di cortesia e l'avrebbero ignorata, ma ad averla detta era uno di quegli allenatori le cui idee solitamente erano tenute in grande considerazione. Come Joe Vigil, Lananna era uno di quegli allenatori che raramente venivano menzionati senza che il loro nome fosse accompagnato da un aggettivo come «visionario» o «innovatore». In appena dieci anni a Stanford, le squadre di atletica e di corsa campestre di Lananna avevano vinto cinque campionati NCAA e ventidue titoli individuali, e Lananna stesso era stato nominato Allenatore di corsa campestre dell'anno dalla NCAA. Lananna aveva già mandato tre atleti alle Olimpiadi ed era impegnato a far crescere il suo «vivaio» sponsorizzato dalla Nike, un club postuniversitario per la crème de la crème dei corridori. Non occorre dire che gli agenti della Nike erano abbastanza in imbarazzo, nel sentire che secondo Lananna le migliori scarpe che la Nike potesse offrire erano peggio che correre senza scarpe.

«Abbiamo protetto i nostri piedi dalla loro posizione naturale, offrendo loro sempre più sostegno» insisté Lananna. Era quello il motivo per cui voleva che la sua squadra facesse una parte dell'allenamento a piedi nudi. «Mi rendo conto che per una azienda che produce scarpe non è una gran cosa avere sponsorizzato una squadra che non usa i vostri prodotti, ma gli esseri umani hanno camminato per migliaia di anni senza scarpe e credo che tutti i correttivi che avete apportato abbiano finito per ipercompensare la situazione. Avete aggiustato cose che non avevano bisogno di essere aggiustate. Se si rafforza il piede andando scalzi, sono convinto che si riduca anche il rischio di problemi al tendine d'Achille, al ginocchio e alla fascia plantare.»

«Rischio» però non è il termine più esatto; in realtà sarebbe più corretto parlare di «certezza assoluta». Ogni anno, tra il 65 e l'80 per cento dei corridori subiscono un infortunio. Ciò significa che quasi tutti i corridori si infortunano ogni anno. Non importa chi siete, né quanto correte: le vostre probabilità di farvi male sono le stesse. Non importa se siete maschi o femmine, veloci o lenti, tracagnotti o snelli come cavalli da corsa: i vostri piedi sono comunque in una zona di pericolo.

Pensate di poter abbassare le probabilità d'infortunio facendo stretching come un mistico indiano? Niente affatto. Durante uno studio del 1993, condotto su atleti olandesi e pubblicato dall'«American Journal of Sport Medicine», un gruppo di corridori fu educato alle regole del riscaldamento e dello stretching, mentre un secondo gruppo non ricevette alcun tipo di formazione in fatto di prevenzione. Il tasso d'infortuni però fu identico per entrambi i gruppi. Lo stretching si rivelò addirittura nocivo in uno studio successivo condotto su atleti dell'Università delle Hawaii: venne fuori che i corridori che facevano stretching avevano il 33 per cento di probabilità *in più* di infortunarsi.

Per fortuna, però, viviamo nell'epoca d'oro della tecnologia. Le aziende che producono scarpe sportive hanno avuto un quarto di secolo per perfezionare i loro progetti, e quindi, in teoria, il tasso d'infortuni dovrebbe essere ormai in caduta libera. Dopo tutto, sono uscite scarpe della Adidas con un microchip nella suola che regola istantaneamente i sistemi di ammortizzazione a ogni passo. La Asics ha speso tre milioni di dollari e otto anni di lavoro (tre anni in più di quanti ne occorsero al Progetto Manhattan per creare la prima bomba atomica) per inventare le maestose Kinsei, scarpe che vantano «capsule di gel multidirezionali per l'avampiede», «un potenziatore di spinta sulla parte centrale del piede» e un «componente infinitamente adattabile nel tallone che isola e assorbe gli impatti per ridurre la pronazione e contribuire alla spinta in avanti». È un bel po' di grana per delle scarpe che dovrete gettare nella spazzatura novanta giorni dopo, ma almeno non vi infortunerete più.

Davvero?

Purtroppo no.

«A partire dai primi veri studi condotti negli anni Settanta, i problemi al tendine d'Achille sono in realtà *aumentati* di circa il 10 per cento, mentre le infiammazioni alla fascia plantare sono rimaste invariate» scrive il dottor Stephen Pribut, specialista di infortuni podistici ed ex presidente dell'Accademia americana della medicina sportiva podiatrica. «I progressi tecnologici negli ultimi trent'anni sono stati incredibili» aggiunge Irene Davis, direttrice della Clinica per infortuni podistici dell'Università del Delaware. «Abbiamo visto innovazioni spettacolari nei sistemi di *motion-control* e nell'ammortizzazione delle scarpe, eppure i rimedi non sembrano in grado di sconfiggere i mali.»

In effetti, non esistono prove che le scarpe da corsa siano d'aiuto nella prevenzione degli infortuni. In uno studio del 2008 apparso sul «British Journal of Sport Science» il dottor Craig Richards, un ricercatore dell'Università di Newcastle, Australia, ha rivelato che non esiste *un solo* studio basato su prove che dimostri che le scarpe da corsa riducono la probabilità d'infortunio.

Fu una rivelazione sorprendente, completamente ignorata però (nonostante fosse accessibile a tutti) nei successivi decenni. Il dottor Richards era così scioccato che un'industria da venti miliardi di dollari sembrasse basarsi su nient'altro che vane promesse e ingenue speranze, che lanciò addirittura una sfida:

> Esiste un'azienda produttrice di scarpe pronta a sostenere che indossare le scarpe durante la corsa sulla lunga distanza riduce il rischio di contrarre infortuni muscolo-scheletrici?
>
> C'è qualche industria di scarpe pronta a sostenere che indossare le loro scarpe da corsa migliorerà la performance sulla lunga distanza?
>
> Se siete disposti a sostenere queste due tesi, dove sono i dati accettati dalla comunità scientifica che le confermino?

Il dottor Richards restò in attesa e tentò anche di contattare direttamente le maggiori aziende di scarpe per avere i loro dati. In risposta ottenne soltanto silenzio.

Quindi, se le scarpe da corsa non vi fanno andare più veloci e non prevengono i vostri infortuni, allora che cosa, con precisione, state pagando così caro? Quali sono i benefici riconducibili a tutti quei microchip, a quei «potenziatori di spinta», ai cuscinetti d'aria, agli strumenti di torsione e a quelli di protezione? Be', se avete un paio di Kinsei nell'armadio, preparatevi a ricevere brutte notizie. Che (come tutte le brutte notizie) non vengono mai sole, ma sempre a gruppi di tre.

*Dura verità numero 1: le scarpe migliori sono le peggiori*

Secondo uno studio condotto dal dottor Bernard Marti, uno specialista in medicina della prevenzione all'Università di Berna, in Svizzera, i corridori che indossano le scarpe migliori di ogni linea hanno il 123 per cento in più di probabilità di infortunarsi rispetto ai corridori che usano scarpe economiche. La squadra che ha condotto la ricerca assieme a Marti ha analizzato 4358 corridori che partecipavano al Grand Prix di Berna, una corsa su strada di 15 chilometri. Tutti i partecipanti hanno riempito un lungo questionario con dettagli riguardanti gli indumenti sportivi e le calzature indossate durante l'anno precedente: a quanto ne è emerso, in quel lasso di tempo, il 45 per cento si era infortunato.

Ma ciò che sorprese maggiormente il dottor Marti, come scrisse esplicitamente sull'«American Journal of Sports Medicine» nel 1989, fu che la variabile più significativa tra quelle prese in esame non era né la superficie di allenamento, né la velocità della corsa, né i chilometri percorsi, né la «motivazione agonistica». Non era neanche il peso corporeo né l'anamnesi degli infortuni precedenti. Il fattore decisivo era il prezzo delle scarpe. I corridori che usavano scarpe da più di 95 dollari avevano più del doppio di probabilità di farsi male rispetto ai corridori che indossavano scarpe che costavano meno di 40 dollari. Studi successivi arrivarono a risultati analoghi; per esempio, il rapporto del 1991 su «Medicine & Science in Sport & Exercise» trovò che «coloro che indossano scarpe da corsa costose, pubblicizzate per il fatto di avere strutture aggiuntive di protezione (maggiori ammortizzatori, correttori della pronazione ecc.), subiscono infortuni molto più frequenti rispetto ai corridori che portano scarpe meno costose (da meno di 40 dollari)».

È davvero uno scherzo crudele: il doppio del dolore al doppio del prezzo.

Lungimirante come sempre, l'allenatore Vin Lananna aveva individuato autonomamente lo stesso fenomeno già all'inizio degli anni Ottanta. «Una volta ordinai per la squadra delle scarpe di ultima generazione e nel giro di due settimane si verificarono più fasciti plantari e problemi ai tendini d'Achille di quanti ne avessi mai visti in vita mia. Quindi rispedii al mittente le scarpe e chiesi di mandarmene di più economiche» dice Lananna. «Da allora ho sempre ordinato scarpe di fascia di prezzo bassa. Non perché sia tirchio, ma perché il mio lavoro consiste nel fare in modo che i miei atleti corrano veloci e restino in salute.»

*Dura verità numero 2: i piedi amano gli impatti*

Già nel 1988, Barry Bates, capo del Laboratorio di medicina sportiva e biomeccanica dell'Università dell'Oregon, raccolse dei dati che suggerivano che le scarpe da corsa consumate erano più sicure di quelle nuove. Sul «Journal of Orthopedics & Sports Physical Therapy» il dottor Bates e i suoi colleghi sostennero che quando le scarpe si consumavano e i loro sistemi di ammortizzazione si assottigliavano, i corridori recuperavano progressivamente il controllo del piede.

Ma come potevano il controllo del piede e le vecchie suole mezzo staccate contribuire a formare gambe più sane? Grazie a uno degli ingredienti magici: la paura. Al contrario di quanto si potrebbe pensare sulla base dei nomi rassicuranti che vengono dati alle scarpe, come Adidas MegaBounce (MegaElasticità), tutta quell'ammortizzazione non riduce minimamente gli impatti. In teoria, questo dovrebbe essere abbastanza ovvio: l'impatto sulle gambe dovuto alla corsa può essere fino a dodici volte il vostro peso corporeo, ed è quindi assurdo pensare che un centimetro di gomma farà molta differenza rispetto a un impatto degno, nel mio caso, di un ippopotamo di 1250 chili. Potete provare a coprire un uovo con un guanto da forno, prima di prenderlo a martellate, ma difficilmente quell'uovo ne uscirà integro.

Quando E.C. Frederick, allora direttore del Laboratorio di ricerca sportiva della Nike, arrivò al meeting della Società americana di biomeccanica nel 1986, aveva con sé una notizia sconvolgente. «I soggetti sono stati sottoposti a test con scarpe morbide e con scarpe dure» disse «e non è stata riscontrata nessuna differenza nella forza dell'impatto.» *Nessuna differenza!* «E curiosamente» aggiunse, «il secondo picco, quello della forza propulsiva di reazione in verticale rispetto al suolo, era in realtà *maggiore* se si usavano scarpe morbide.»

Da cui la sconcertante conclusione: più le scarpe sono ammortizzate, minore è la protezione che forniscono.

I ricercatori del Laboratorio di biomeccanica e medicina sportiva dell'Università dell'Oregon stavano verificando gli stessi risultati. Quando le scarpe da corsa si consumavano e i loro sistemi di ammortizzazione si indurivano – rivelarono in uno studio apparso nel 1988 nel «Journal of Orthopedic & Sports Physical Therapy» – i piedi dei corridori si stabilizzavano e diventavano meno vacillanti. Ci sarebbero voluti almeno dieci anni prima che gli scienziati potessero spiegare perché le scarpe vecchie, che le multinazionali sportive vi invitavano a gettare via, erano in realtà migliori di quelle nuove che vi persuadevano a comprare senza perdere un minuto. Alla McGill University di Montréal, il dottor Steven Robbins e il ricercatore Edward Waked fecero una serie di test sui ginnasti e scoprirono che più era spesso il materiale su cui atterravano e maggiore era l'impatto che subivano nell'atterraggio. Istintivamente, i ginnasti cercavano stabilità. E quando percepivano sotto i piedi un materiale morbido, premevano con maggior forza per assicurarsi di trovare l'equilibrio.

Robbins e Waked scoprirono che con i corridori succede la

stessa cosa: così come le braccia si sollevano non appena cominciamo a scivolare sul ghiaccio, le gambe e i piedi istintivamente premono con maggior forza a terra se sentono sotto di loro qualcosa di più morbido. Quando correte con scarpe ammortizzate, i vostri piedi premono *sulle* suole in cerca di un appoggio duro e stabile.

«Ne concludiamo che l'equilibrio e l'impatto verticale sono strettamente correlati» scrissero i ricercatori della McGill. «Secondo i nostri studi, le scarpe sportive in circolazione al momento ... sono troppo morbide e troppo spesse, e dovrebbero essere riprogettate al fine di offrire maggiore protezione agli esseri umani che svolgono attività sportiva.»

Prima di leggere questo studio, ero rimasto colpito da un'esperienza che avevo vissuto in prima persona alla Clinica per gli infortuni podistici. Correvo avanti e indietro su una piattaforma di forza alternando piedi nudi, scarpe supersottili e un paio di Nike Pegasus superammortizzate. Ogni volta che cambiavo scarpe, anche i livelli di impatto cambiavano, ma non nel modo che mi aspettavo. La forza dell'impatto era minore quando correvo scalzo e maggiore quando calzavo le Pegasus. Anche il modo di correre era diverso: quando cambiavo calzature, istintivamente modificavo anche il passo. «Premi con molta più forza sui talloni quando indossi le Pegasus» concluse la dottoressa Irene Davis.

David Smyntek decise di testare la teoria dell'impatto con un esperimento unico nel suo genere. Essendo sia un corridore sia un fisioterapista specializzato in riabilitazione, Smyntek cominciò a nutrire qualche sospetto quando si rese conto che le persone che gli dicevano di comprare scarpe da corsa nuove erano le stesse che le vendevano. Aveva letto da sempre su «Runner's World» (e sentito confermare dal suo negozio di articoli sportivi di fiducia) che bisogna sostituire le scarpe dopo 500-800 chilometri; ma come mai Arthur Newton, uno dei più grandi ultramaratoneti di tutti i tempi, non vedeva alcuna buona ragione per rimpiazzare le sue scarpe di gomma sottile prima di averci percorso almeno 6500 chilometri? Newton non solo vinse l'ultramaratona di Comrades di 90 chilometri per cinque volte negli anni Trenta, ma le sue gambe erano ancora abbastanza elastiche da battere il record nella corsa di 160 chilometri da Bath a Londra all'età di cinquantun anni.

Così Smyntek decise di vedere se riusciva a battere Newton sul suo stesso terreno. «Cosa succederebbe se, anziché buttare le scarpe, quando sono consumate da una parte mi limitassi a invertirle?» si chiese. Cominciò così l'Esperimento del piede folle: quando le scarpe si consumavano sul lato esterno, Dave passava la destra sul piede sinistro e continuava a correre. «Dovete capirlo» dice Ken Learman, uno dei fisioterapisti che lavoravano con lui. «David non è un individuo normale. È curioso e intelligente, uno che non potete raggirare facilmente. Vi dirà sempre: "Be', dicono che le cose stanno così: vediamo se è vero".»

Per i successivi dieci anni, David corse 8 chilometri al giorno, ogni giorno. Una volta capito che poteva correre senza problemi con le scarpe messe al piede sbagliato, cominciò a chiedersi perché in generale avesse bisogno di scarpe per correre. Se non le usava nel modo prescritto da chi le avevano progettate, pensò Dave, forse quel progetto non era poi granché. Da allora in avanti, comprò solo scarpe economiche nei discount.

«Ecco qui: correva molto più di quanto corrano le persone normali, con le scarpe messe al piede sbagliato e senza alcun tipo di problema» dice Ken Learman. «Quell'esperimento insegnò qualcosa a tutti noi. Ci insegnò che in fatto di scarpe da corsa non è tutto oro quel che luccica.»

*Dura verità numero 3: perfino Alan Webb dice che «gli esseri umani sono progettati per correre senza scarpe»*

Prima di diventare il più grande corridore americano sul miglio, Alan Webb era una matricola con i piedi piatti e in pessima forma fisica. Ma il suo allenatore al college intravide che aveva delle potenzialità e cominciò a ricostruire Alan letteralmente da zero.

«Prima avevo spesso degli infortuni e sembrava che fosse la mia stessa biomeccanica a procurarmeli» mi disse una volta Webb. «Così facemmo degli allenamenti per rafforzare i piedi e delle camminate speciali a piedi nudi.» Poco alla volta, Webb si rese conto che i piedi gli si stavano visibilmente trasformando. «Prima la mia misura era il 48 e avevo i piedi piatti, adesso invece ero tra il 44 e il 46, e mentre i muscoli del piede si rafforzavano anche l'arco del piede cominciò a formarsi.» Grazie agli esercizi a piedi nudi, Webb ridusse anche gli infortuni, arrivando a poter sopportare il duro allenamento che lo avrebbe portato a battere il record americano su un miglio e a correre i 1500 metri stabilendo il record del mondo nel 2007.

«La corsa a piedi nudi è stata una delle mie filosofie di allenamento per anni» disse Gerard Hartmann, ricercatore e fisioterapista irlandese considerato una specie di Grande e Potente Mago di Oz dai più titolati corridori di ultradistanze al mondo. Paula Radcliffe non corre una maratona senza prima aver fatto una visita al dottor Hartmann, e titani del calibro di Haile Gebrselassie e Khalid Khannouchi hanno affidato i loro piedi alle sue mani. Per decenni il dottor Hartmann ha seguito con sgomento l'enorme diffusione di ortesi e scarpe da corsa sempre più strutturate.

«Il fatto di mettere la muscolatura del piede fuori condizione è la causa fondamentale degli infortuni, e noi negli ultimi venticinque anni abbiamo permesso che i nostri piedi fossero trascinati in malo modo fuori dalla loro condizione ottimale» disse il dottor Hartmann. «"Pronazione" è diventata una parolaccia, mentre in realtà è semplicemente il movimento naturale del piede. Il piede *deve* pronare.»

Per capire cos'è la pronazione, basta che vi togliate le scarpe e corriate lungo il vialetto di casa vostra. Su una superficie dura, i vostri piedi si toglieranno subito di dosso le abitudini acquisite indossando le scarpe e automaticamente entreranno in modalità di autodifesa: vi troverete presto a correre poggiando sulla parte esterna del piede, che poi ruoterà per far passare il peso dall'ultimo dito del piede all'alluce, e infine appoggerete tutto il piede a terra. Questa è la pronazione: una torsione morbida che vi serve per assorbire gli impatti e che comprime l'arco del piede.

Negli anni Settanta, tuttavia, la voce più autorevole nel campo della corsa cominciò a esprimere dei dubbi su queste torsioni del piede. Il dottor George Sheehan, il cardiologo che grazie ai suoi saggi sulla bellezza della corsa diventò il re-filosofo del mondo della maratona, sostenne a un certo punto che l'eccessiva pronazione poteva essere la causa della sindrome del «ginocchio del corridore». Aveva ragione, ma allo stesso tempo aveva anche decisamente torto. Per iperpronare dovete atterrare sui talloni, e potete atterrare sui talloni solo se sono ammortizzati. Nondimeno, le multinazionali delle scarpe da corsa risposero rapidamente alla chiamata alle armi del dottor Sheehan e diedero una risposta atomica: crearono scarpe con tacchi mostruosi e incredibili sistemi di ammortizzazione che cancellarono praticamente l'intera pronazione.

«Ma una volta che blocchi un movimento naturale» disse il dottor Hartmann «coinvolgi negativamente anche gli altri. Abbiamo fatto alcuni studi, e solo il 2 o 3 per cento della popolazione ha reali problemi biomeccanici. Ma allora chi sta usando tutte queste ortesi? Ogni volta che indossiamo uno strumento correttivo cercando di curare dei problemi che non esistono, finiamo per crearne di nuovi.» Con una sorprendente ammissione, nel 2008 «Runner's World» confessò che per anni aveva involontariamente fuorviato i suoi lettori consigliando ai corridori affetti da fascite plantare di portare scarpe correttive: «Ricerche recenti hanno invece mostrato che è improbabile che le scarpe che danno stabilità riescano ad alleviare i sintomi della fascite *e che anzi possono addirittura peggiorarli*» (corsivo mio).

«Basta dare un'occhiata all'architettura» spiegò il dottor

Hartmann. Guardate il progetto dettagliato del vostro piede e scoprirete che esso è una meraviglia ingegneristica che gli uomini hanno cercato di imitare per secoli. La colonna portante del piede è l'arco, la più grandiosa struttura per sostenere il peso che sia mai stata creata. Il bello dell'arco è il modo in cui la pressione lo rende più forte; più voi lo premete da sopra, e più le sue parti si stringono tra loro e lo rendono solido. Nessun muratore degno della sua cazzuola metterebbe mai un supporto *sotto* il suo arco, dato che è perfettamente in grado di reggere la pressione che gli arriva dall'alto; ma se invece fate pressione da sotto, tutta la struttura si indebolisce. A sostenere l'arco del piede da ogni parte è una rete altamente elastica composta da ventisei ossa, trentatré articolazioni, dodici tendini e diciotto muscoli che si allungano e si accorciano come ponti antisismici sospesi.

«Mettere i piedi nelle scarpe è come metterli in un gesso per le fratture» disse il dottor Hartmann. «Se tenete una gamba ingessata per sei settimane, vi troverete con un'atrofia muscolare che va dal 40 al 60 per cento. Una cosa analoga accade ai vostri piedi quando li ingessate nelle scarpe.» Quando le scarpe svolgono la loro funzione, i tendini s'irrigidiscono e i muscoli si indeboliscono. I piedi sono sempre pronti a combattere e sono più rigogliosi quando devono lavorare; lasciate che si impigriscano, come scoprì Alan Webb, e collasseranno. Teneteli in esercizio, e si inarcheranno come arcobaleni.

«Ho lavorato con oltre un centinaio tra i migliori corridori kenioti e la sola cosa che hanno tutti in comune è la meravigliosa elasticità del piede» continuò il dottor Hartmann. «E questo è dovuto al fatto che non corrono mai con le scarpe prima dei diciassette anni.» Il miglior consiglio per evitare gli infortuni che Hartmann abbia mai sentito fu quello di un allenatore che suggeriva di «correre a piedi nudi sull'erba bagnata tre volte la settimana».

Hartmann non è il solo medico professionista che predica la Dottrina del piede scalzo. Secondo il dottor Paul

W. Brand, direttore dell'ospedale pubblico specializzato in riabilitazione di Carville (Lousiana) e professore di chirurgia alla facoltà di medicina della Louisiana State University, se ci liberassimo delle scarpe potremmo cancellare tutti i più comuni disturbi ai piedi nel giro di una generazione. Già nel 1976 il dottor Brand sottolineava che quasi tutti i disturbi presenti nella sua sala d'attesa – calli, alluce valgo, dita a martello, piedi piatti, cadute dell'arco plantare – erano praticamente sconosciuti nei paesi dove la maggior parte della gente girava scalza.

«Coloro che camminano a piedi scalzi ricevono un costante flusso di informazioni riguardo al terreno e alla propria posizione rispetto a esso» ha detto il dottor Hartmann, «mentre un piede nella scarpa si trova all'interno di un ambiente che non cambia mai.»

Le voci che si levavano a favore dei piedi nudi stavano aumentando. Ma anziché essere i medici a guidare la carica a favore di piedi più muscolosi, la cosa si trasformò in una lotta di classe che metteva i podiatri contro i loro stessi pazienti. I sostenitori del piede scalzo come Brand e Hartmann erano ancora rari, mentre il pensiero podiatrico tradizionale continuava a vedere il piede umano come un Errore della Natura, una costruzione in corso d'opera che poteva sempre essere migliorata con qualche colpetto di scalpello e qualche rimodellamento ortopedico.

Questa teoria per cui il piede era un progetto abortito trovò la sua massima espressione nel libro *The Runners' Repair Manual* (Il manuale per la riparazione dei corridori). Scritto dal dottor Murray Weisenfeld, uno dei massimi podiatri sportivi, si tratta di uno dei libri sulla cura del piede più venduti della storia, e comincia con questa frase:

«Il piede umano non è stato originariamente progettato per camminare, e ancora meno per correre lunghe distanze.»

Ma allora, secondo il *Manuale*, per cosa era stato progettato il nostro piede? Be', anzitutto per nuotare («Il piede moderno si evolvette dalla pinna di qualche pesce primordiale, e queste pinne erano rivolte all'indietro»). In secondo luogo, per scalare («il piede prensile permetteva alle creature di starsene sugli alberi senza cadere»).

E poi...?

E poi, secondo il contributo della podiatria alla teoria dell'evoluzione, ci siamo bloccati. Mentre il resto del nostro corpo si adattava splendidamente alla terraferma, per qualche motivo la sola parte del corpo che effettivamente toccava il suolo restò indietro. Abbiamo sviluppato cervelli e mani abbastanza abili da effettuare operazioni chirurgiche intravascolari, mentre i nostri piedi sono rimasti fermi al Paleolitico. «Il piede umano non si è ancora completamente adattato al suolo» lamenta il *Manuale*. «Solo una parte della popolazione è stata dotata di piedi che si sono ben adattati alla terraferma.»

E chi sono questi pochi fortunati dotati di piedi evoluti? A pensarci bene, nessuno: «La Natura non ha ancora reso pubblico il suo progetto per il piede del perfetto corridore moderno» scrive il dottor Weisenfeld. «Fino a che questo piede non apparirà, la mia esperienza mi ha mostrato che abbiamo tutti ottime probabilità di infortunarci, in qualche modo.» La natura magari non ha ancora pubblicato i suoi progetti, ma ciò non ha fermato i podiatri dal tentare di elaborarne uno. E questo fu esattamente il tipo di eccesso di autostima – la convinzione che quattro anni di studio di podiatria possano battere due milioni di anni di selezione naturale – che ha portato a una catastrofica ondata di operazioni chirurgiche negli anni Settanta.

«Non molti anni fa le ginocchia dei corridori erano trattate chirurgicamente» riconosce il dottor Weisenfeld. «La cosa non funzionò troppo bene, dato che avete bisogno di quell'ammortizzatore mentre correte.» Una volta usciti dalla sala operatoria, i pazienti scoprivano che il loro lancinante dolore si era trasformato in una mutilazione che gli avrebbe cambiato la vita; senza menischi non avrebbero mai più potuto correre senza sentire male. Nonostante l'accidentata storia della professione podiatrica, costellata di tentativi di correggere la natura, il *Manuale di riparazione dei corridori* non consiglia mai di rafforzare i piedi; al contrario, il trattamento più caldeggiato sono sempre le bende, le ortesi e gli interventi chirurgici.

Perfino la dottoressa Irene Davis, le cui credenziali e la cui apertura mentale erano imbattibili, dovette aspettare fino al 2007 prima di prendere seriamente in considerazione la corsa a piedi nudi, e solo perché in quel periodo uno dei suoi pazienti con i piedi piatti la sfidò. Era così frustrato per le sue fasciti plantari croniche che voleva riuscire a sconfiggerle correndo con scarpe dalla suola fine, più simili a ciabatte che a scarpe vere e proprie. La dottoressa Davis gli disse che era fuori di testa. E lui lo fece comunque.

«Con grande sorpresa della Davis» scrisse la rivista «BioMechanics» in seguito, «i sintomi della fascite plantare diminuirono e il paziente fu in grado di correre per brevi distanze con le scarpe.»

«È così che spesso impariamo qualcosa di nuovo: quando i pazienti non ci danno retta» rispose con umiltà la dottoressa Davis. «Penso che la diffusione delle fasciti plantari nel nostro paese sia in parte dovuta al fatto che non permettiamo veramente ai muscoli dei piedi di fare quello per cui sono stati progettati.» Era così impressionata dal recupero del suo paziente ribelle che cominciò addirittura ad aggiungere delle camminate a piedi nudi al proprio allenamento.

La Nike d'altra parte non guadagna 17 miliardi di dollari l'anno lasciando i vari Ted gli Scalzi liberi di lanciare nuove mode. Poco dopo che i due agenti della Nike furono tornati da Stanford con la notizia che la diffusione della corsa a piedi nudi era giunta perfino sulle piste di atletica degli sport universitari di alto livello, la Nike si mise subito al lavoro per vedere se poteva fare soldi grazie al problema che aveva precedentemente creato.

Incolpare dell'epidemia di infortuni podistici la grande e malvagia Nike potrebbe sembrare un po' troppo semplicistico, ma in fondo non è sbagliato, dato che in gran parte la colpa è sua. L'azienda fu fondata da Phil Knight, un corridore dell'Università dell'Oregon capace di vendere qualsiasi cosa, e da Bill Bowerman, un allenatore dell'Università dell'Oregon convinto di sapere tutto. Prima che questi due uomini si mettessero in società, le moderne scarpe da corsa non esistevano. E non esistevano neanche i moderni infortuni legati alla corsa.

Per essere uno che ha detto a così tante persone come dovevano correre, bisogna riconoscere che Bowerman non era un gran corridore. Cominciò a fare un po' di jogging all'età di cinquant'anni, dopo aver passato qualche tempo in Nuova Zelanda con Arthur Lydiard, il padre della corsa finalizzata al benessere e l'allenatore di corsa sulla lunga distanza più influente che sia mai esistito. Alla fine degli anni Cinquanta Lydiard aveva aperto un club di jogging a Auckland per aiutare il recupero degli infartuati. La cosa all'epoca era molto controversa; i medici erano certi che Lydiard stesse organizzando qualcosa di simile a un suicidio di massa. Ma quando gli ex malati si resero conto di quanto stavano meglio dopo un paio di settimane di corsa, cominciarono a invitare mogli, figli e genitori ad andare a correre con loro per un paio d'ore.

All'epoca in cui Bill Bowerman andò a trovarlo per la prima volta nel 1962, il gruppo di corsa della domenica mattina di Lydiard era l'appuntamento più importante di Auckland. Bowerman tentò di unirsi a loro, ma la sua forma fisica era così infima che dovette farsi aiutare da un settantatreenne sopravvissuto a tre trombosi coronariche. «La sola cosa che mi tenne in vita fu la speranza di morire» avrebbe detto in seguito.

Quando Bowerman tornò a casa si era ormai convertito, e subito scrisse un best-seller il cui titolo presentava al pubblico americano una nuova parola e una nuova ossessione:

*Jogging*. Oltre a scrivere e allenare, Bowerman era impegnato a rovinare i suoi nervi e la macchina per fare le crêpe di sua moglie fondendo della gomma nel suo garage allo scopo di produrre un nuovo tipo di calzatura. Questi esperimenti lasciarono Bowerman con un sistema nervoso debilitato, ma gli regalarono anche le scarpe da corsa più ammortizzanti mai create. In un accesso di umorismo nero, le chiamò Cortez – dal nome del *conquistador* spagnolo che saccheggiò il Nuovo Mondo e innescò una devastante epidemia di vaiolo.

La grande mossa di Bowerman fu promuovere un nuovo tipo di corsa che era possibile solo grazie a un nuovo tipo di scarpa. Le Cortez permettevano di correre in sicurezza in un modo fino ad allora impensabile: atterrando sull'osso del calcagno. Prima dell'invenzione delle scarpe ammortizzate, i corridori avevano, di epoca in epoca, lo stesso stile: Jesse Owens, Roger Bannister, Frank Shorter e perfino Emil Zatopek correvano tutti con la schiena dritta, le ginocchia piegate e i piedi che spingevano al suolo perfettamente sotto le anche. Non c'era scelta: l'urto veniva assorbito unicamente dalla compressione delle gambe e dal fatto di atterrare sullo spesso strato di grasso sotto il piede. Fred Wilt confermò tutto ciò nel suo classico sulla corsa su pista, *How They Train* (Come si allenano), del 1959, in cui spiegava in dettaglio le tecniche di più di ottanta tra i migliori corridori al mondo. «La parte anteriore del piede compie un leggero movimento verso la pista in basso e all'indietro (non un colpo forte o una caduta) mentre il bordo esterno della pianta del piede è il primo a toccare la pista» scrive Wilt. «La progressione della corsa deriva da queste forze che spingono indietro il baricentro del corpo...»

In effetti, quando nel 1984 il progettista biomedico Van Phillips creò una protesi all'avanguardia per i corridori mutilati, non si preoccupò minimamente di fornire alla protesi un calcagno. Da corridore che aveva perso la gamba sinistra dal ginocchio in giù in un incidente di sci acquatico, Phillips comprese che il calcagno è fatto solo per stare in piedi, e non per muoversi. La protesi a forma di C elaborata da Phillips, detta anche «zampa di ghepardo», riproduce il movimento di una gamba reale in maniera così efficace da permettere al corridore sudafricano Oscar Pistorius, cui sono state amputate tutte e due le gambe, di partecipare alle gare di velocità più importanti al mondo.

Ma Bowerman ebbe un'idea: è possibile riuscire a distanziare gli avversari facendo il passo davanti al baricentro. Metti un pezzo di gomma sotto il tallone, rifletteva, e potrai rafforzare la gamba, atterrare sul tallone e allungare la falcata. In *Jogging* mise quindi a confronto i due stili: con il collaudato passo «a piede pari», riconosceva che «l'intera superficie del piede ammortizza il passo e non affatica il resto del corpo». Nondimeno, era convinto che il passo «dal tallone alle dita del piede» sarebbe stato «meno faticoso sulle lunghe distanze». A patto di avere le scarpe adatte.

Il marketing di Bowerman fu brillante. «Lo stesso uomo creò il mercato per un prodotto e poi creò il prodotto stesso» osservò un giornalista economico dell'Oregon. «È geniale; è esattamente il tipo di cose che si studiano nelle scuole di economia.» Il socio di Bowerman, il corridore trasformatosi in imprenditore Phil Knight, mise su un'azienda di produzione in Giappone e cominciò a vendere scarpe prima ancora che fossero uscite dalla catena di montaggio. «Con l'ammortizzazione Cortez probabilmente eravamo in una situazione di monopolio già nell'anno olimpico 1972» gongolava Knight. Quando le altre ditte cominciarono a darsi da fare per copiare il nuovo tipo di scarpa, il «baffo» della Nike era già una potenza mondiale.

Entusiasta per l'accoglienza riservata ai suoi progetti artigianali, Bowerman lasciò campo libero alla sua creatività. Pensava a una scarpa resistente all'acqua fatta di pelle di pesce, ma poi il progetto restò sulla carta. In seguito tirò fuori la LD-1000 Trainer, una scarpa con una suola così ampia che sembrava di correre con delle tortiere ai piedi. Bowerman immaginò di poter annullare la pronazione, trascurando il fatto che, a meno che i piedi dei corridori non corressero perfettamente dritti, il tallone svasato gli avrebbe torto la gamba. «Anziché stabilizzare, accelerava la pronazione e faceva danni sia ai piedi sia alle caviglie» racconta nella biografia di Bowerman l'ex corridore dell'Oregon Kenny Moore. La scarpa che avrebbe dovuto farvi fare il passo perfetto, in altre parole, funzionava solo se il passo perfetto ce l'avevate già. Quando Bowerman comprese che stava provocando infortuni, anziché prevenirli, dovette fare marcia indietro, riducendo nelle versioni successive l'ampiezza del tallone della scarpa.

Tornato in Nuova Zelanda, nel frattempo, uno sbigottito Arthur Lydiard guardava i fiumi di merci che partivano dall'Oregon e si chiedeva cosa mai si fosse messo a fare il suo amico. Rispetto a Bowerman, Lydiard era di gran lunga una mente atletica superiore; aveva allenato molti campioni olimpici e detentori di record mondiali, e aveva creato un metodo di allenamento che resta il metro di paragone aureo per tutti quelli successivi. A Lydiard piaceva Bill Bowerman e lo rispettava come allenatore, ma buon Dio! Cos'era quella spazzatura che si era messo a vendere?

Lydiard sapeva che tutti quei discorsi sulla pronazione erano aria fritta buona solo per la pubblicità. «Se chiedete a una persona di qualsiasi età di togliersi le scarpe e correre per il corridoio, quasi sempre vi renderete conto che il movimento del piede non presenta tracce né di pronazione né di supinazione» si lamentava Lydiard. «Questi piegamenti laterali delle caviglie cominciano solo quando la gente infila i piedi dentro queste scarpe, dato che la fattura di molte scarpe altera immediatamente il movimento naturale del piede.»

«Noi correvamo con scarpe di tela» proseguì Lydiard «e non soffrivamo mai di fasciti plantari, non pronavamo né supinavamo; magari poteva succedere che la tela ruvida ci grattasse via un po' di pelle durante una maratona ma, in generale, non avevamo problemi ai piedi. Pagare diverse centinaia di dollari per le ultime scarpe da corsa ad alta tecnologia non garantisce affatto di prevenire questi infortuni, e può anzi essere una garanzia che prima o poi vi infortunerete.»

A un certo punto perfino Bowerman fu colto dal dubbio. Mentre la Nike continuava ad andare a gonfie vele, producendo una sorprendente varietà di scarpe e cambiando modelli ogni anno solo per avere qualcosa di nuovo da mettere sul mercato, Bowerman sentì che la sua missione originaria di fare scarpe oneste era stata erosa da una nuova ideologia, che si poteva riassumere in due parole: «Fare soldi». La Nike, si lamentò in una lettera a un collega, stava «distribuendo un bel po' di spazzatura». Perfino a uno dei soci fondatori della Nike, a quanto pareva, le parole del sociologo Eric Hoffer suonavano vere: «Ogni grande causa comincia come movimento, poi diventa un affare e finisce in una truffa».

Bowerman morì nel 2002, nel momento in cui il movimento dei Piedi Scalzi cominciò a diffondersi, e così la Nike tornò dal suo vecchio mentore per vedere se questa cosa della corsa senza scarpe poteva avere un qualche valore. «Certo!» si dice che abbia grugnito Arthur Lydiard. «Se sostenete un'area, quella s'indebolisce. Se la usate intensivamente, invece, diventa più forte... Correte scalzi e vedrete che non avrete più tutti questi problemi.»

«Le scarpe che lasciano muovere il piede come se fosse scalzo: ecco le scarpe migliori secondo me» concluse Lydiard.

Anche la Nike impiegò i propri mezzi per tenere dietro a questa nuova esplosione. Jeff Pisciotta, un veterano del laboratorio di ricerca della Nike, mise insieme venti corridori su un terreno erboso e li filmò mentre correvano a piedi nudi. Quando zoomò per vedere più da vicino, rimase sbalordito da quello che scoprì: anziché sbattere al suolo come quando sono nelle scarpe, i piedi si comportavano come se fossero animali dotati di cervello: si stiravano, afferravano il terreno, lo cercavano con le dita aperte, planavano sull'erba come cigni sulla superficie di un lago.

«È bellissimo da vedere» mi disse in seguito un Pisciotta ancora incantato. «Questo ci spinse a pensare che quando indossiamo una scarpa cominciamo a perdere parte del controllo.» Immediatamente sguinzagliò il suo team per raccogliere più filmati possibile delle civiltà in cui ci si muove a piedi nudi. «Trovammo gente in tutto il pianeta che ancora corre scalza, e quello che si vede è che durante la propulsione e l'atterraggio ha un ventaglio di movimenti del piede molto più ampio e che coinvolge di più le dita. I loro piedi si flettono, si stendono, si aprono e afferrano il terreno, e in questo modo hanno meno pronazione e distribuiscono meglio la pressione.»

Di fronte alla conclusione quasi inevitabile che fino a quel momento non aveva venduto altro che aria fritta, la Nike decise di tentare anche un nuovo tipo di frittura, in linea con le nuove richieste del mercato; Jeff Pisciotta divenne il capo di un progetto top secret apparentemente impossibile: trovare un modo per far soldi con la corsa a piedi nudi.

Ci vollero due anni di lavoro prima che Pisciotta fosse pronto a svelare il suo capolavoro. Fu presentato al mondo con una pubblicità televisiva in cui venivano mostrati così tanti atleti scalzi (maratoneti kenioti che correvano su sentieri sterrati, nuotatori che arricciavano le dita dei piedi sul blocco di partenza, ginnasti, danzatori brasiliani di capoeira e arrampicatori e lottatori e maestri di karate e giocatori di beach soccer) che dopo un po' diventava difficile ricordare chi ancora indossava scarpe, e perché.

Sopra le immagini apparivano messaggi motivazionali: «I tuoi piedi sono le tue fondamenta. Risvegliali! Rinforzali! Riavvicinali al suolo... La tecnologia naturale permette un movimento naturale... Potere ai piedi!». Sulla pianta di un piede nudo era scarabocchiata la frase: «La tua performance comincia qui». E poi arrivava il gran finale: mentre la canzone *Tip-Toe through the Tulips* andava in crescendo in sottofondo, le immagini tornavano ai kenioti, i cui piedi scalzi adesso indossavano una scarpa molto sottile. È la nuova Nike Free, una baffuta pantofola più sottile perfino della vecchia Cortez.

E sapete qual era lo slogan?

«Corri scalzo.»

# XXVI

> Questa città ti strappa le ossa dalla schiena, piccola;
> è una trappola mortale, è un invito al suicidio.
>
> BRUCE SPRINGSTEEN, *Born to Run*

Avendo notato che Caballo Blanco era arrossito d'orgoglio, provai a pensare a qualcosa di carino da dirgli.

Eravamo appena arrivati a Batopilas, un'antica città mineraria nascosta duemilacinquecento metri sotto l'orlo del canyon. Fu fondata quattrocento anni fa, quando gli spagnoli scoprirono dei minerali che contenevano argento nel fiume sassoso, e da allora non è molto cambiata. È ancora una piccola schiera di case che costeggiano l'argine del fiume, un posto in cui il numero degli asini è pari a quello delle automobili e il primo telefono è stato installato quando nel resto del mondo si cominciavano a programmare gli iPod.

Per scendere fin qui occorre avere uno stomaco di ferro e una fede suprema nei propri compagni (e soprattutto nell'autista dell'autobus). Il solo modo per arrivare a Batopilas è una strada sterrata che si avvita a spirale costeggiando il dirupo e coprendo un dislivello di più di duemila metri in meno di 15 chilometri. Mentre l'autobus si sforzava di restare in carreggiata su curve ampie quanto forcine per capelli, noi ci stringevamo gli uni agli altri con gli occhi fissi sulle carcasse delle auto che giacevano in fondo al dirupo, i cui guidatori evidentemente avevano sbagliato di qualche centimetro a calcolare le distanze. Due anni più tardi, Caballo avrebbe dato il suo contributo al cimitero d'acciaio quando il pick-up che stava guidando superò l'orlo del dirupo e rotolò giù. Caballo riuscì a tuffarsi fuori dalla macchina appena in tempo, e vide il pick-up esplodere sotto di sé. Più tardi qualcuno andò a recuperare frammenti della carcassa di metallo carbonizzata per farne amuleti portafortuna.

Quando l'autobus arrivò alle porte della cittadina, scendemmo, ancora un po' irrigiditi, con le facce coperte di polvere e sudore come colori di guerra, esattamente come mi era apparso Caballo la prima volta in cui l'avevo visto. «Eccola qui!» gridò lui con gioia. «Questa è casa mia.»

Ci guardammo intorno, ma l'unica cosa che vedemmo erano le rovine di un'antica missione di là dal fiume. Il tetto non c'era più e i muri di mattoni rossi stavano crollando nel canyon rossastro da cui erano stati tratti, come un castello di sabbia che si dissolve senza lasciare tracce. Era perfetto; Caballo aveva trovato la casa ideale per un fantasma vivente. Riuscivo a malapena a immaginare quanto potesse essere spaventoso passare da queste parti di notte e vedere la sua ombra mostruosa che danzava attorno a un falò, vagando tra le rovine come un nuovo Quasimodo.

«Wow, è veramente qualcosa di... ehm... insolito» dissi.

«No» disse lui. «Seguitemi.» Si diresse dietro di noi, verso un sentiero per le capre che scompariva tra i cactus. Caballo cominciò a salire e noi lo seguimmo, aggrappandoci agli arbusti per non cadere mentre scivolavamo sul sentiero roccioso.

«Maledizione, Caballo» disse Luis. «Questo è l'unico vialetto d'ingresso al mondo che ha bisogno di segnali per non perdersi e di una stazione di soccorso al chilometro tre.»

Dopo un centinaio di metri attraversammo un folto boschetto di limoni selvatici e trovammo una piccola capanna con i muri d'argilla. Caballo l'aveva costruita trascinando a mano le rocce del fiume, facendo avanti e indietro su quell'infido sentiero centinaia di volte. Quella capanna gli si addiceva ancor più delle rovine della missione; qui, nella fortezza della sua solitudine costruita a mani nude, poteva vedere l'intera vallata del fiume senza essere visto.

Entrammo e vedemmo che Caballo aveva un piccolo letto da campo, un mucchio di vecchi sandali sportivi e, disposti su uno scaffale accanto a una lampada a cherosene, tre o quattro libri su Cavallo Pazzo e altri nativi americani. E basta; non c'era elettricità, né acqua corrente, né gabinetto. Sul retro, Caballo aveva tagliato qualche cactus e ripulito una piccola area per rilassarsi dopo una corsa, distendersi con qualcosa da fumare e fissare questa terra selvaggia e primordiale. Quale che fosse la complicata parola di Heidegger alla quale faceva riferimento Ted lo Scalzo, nessuno poteva essere un'espressione della propria casa più perfetta di quanto Caballo lo era della sua capanna.

Caballo era ansioso di darci da mangiare e liberarsi di noi per potersi fare una bella dormita. I giorni successivi ci avrebbero preso tutta l'energia che avevamo, e nessuno di noi si era riposato molto dalla sera di El Paso. Ci accompagnò di nuovo lungo il suo bizzarro vialetto d'ingresso e poi sulla strada della città fino a un minuscolo negozio che si apriva sulla via dalla finestra di una casa privata; bastava infilare la testa dentro e chiedere a Mario, il negoziante, ciò che serviva. Al piano di sopra, Mario ci affittò delle stanzette, e una doccia fredda in fondo al corridoio. Caballo voleva che posassimo le borse e andassimo immediatamente a mangiare, ma Ted lo Scalzo volle prima fare una doccia per togliere la sporcizia accumulata nel viaggio. Poco dopo uscì gridando.

«Gesù! Nella doccia ci sono dei fili scoperti. Rischiavo di restare fulminato!»

Eric mi lanciò un'occhiata. «Credi che sia stato Caballo?»

«Legittima difesa» dissi. «Nessuna giuria lo condannerebbe.» Il fronte tempestoso che si era addensato fra Ted lo Scalzo e Caballo Blanco non era migliorato per niente da quando eravamo partiti da Creel. Durante una sosta del viaggio, Caballo scese dal tettuccio e si fece strada nel retro dell'autobus per sfuggirgli. «Quel tizio non sa cosa sia il silenzio» disse fumando di rabbia. «Viene da Los Angeles: è convinto che ogni spazio vada riempito di rumore.»

Dopo esserci sistemati da Mario, Caballo ci portò da un'altra delle sue Mamás. Non dovemmo nemmeno ordinare: appena arrivammo, Doña Mila cominciò a tirare fuori tutto quello che aveva in frigo. Presto cominciarono a girare vassoi di *guacamole, frijoles,* fette di nopal e pomodoro annaffiate di aceto piccante, riso spagnolo e un saporito stufato di manzo e fegatini di pollo.

«Portatevene via un po'» disse Caballo. «Vi verrà bene domani.» Ci avrebbe portati a fare un'escursione di riscaldamento, giusto una scampagnata su una montagna vicina per darci un assaggio del terreno che avremmo dovuto affrontare durante la gara. Continuava a ripetere che non sarebbe stata niente di che, ma poi ci avvertì che avremmo fatto meglio a smettere di mangiare e andare dritti a letto. Mi preoccupai ancora di più quando un vecchio americano con i capelli bianchi entrò tranquillamente nella stanza e si unì a noi.

«Come va la bardatura, Ronzino?» salutò il vecchio. Si chiamava Bob Francis. Negli anni Sessanta aveva vagato per il Messico fino ad arrivare a Batopilas, e una parte di lui non se n'era più andata. Anche se aveva figli e nipoti a San Diego, Bob passava comunque la maggior parte dell'anno in giro per i canyon intorno a Batopilas, a volte facendo da guida agli escursionisti, a volte andando a far visita a Patricio Luna, un suo amico tarahumara nonché zio di Manuel Luna. Si erano incontrati trent'anni prima, un giorno in cui Bob si era perso nei canyon. Patricio lo trovò e lo portò per la notte nella grotta della sua famiglia.

In virtù della sua lunga amicizia con Patricio, Bob è uno dei pochi statunitensi ad aver partecipato a una *tesgüinada* tarahumara (la festa-maratona a base di birra che precede – e a volte previene – le corse e i giochi con la palla). Nemmeno Caballo aveva raggiunto quel livello di confidenza con i Tarahumara e, dopo aver sentito le storie di Bob, non era neanche tanto sicuro di volerlo raggiungere.

«All'improvviso i Tarahumara di cui ero stato amico per anni, persone che sapevo essere degli *amigos* timidi e gentili, mi vengono a parlare con la faccia a due centimetri dalla mia e mi danno degli spintoni col petto, vomitando insulti e pronti a venire alle mani» disse Bob. «Intanto le loro mogli si nascondono tra gli arbusti con altri uomini e le figlie più grandi fanno la lotta nude. I bambini invece non possono partecipare, potete immaginare perché.»

Non ci sono regole in una *tesgüinada*, spiegò Bob, perché la colpa di tutto quel che succede è attribuita al peyote, alla tequila di contrabbando e al *tesgüino*, la forte birra di mais. Per quanto possano diventare selvagge, queste feste servono a uno scopo nobile e sobrio: funzionano come una valvola di sfogo per le emozioni più esplosive. Proprio come tutti gli altri, i Tarahumara nutrono desideri inconfessati e rancori, ma in una società in cui ognuno conta sugli altri e non c'è polizia a mediare, ci deve essere un modo per soddisfare i desideri lussuriosi e sistemare le vecchie ruggini. E cosa può funzionare meglio di una festa (molto) alcolica? Tutti si abbrutiscono, si lasciano andare in maniera sfrenata e poi, castigati dalle ammaccature e dai postumi, si danno una spolverata e se ne tornano alla loro vita quotidiana.

«Avrei potuto sposarmi o essere ammazzato venti volte, prima dell'alba» disse Bob. «Ma sono stato abbastanza intelligente da mettere giù il boccale e tirarmi fuori di lì prima che cominciassero le mascalzonate più serie.» Se c'era un forestiero che conosceva le Barrancas almeno quanto Caballo quello era Bob, e questo era il motivo per cui, anche se era abbastanza brillo e un po' farneticante, lo ascoltai con molta attenzione quando si mise a parlare con Ted.

«Queste merde che hai ai piedi si distruggeranno, domani» disse Bob, indicando le FiveFingers di Ted.

«Non le porterò» disse Ted.

«Mi sembra una risposta sensata» disse Bob.

«Correrò scalzo» disse Ted.

Bob si voltò verso Caballo. «Ci sta prendendo in giro, Ronzino?»

Caballo si limitò a sorridere.

L'indomani mattina presto, Caballo venne da noi mentre l'alba stava sorgendo sul canyon. «Domani andremo laggiù» disse Caballo, indicando dalla finestra della mia stanza una montagna che si stagliava in lontananza. Tra noi e la montagna c'era un mare di colline così cariche di vegetazione che era difficile capire come un sentiero potesse farsi strada lì in mezzo. «Stamani invece faremo una corsetta su una di quelle ragazzine.»

«Di quanta acqua avremo bisogno?» chiese Scott.

«Io porto solo questa» disse Caballo, scuotendo una bottiglietta di plastica da mezzo litro. «In cima c'è una fonte di acqua fresca per riempirla di nuovo.»

«Cibo?»

«Non ce n'è bisogno» scrollò le spalle Caballo. «Saremo di ritorno per pranzo». Dopodiché lui e Scott andarono a prendere gli altri.

«Io sull'acqua non mi faccio sconti» mi disse Eric, riempiendo la sacca d'acqua da tre litri incorporata nel suo zaino. «Fossi in te farei lo stesso.»

«Sul serio? Ma Caballo ha detto che sarà una corsetta di una quindicina di chilometri.»

«Non può fare che bene prendere il massimo delle precauzioni quando vai a correre in mezzo al nulla» disse Eric. «Anche se non è necessario, è comunque un buon allenamento per quando ce ne sarà bisogno. E poi non si sa mai: magari succede qualcosa e finisce che resti fuori più a lungo del previsto.»

Posai la mia bottiglietta e andai a prendere il mio zaino con sacca d'acqua incorporata. «Porta le pillole di iodio, nel caso dovessimo purificare dell'acqua. E porta anche qualche gel» aggiunse Eric. «In un giorno di gara, avrai bisogno di duecento calorie l'ora; il trucco è imparare a prenderle poco per volta, così hai un apporto costante di carburante senza appesantire lo stomaco. Questo di oggi sarà un buon esercizio.»

Attraversammo Batopilas a piedi, passando davanti ai negozianti che spruzzavano acqua sulle pietre per non far sollevare la polvere. Bambini con camicie bianche immacolate e i capelli neri lisciati con l'acqua interrompevano le loro chiacchierate per augurarci educatamente *buenos días*.

«Farà caldo oggi» disse Caballo, quando entrammo in un negozio senza insegna. «*¿Hay teléfono?*» chiese alla donna che ci aveva accolti. C'è un telefono?

«*Todavía no*» disse lei, scuotendo la testa con rassegnazione. Non ancora. Clarita aveva i due soli telefoni pubblici di tutta Batopilas, ma il servizio era stato messo fuori uso tre giorni prima, e le onde radio erano l'unica forma di comunicazione disponibile. Per la prima volta mi resi davvero conto di quanto fossimo tagliati fuori; non c'era modo di sapere cosa stava succedendo nel mondo esterno, o di far sapere al mondo esterno cosa stava succedendo a noi. Stavamo dando a Caballo una fiducia enorme, e ancora una volta mi domandai perché; per quanto si potesse conoscere quell'uomo, pareva ancora una follia l'aver messo le nostre vite nelle mani di un tizio a cui non sembrava importare troppo neanche della propria.

Ma per il momento il brontolio dello stomaco e l'aroma della colazione che aveva preparato Clarita riuscirono ad allontanare questi pensieri. Clarita ci servì grandi vassoi di *huevos rancheros*, uova fritte insaporite con la salsa della casa e con coriandolo appena tritato, disposte sopra spesse *tortillas* fatte a mano. Il cibo era troppo delizioso per divorarlo come lupi affamati, e mangiammo quindi con molta calma, riempiendo diverse volte le nostre tazze di caffè prima di andarcene. Io ed Eric seguimmo l'esempio di Scott e incartammo una *tortilla* extra da mangiare più tardi.

Solo dopo aver finito di mangiare mi resi conto che i Ragazzini Festaioli non si erano ancora fatti vivi. Controllai l'orologio; erano già quasi le dieci.

«Li molliamo qui» disse Caballo.

«Faccio una corsa a recuperarli» si offrì Luis.

«No» disse Caballo. «Potrebbero essere ancora a letto.

Dobbiamo partire subito se vogliamo evitare il solleone pomeridiano.»

Forse era meglio così; potevano sfruttare la giornata per reidratarsi e riposare in vista della scalata dell'indomani. «Fate in modo che non cerchino di raggiungerci per nessun motivo» disse Caballo al padre di Luis, che sarebbe rimasto in paese. «Se si perdono là fuori, non li rivedremo mai più. Non sto scherzando.»

Eric e io stringemmo le nostre sacche d'acqua e io mi misi una bandana sulla testa. Faceva già caldo. Caballo scivolò in una fessura nel muro di sostegno e cominciò a farsi strada tra i sassi in riva al fiume. Ted lo Scalzo si spinse in avanti per raggiungerlo, mostrando con che agilità poteva saltellare da un sasso all'altro a piedi nudi. Se anche Caballo ne fu impressionato, non lo diede comunque a vedere.

«EHI RAGAZZI, ASPETTATE!» Jenn e Billy stavano correndo giù per la strada per raggiungerci. Billy aveva la maglietta in mano e Jenn le stringhe delle scarpe slacciate.

«Sicuri di voler venire?» chiese Scott quando arrivarono con il fiatone. «Non avete neanche mangiato.»

Jenn spezzò una barretta energetica e ne porse metà a Billy. Avevano una minuscola bottiglietta d'acqua a testa, che non conteneva neanche sei sorsi d'acqua. «Siamo a posto» disse Billy.

Seguimmo l'argine roccioso del fiume per un chilometro e mezzo, poi voltammo in un canale senz'acqua. In silenzio, tutti quanti cominciammo a correre a passo lento. Il canale, ampio e sabbioso, permetteva a Scott e a Ted lo Scalzo di correre al fianco di Caballo.

«Guarda i loro piedi» disse Eric. Anche se Scott portava le scarpe da sterrato Brooks che aveva contribuito a progettare e Caballo era in sandali, entrambi accarezzavano il terreno con i piedi nello stesso modo in cui lo accarezzavano i piedi nudi di Ted, e così i loro sei piedi si muovevano in perfetta sintonia. Era come vedere una squadra di cavalli lipizzani che corrono sulla pista di un circo.

Dopo un altro chilometro e mezzo, Caballo svoltò su una ripida salita scabra e rocciosa che si inerpicava sulla montagna. Io ed Eric rallentammo fino a tornare a camminare, mettendo in pratica il credo dell'ultramaratoneta: «Se non riesci a vedere la vetta, meglio camminare». Quando si corre una gara di 80 chilometri, non c'è nessun vantaggio nel darci dentro in salita per poi ritrovarsi in affanno durante la discesa; camminando si perdono solo pochi secondi, e poi si possono recuperare andando più veloci in discesa. Eric crede che questo sia il motivo per cui gli ultramaratoneti non si fanno mai male e danno sempre l'impressione di non sentirsi completamente esausti: «Sanno come allenarsi senza strapparsi».

Dopo poco raggiungemmo Ted lo Scalzo, che aveva dovuto rallentare per camminare su dei sassi appuntiti delle dimensioni di un pugno. Diedi un'occhiata alla strada che avevamo davanti: c'era ancora almeno un chilometro e mezzo di rocce frastagliate da scalare prima di tornare a correre su un terreno piano e, si sperava, più liscio.

«Ted, dove sono le tue FiveFingers?» chiesi.

«Non mi servono» disse. «Ho fatto un patto con Caballo: ha promesso che se riesco a fare questa salita scalzo non si arrabbierà più se vado a piedi nudi.»

«È una scommessa truccata» dissi. «Correre qui è come correre sul pendio di una cava di ghiaia.»

«Non sono stati gli uomini a inventare le superfici irregolari, Oso» disse Ted. «Noi semmai abbiamo inventato le superfici *lisce*. Il tuo piede è felicissimo di modellarsi sulla roccia. Tutto quello che devi fare è rilassarti e lasciare che il piede resti flessibile. È come un massaggio al piede. Ehi!» ci gridò dietro Ted quando io e Eric lo distaccammo. «Ascoltate il mio consiglio: la prossima volta che vi fanno male i piedi, andate a camminare sui sassi scivolosi di un torrente freddo. È incredibile!»

Io ed Eric lasciammo che Ted se le cantasse e se le suonasse, mentre saltellava tra i sassi. Il bagliore delle pietre era accecante e la temperatura continuava ad aumentare: avevamo l'impressione di fare un'ascensione verso il sole. In un certo senso, era proprio così; dopo tre chilometri, controllai l'altimetro del mio orologio e vidi che eravamo già saliti di quasi trecento metri. Presto, però, il sentiero diventò pianeggiante e si ammorbidì, passando dalle pietre a un terreno meno aggressivo per i piedi.

Per ridurre la distanza di un centinaio di metri che ci separava dagli altri, io ed Eric cominciammo ad accelerare. Prima che li avessimo raggiunti, Ted lo Scalzo arrivò a gran velocità. «È il momento di farsi una bevuta» disse agitando la sua bottiglia vuota. «Vi aspetto alla fonte.»

Il sentiero tornò improvvisamente a salire, zigzagando in su e in giù come se fossimo sulle montagne russe. Cinquecento metri di dislivello... settecentocinquanta... Curvammo su un pendio in cui avevamo l'impressione che ogni passo ci facesse avanzare solo di pochi centimetri. Dopo tre ore e quasi 10 chilometri di scalata, non eravamo ancora alla fonte, e non avevamo più trovato un'ombra da quando avevamo lasciato l'argine del fiume.

«Visto?» disse Eric, agitando il boccaglio della sua sacca d'acqua. «Gli altri staranno morendo di sete.»

«E di fame» aggiunsi, aprendo una barretta di muesli.

A mille metri di altezza, trovammo Caballo e il resto della truppa che ci aspettavano nell'incavo di un albero di ginepro. «Vi servono delle pastiglie di iodio?» chiesi.

«Non credo» disse Luis. «Date un'occhiata.»

Sotto l'albero c'era una vasca rocciosa naturale scavata da secoli di gocce stillanti dalla sorgente d'acqua. Solo che dell'acqua non c'era traccia. «C'è la siccità» disse Caballo. «Me l'ero scordato.»

Ma forse c'era ancora acqua in un'altra fonte qualche centinaio di metri più in alto. Caballo si offrì volontario per andare a controllare. Jenn, Billy e Luis avevano troppa sete per restare ad aspettare e lo accompagnarono. Ted diede a Luis la sua bottiglia da riempire e si mise ad aspettare all'ombra insieme a noi. Gli feci prendere qualche sorso d'acqua dalla mia sacca, mentre Scott condivise un po' di pita e di hummus.

«Non usi i gel energetici?» chiese Eric.

«Preferisco il cibo vero» disse Scott. «È altrettanto comodo da portarsi dietro e ti dà calorie vere, non solo carburante per una spinta rapida.» Essendo un atleta celebre sponsorizzato dalle multinazionali, Scott poteva scegliere liberamente dall'intero buffet mondiale del nutrimento sportivo, ma dopo aver provato l'intero ventaglio delle possibilità – dalla carne di cervo agli Happy Meal, alle barrette biologiche – aveva finito per scegliere una dieta simile a quella dei Tarahumara.

«Essendo cresciuto in Minnesota, ho mangiato una quantità impressionante di cibo spazzatura» disse. «A pranzo di solito mangiavo un McChicken e una porzione grande di patatine fritte.» Quando al liceo era nella squadra di sci e in quella di corsa campestre, gli allenatori continuavano a dirgli che aveva bisogno di molta carne magra per ricostituire il tessuto muscolare dopo un allenamento pesante, eppure, più ricerche Scott faceva riguardo agli atleti di sport di resistenza, e più si imbatteva in vegetariani.

Come i monaci maratoneti in Giappone, di cui aveva appena letto la storia, che correvano un'ultramaratona *ogni giorno per sette anni*, coprendo qualcosa come 40 mila chilometri senza mangiare altro che zuppa di miso, tofu e verdure. E che dire di Percy Cerutty, il folle genio australiano che allenava alcuni dei più grandi specialisti della corsa sul miglio? Cerutty era convinto che il cibo non andasse neanche cotto, figurarsi se concepiva di macellarlo; faceva seguire ai suoi atleti, che facevano tre sessioni di allenamento al giorno, una dieta a base di avena cruda, frutta, noci e formaggio. Perfino Cliff Young, il contadino sessantatreenne che stupì l'Australia nel 1983 battendo i migliori ultramaratoneti del paese in una gara di 800 chilometri da Sydney a Melbourne, si nutriva soltanto di fagioli, birra e porridge («Davo da mangiare ai vitellini con le mie mani, e loro pensavano che io fossi la loro mamma» disse Young. «Non riuscivo a dormire le notti in cui sapevo che sarebbero stati macellati.» Passò a grano e patate, e ricominciò a dormire senza problemi. E anche a correre piuttosto bene, tra l'altro.)

Scott non era sicuro del motivo per cui le diete senza carne avessero funzionato bene per i grandi corridori della storia, ma immaginò di doversi fidare dei risultati anche prima di capire quale fosse la base scientifica su cui si fondavano. Da un certo momento in poi smise di mettere in bocca qualsiasi prodotto di origine animale (niente uova, niente formaggio, addirittura niente gelato) e cominciò a diminuire le farine e gli zuccheri. Smise di portarsi dietro snack e barrette energetiche durante le lunghe corse, mettendo invece nello zaino *burritos* di riso, pite con hummus e olive Kalamata, pane fatto in casa su cui spalmare salsa di fagioli azuki e quinoa. Quando ebbe una distorsione alla caviglia, lasciò perdere l'ibuprofene e contò invece su aconiti e porzioni giganti di aglio e zenzero.

«Naturalmente avevo dei dubbi» disse Scott. «Tutti mi dicevano che mi sarei indebolito, che tra un esercizio e l'altro non avrei recuperato, che avrei sofferto di fratture da stress e sarei diventato anemico. In realtà cominciai a sentirmi meglio, perché avevo cominciato a mangiare prodotti con nutrienti di qualità migliore. E, dopo aver vinto la Western States, non sono mai più tornato sui miei passi.»

Con la sua dieta a base di frutta, verdura e farine integrali, Scott trae il massimo nutrimento dal minor numero di calorie, e così il suo organismo non è costretto a portarsi dietro o a digerire carichi inutili.

E dato che i carboidrati lasciano lo stomaco più velocemente delle proteine, il vegetarianesimo permette di allenarsi più a lungo, poiché non costringe a stare fermi in attesa di aver digerito la massa di carne. Verdure, cereali e legumi contengono tutti gli aminoacidi necessari a ricostituire i muscoli dopo l'esercizio. Così Scott, come i corridori tarahumara, è in grado di correre per qualsiasi distanza in qualsiasi momento.

A meno, ovviamente, che non resti senz'acqua.

«Niente di buono, ragazzi» disse Luis quando tornò indietro. «Anche l'altra fonte è secca.» Cominciava a preoccuparsi; aveva appena provato a fare pipì, ma dopo quattro ore di sudate a una temperatura di 35 gradi, aveva espulso un liquido del colore di un caffè di infima qualità. «Credo che dovremmo correre a cercare dell'acqua, prima che sia troppo tardi.»

Scott e Caballo erano d'accordo. «Se ci diamo una mossa, in un'ora siamo in paese» disse Caballo. «Oso, tutto bene?» chiese rivolto a me.

«Tutto a posto» dissi. «Abbiamo ancora un po' d'acqua.»

«Dai, andiamo» disse Ted lo Scalzo.

Cominciammo a correre uno dietro l'altro sul sentiero, Caballo e Scott in testa. Ted lo Scalzo era incredibile; correva giù per la montagna tallonando Luis e Scott, due dei migliori corridori di discesa del mondo dell'ultramaratona. Con lo spirito di emulazione che quei talenti là davanti suscitavano negli altri, il ritmo della corsa stava diventando feroce. «*Evvaiiiiii! Sììììììììì!*» gridavano Jenn e Billy.

«Rallentiamo un po'» disse Eric. «Finiremo per schiantarci se cerchiamo di tenere il loro passo.»

Ci stabilizzammo su un ritmo più lento, restando molto indietro rispetto agli altri, che andavano a gran velocità su e giù per il sentiero. Correre in discesa può far male ai quadricipiti, per non parlare delle caviglie, quindi il trucco è fingere di correre in salita: far muovere i piedi sotto il corpo come un boscaiolo che corre su un tronco d'albero, e controllare la velocità piegandosi all'indietro e accorciando il passo.

A metà pomeriggio la temperatura nel canyon arrivò a 38 gradi. Avevamo perso di vista gli altri, quindi io ed Eric andavamo con calma, correndo senza affaticarci, bevendo spesso dalle nostre sacche per l'acqua, che si stavano svuotando rapidamente, e seguendo con attenzione la strada nell'intrico di sentieri. Non sapevamo che un'ora prima Jenn e Billy erano scomparsi.

«Il sangue di capra è *buono*» continuava a ripetere Billy. «Possiamo bere il sangue e poi mangiare la carne. La carne di capra è *buona.*» Aveva letto il libro di un tizio che era riuscito a non morire nel deserto dell'Arizona uccidendo a sassate un cavallo selvatico e succhiandone il sangue dalla gola. «Anche Geronimo lo faceva» pensò Billy. «Un attimo, forse era Kit Carson, non Geronimo...»

«Bere il sangue?» Jenn, che aveva la gola così riarsa che le faceva male parlare, si limitò a guardarlo. «Riusciamo a malapena a camminare e Testa di Legno parla di ammazzare una capra che non riusciremmo ad ammazzare neanche con un coltello che non abbiamo. È messo peggio di me. È...»

Improvvisamente, il suo stomaco si strinse così forte che non riusciva quasi a respirare. Aveva capito. Billy non diceva cose folli per via del caldo, ma le diceva perché l'unica cosa saggia da dire era la sola cosa che non erano disposti ad ammettere: erano spacciati.

In un giorno normale, niente al mondo avrebbe potuto lasciare indietro Jenn e Billy su una misera corsa di 10 chilometri, ma quello si stava rivelando un giorno tutt'altro che normale. Il caldo, i postumi e lo stomaco vuoto si erano fatti sentire prima che arrivassero a metà della discesa. Persero di vista Caballo in uno dei tornanti, poi imboccarono una strada a un bivio. Quello che realizzarono subito dopo fu che erano rimasti soli.

Disorientati, Jenn e Billy vagarono per la montagna e si trovarono in un labirinto di pietre che si diramava in tutte le direzioni. Le pareti rocciose riflettevano il calore in maniera così tremenda che Jenn sospettò che lei e Billy stessero andando istintivamente nella direzione che sembrava più ombreggiata. Jenn era confusa, come se la sua mente stesse galleggiando fuori dal corpo. Non avevano mangiato niente dal momento in cui si erano divisi una barretta energetica sei ore prima, e non avevano bevuto un sorso d'acqua da mezzogiorno. Anche se non li avesse presi un colpo di calore, Jenn sapeva che erano comunque condannati: i 40 gradi non sarebbero durati per sempre; la temperatura sarebbe calata... e poi sarebbe calata ancora. Di notte sarebbero morti assiderati, considerato che avevano indosso solo i pantaloncini da surfisti e la maglietta e che erano rimasti senz'acqua e al gelo in uno degli angoli più irraggiungibili del Messico.

Che cadaveri strani sarebbero stati, pensò Jenn mentre continuavano ad arrancare. Chiunque li avesse trovati si sarebbe chiesto come mai una coppia di bagnini ventiduenni in pantaloncini da surf fosse finita in fondo a un canyon in Messico; come se un'onda anomala li avesse trascinati lì direttamente dalla Bassa California. Jenn non aveva mai avuto tanta sete in vita sua; le era capitato di perdere cinque chili durante una corsa da 160 chilometri, ma non si era mai sentita disperata come in quel momento.

«Guarda!»

«La buona stella dei Testa di Legno!» si meravigliò Jenn. Sotto una pietra piana, Billy aveva visto una vasca d'acqua fresca. Corsero in direzione della vasca, aprendo le loro bottigliette d'acqua. Poi si fermarono di colpo.

Quell'acqua non era acqua. Era una fanghiglia nera con della schiuma verde, piena di mosche e dove erano passati capre e asini selvatici. Jenn si chinò per dare un'occhiata più da vicino. *Bleah!* L'odore era tremendo. Sapevano perfettamente cosa gli avrebbe provocato un sorso di quella roba: arrivata la notte, la febbre e la diarrea li avrebbero indeboliti troppo per continuare a camminare, oppure sarebbero stati infettati dal colera o dalla giardia o dal verme della Guinea, che non può essere curato se non estraendo vermi di un metro dagli ascessi che scoppiano sulla pelle e nelle orbite degli occhi.

Sapevano però anche cosa sarebbe successo se non avessero bevuto. Jenn aveva appena letto la storia dei due amici che si erano persi in un canyon in New Mexico ed erano impazziti per il calore dopo un solo giorno senz'acqua, al punto che uno aveva pugnalato e ucciso l'altro. Aveva anche visto le foto degli escursionisti che erano stati trovati nella Death Valley con la bocca piena di sabbia perché avevano passato gli ultimi istanti di vita a cercare di succhiare l'umidità dalla sabbia rovente. Lei e Billy potevano starsene alla larga dalla pozzanghera e morire di sete oppure buttare giù qualche sorso e rischiare di morire di qualche malattia.

«Lasciamo perdere» disse Billy. «Se tra un'ora non abbiamo ancora trovato la strada, torniamo qui.»

«D'accordo. Andiamo di qua?» disse Jenn, indicando la direzione opposta a Batopilas, dritto verso una landa selvaggia che si estendeva per 600 chilometri fino al Golfo di California.

Billy scrollò le spalle. Erano troppo di fretta e troppo intontiti, quella mattina, per prestare attenzione alla strada; non che facesse molta differenza, comunque, visto che in realtà ogni posto sembrava assolutamente identico a un altro. Camminando, Jenn si ricordò di come aveva preso in giro la madre la sera prima di partire con Bill per El Paso. «Jenn» l'aveva implorata sua madre, «non conosci quelle persone. Come sai che si prenderanno cura di te se qualcosa va storto?»

«Be'» pensò Jenn. «La mamma ci ha preso in pieno, stavolta.»

«Quanto tempo è passato?» chiese a Billy.

«Dieci minuti, più o meno.»

«Non ne posso più. Torniamo indietro.»

«Ok.»

Quando ritrovarono la pozzanghera, Jenn era pronta a inginocchiarsi e ingurgitare quella roba, ma Billy la trattenne. Spostò la fanghiglia, tolse il tappo e coprì il collo della bottiglia con una mano, prima di immergerla in fondo alla pozza e riempirla da lì, sperando che in qualche modo l'acqua che stava sotto lo sporco fosse meno contaminata. Diede la bottiglia a Jenn e poi riempì la sua allo stesso modo.

«Ho sempre saputo che prima o poi mi avresti ucciso» disse Jenn. Avvicinarono le bottiglie, fecero un brindisi e cominciarono a bere, sforzandosi di non vomitare.

Svuotarono le bottiglie, le riempirono di nuovo e tornarono a camminare in direzione della terra selvaggia che si estendeva a ovest. Dopo aver percorso un po' di strada, notarono che le ombre nel canyon si stavano allungando.

«Dobbiamo prendere più acqua» disse Billy. Non gli piaceva l'idea di dover tornare indietro, ma la loro unica speranza di passare la notte era di tornare alla pozza e restare accovacciati lì fino all'alba. Forse, se avessero bevuto tre bottiglie di quell'acqua, sarebbero stati abbastanza idratati per scalare la montagna e dare un'ultima occhiata in giro prima del buio.

Si voltarono e, ancora una volta, si trovarono nel labirinto.

«Billy» disse Jenn, «siamo davvero nei guai.»

Billy non rispose. Gli faceva malissimo la testa e non poteva togliersi dalla mente un verso di *Urlo* che continuava a echeggiargli nel cranio:

> ... che scomparivano nei vulcani del Messico non lasciando che l'ombra dei jeans e la lava e ceneri di poesia...*

«Scomparsi in Messico» pensò Billy. «Senza lasciare niente dietro di sé.»

«*Billy*» ripeté Jenn. Avevano passato anche momenti difficili, lei e Testa di Legno, ma alla fine avevano imparato come non spezzarsi il cuore a vicenda diventando buoni amici. Era stata lei a trascinare Billy in questa storia, e si sentiva più in pena per quello che sarebbe successo a lui che per se stessa.

«È così Billy, è davvero così» disse Jenn. Le lacrime cominciarono a rigarle il viso. «Moriremo qui. Moriremo qui, *oggi.*»

«ZITTA!» gridò Billy, così scosso dalle lacrime di Jenn da esplodere in una frenesia non proprio da Testa di Legno. «STAI ZITTA E BASTA!»

Questa esplosione di Billy sorprese entrambi, ed entrambi restarono in silenzio. E in quel silenzio, sentirono un suono: dei sassi che rotolavano da qualche parte dietro di loro.

«EHI!» gridarono all'unisono. «EHI! EHI! EHI!»

* A. Ginsberg, *Jukebox all'idrogeno*, trad. it. a cura di Fernanda Pivano, Parma, Guanda, 1992, p. 109. [*NdT*]

Cominciarono a correre, prima di rendersi conto che non sapevano a cosa stavano correndo incontro. Caballo li aveva avvertiti che se c'era un pericolo maggiore di perdersi, là fuori, era quello di essere trovati.

Jenn e Billy si bloccarono, cercando di scrutare nelle ombre sotto il bordo del canyon. Che fossero i Tarahumara? Un cacciatore tarahumara sarebbe stato invisibile, aveva detto Caballo; li avrebbe controllati a distanza e se non avesse gradito quello che vedeva sarebbe scomparso di nuovo nella foresta. E se fossero stati i narcos? Chiunque fosse, dovevano rischiare.

«Ehi!» gridarono. «Chi è là?»

Restarono in ascolto fino a che l'ultima eco delle loro voci scomparve. Poi un'ombra si staccò dalla parete del canyon e cominciò a muoversi verso di loro.

«Hai sentito?» mi chiese Eric.

Ci avevamo messo due ore a trovare la strada per scendere dalla montagna. Continuavamo a perderci e dovevamo fermarci per tornare indietro cercando di ricordare i segni sulla strada prima di riprendere. Le capre selvatiche avevano trasformato la montagna in una ragnatela di sentieri appena accennati che si incrociavano all'infinito, e con il sole che scompariva dietro le pareti del canyon diventava difficile capire in che direzione stavamo andando.

Alla fine vedemmo un torrente secco che ero abbastanza sicuro ci avrebbe portato al fiume. Appena in tempo, per di più; avevo finito la mia scorta d'acqua una mezz'ora prima e sentivo la bocca già impastata. Cominciai a correre, ma Eric mi richiamò. «Bisogna essere sicuri» disse, e tornò in alto per verificare la direzione.

«Sembra la strada giusta» disse. Cominciò a ridiscendere, e fu allora che sentimmo delle voci che facevano eco da qualche punto nel canyon. Mi chiamò, e cominciammo a seguire insieme l'eco delle voci. Poco dopo trovammo Jenn e Billy. Sul volto di Jenn scorrevano ancora le lacrime. Eric diede loro un po' della sua acqua, e io gli allungai il mio ultimo gel energizzante.

«Hai veramente bevuto quella roba?» chiesi guardando lo sterco di asino selvatico nella pozzanghera e sperando che la confondessero con un'altra.

«Sì» disse Jenn. «Eravamo appena tornati per prenderne ancora.»

Tirai fuori la mia macchina fotografica nel caso in cui uno specialista di malattie infettive avesse voluto vedere con precisione cosa era finito nelle budella di quei due. Per quanto fosse disgustosa, quella pozzanghera gli aveva salvato la vita: se Jenn e Billy non fossero tornati indietro per bere di nuovo in quel preciso momento, si sarebbero addentrati sempre di più nella terra di nessuno e le pareti del canyon si sarebbero chiuse dietro di loro.

«Riesci a correre ancora un po'?» chiesi a Jenn. «Non credo che siamo molto lontani dal villaggio.»

«Ok» disse Jenn.

Andammo a passo lento di corsa, ma quando sentirono l'effetto benefico dell'acqua e del gel, che li avevano fatti letteralmente risorgere, Jenn e Billy presero un ritmo al quale riuscivo a star dietro a fatica. Ancora una volta mi stupii della loro capacità di sfuggire alla morte. Eric ci portò fino al fiume, poi riconobbe un'ansa nella gola: curvammo a gomito a sinistra, e anche se la luce stava declinando riuscii a vedere nella polvere davanti a noi il segno di alcuni passi. Due chilometri e mezzo dopo emergemmo dalla gola e trovammo Scott e Luis che ci aspettavano in ansia appena fuori da Batopilas.

Comprammo quattro litri d'acqua in un piccolo negozio di alimentari e vi sciogliemmo dentro una manciata di pastiglie di iodio. «Non so se funzionerà» disse Eric «ma forse riuscirete a buttar fuori tutti i batteri che avete ingerito.»

Jenn e Billy sedettero sul marciapiede e cominciarono a bere. Scott intanto spiegò che nessuno si era accorto che si erano persi finché il resto del gruppo non era disceso dalla montagna. A quel punto, erano così pericolosamente disidratati che tornare indietro a cercarli sarebbe stato un rischio per tutti. Caballo aveva preso una bottiglia d'acqua ed era partito da solo, dicendo agli altri di restare uniti e non muoversi; l'ultima cosa che voleva era che quei *gringos* si disperdessero nei canyon di notte.

Una mezz'ora dopo, Caballo tornò a Batopilas, paonazzo e fradicio di sudore. Non ci aveva incrociato passando per le gole, e non appena aveva capito quanto fosse disperata una ricerca condotta da una persona sola, era sceso in città per cercare aiuto. Vide me ed Eric, stanchi ma sulle nostre gambe, e poi i giovani assi dell'ultramaratona, esausti e sconvolti sul marciapiede. Capii quello che Caballo stava pensando prima che lo dicesse.

«Qual è il tuo segreto, amico?» domandò a Eric indicando me. «Come hai fatto ad aggiustarlo in questo modo?»

# XXVII

Avevo conosciuto Eric un anno prima, subito dopo un episodio in cui mi ero strappato via le scarpe da corsa con un moto di disgusto e mi ero disteso in un torrente ghiacciato. Mi ero di nuovo fatto male – e sarebbe stata l'ultima volta, per quanto mi riguardava.

Appena rientrato dalle Barrancas, cominciai a mettere in pratica le lezioni di Caballo. Non vedevo l'ora di indossare le scarpe ogni pomeriggio per tentare di ritrovare la sensazione che avevo avuto sulle colline di Creel, quando correre dietro a Caballo faceva sembrare i chilometri così «facili, leggeri, lisci e veloci» che non volevo mai fermarmi. Quando correvo, mi proiettavo mentalmente un film di Caballo in azione, ricordando il modo in cui fluttuava sulle colline di Creel, come se fosse trasportato dagli alieni, tenendo in qualche modo tutto il corpo perfettamente rilassato, con l'eccezione di quegli ossuti gomiti, che pompavano energia con la potenza di un pugile. Nonostante fosse così allampanato, Caballo mi ricordava Mohammed Alì: sciolto come un'alga mossa dalle onde, ma con un pizzico di ferocia pronta a esplodere.

Dopo due mesi, facevo 10 chilometri al giorno, toccando i 15 nel weekend. La mia forma fisica non era ancora *liscia*, ma l'ago della bilancia continuava a oscillare abbastanza stabilmente tra *facile* e *leggero*. Stavo diventando anche un po' ansioso, però; per quanto la prendessi con calma, sentivo le gambe comunque sempre pronte a ribellarsi; quel piccolo lanciafiamme interno nel piede destro cominciava a emettere scintille e sentivo entrambi i polpacci vibrare, come se i tendini d'Achille fossero stati sostituiti con delle corde di pianoforte. Feci incetta di libri sullo stretching e dedicavo una diligente mezz'ora agli allungamenti prima di andare a correre, ma continuavo a sentire l'ombra minacciosa della siringa di cortisone del dottor Torg pendere su di me.

Verso la fine della primavera era giunto il momento di fare un test. Grazie a un'amica guardia forestale, mi capitò l'occasione perfetta: un percorso di 80 chilometri, da fare di corsa in tre giorni lungo il Salmon River, in Idaho: due milioni e mezzo di acri nella terra più selvaggia che si possa trovare negli Stati Uniti continentali. L'organizzazione era perfetta: le provviste sarebbero state trasportate da un tizio su un mulo, in modo che io e gli altri quattro corridori potessimo limitarci a sgambettare per 25 chilometri al giorno su una strada sterrata da un accampamento all'altro.

«Prima di venire in Idaho non sapevo veramente niente delle foreste» cominciò a raccontare Jenni Blake, portandoci su uno stretto sentiero che si snodava tra gli alberi di ginepro. Guardandola muoversi sul sentiero con quell'energia da teenager, era difficile credere che fossero passati già vent'anni da quando era arrivata qui; a trentotto anni, Jenni aveva ancora la frangetta bionda, seducenti occhi azzurri e le gambe magre e abbronzate di una matricola del college durante le vacanze estive. Stranamente, però, era una bambina più spensierata ora di quanto lo fosse quando era una matricola del college.

«Ai tempi del college ero bulimica e avevo una pessima immagine di me stessa; fino a che non sono venuta qui» disse Jenni. Arrivò in questo posto come volontaria estiva; senza perdere tempo le fu data una sega e un carico di cibo per due settimane e le fu detto di andare nell'interno a ripulire i sentieri. Il peso dello zaino quasi la piegava in due, ma tenne per sé i dubbi e si inoltrò, da sola, nel bosco.

Tutte le mattine all'alba indossava solo le scarpe da ginnastica e faceva lunghe corse per i boschi, mentre il sole che sorgeva riscaldava il suo corpo nudo. «Sono stata là fuori da sola per diverse settimane consecutive» spiegò Jenni. «Nessuno poteva vedermi, andavo e andavo e andavo. Era la sensazione più fantastica che si possa immaginare.» Non le serviva un orologio o un percorso da seguire; calcolava la sua velocità in base al solletico del vento sulla pelle, e continuava a correre lungo sentieri cosparsi di aghi di pino fino a che le gambe e i polmoni non la supplicavano di tornare all'accampamento.

Jenni ci era andata giù pesante fin dall'inizio, percorrendo lunghi chilometri anche quando l'Idaho veniva avvolto da una coltre di neve. Forse era un modo per curare i suoi problemi profondi, ma forse (parafrasando Bill Clinton) non c'era nessun problema in Jenni che non potesse essere aggiustato dalle sue splendide qualità.

Eppure quando feci l'ultima discesa della corsa tre giorni dopo, riuscivo a malapena a camminare. Zoppicai fino al torrente e mi sedetti, bollendo di rabbia e chiedendomi cosa ci fosse in me che non andava. Mi ci erano voluti tre giorni per correre la stessa distanza della gara che stava organizzando Caballo e avevo finito per strapparmi il tendine d'Achille, forse in due punti, e con un dolore al tallone che sospettavo essere il morso del vampiro degli infortuni podistici: la fascite plantare. Una volta che la FP ha infilato i suoi denti nei vostri talloni, rischiate di essere infettati per il resto della vostra vita. Date un'occhiata a un qualsiasi forum online in cui si parli di corsa, e troverete senz'altro un mucchio di richieste supplichevoli da parte di corridori affetti da FP che implorano una cura. Tutti consigliano immediatamente gli stessi rimedi (stecche da indossare la notte, calzini elastici, ultrasuoni, elettroshock, cortisone, ortesi), ma i messaggi di supplica continuano ad arrivare perché non esiste un rimedio veramente efficace.

Ma com'era possibile che Caballo potesse correre a spron battuto discese più lunghe del Grand Canyon indossando solo dei vecchi sandali rovinati, e io non riuscissi a gestire qualche mese di semplici corsette senza un infortunio di una certa gravità? Wilt Chamberlain, con tutti i suoi 216 centimetri e i suoi 125 chili, non aveva problemi a correre ultramaratone di 80 chilometri a sessant'anni, dopo che le sue ginocchia erano sopravvissute a una vita di baseball. Per non parlare della storia di Ernst Mensen, un marinaio norvegese che aveva navigato così a lungo da non ricordarsi quasi più come ci si sentiva ad avere la terraferma sotto i piedi, ma che nel 1832, appena sbarcato, corse per scommessa da Parigi a Mosca, facendosi più di 200 chilometri al giorno per quattordici giorni, indossando Dio solo sa che tremende scarpacce da lavoro e correndo su Dio solo sa che strade dissestate.

E quello era solo il riscaldamento in vista di faccende più serie: in seguito, infatti, Mensen corse da Istanbul a Calcutta, facendosi 140 chilometri al giorno per due mesi di fila. Certo, il suo corpo ne risentì, e Mensen dovette riposare per tre giorni interi, una volta arrivato. Poi però si fece di corsa gli 8700 chilometri del viaggio di ritorno. Allora com'è che a Mensen non è mai venuta la fascite plantare? È certo che non l'avesse, dato che le sue gambe erano ancora in splendida forma quando la dissenteria lo uccise mentre cercava di arrivare di corsa alla foce del Nilo.

Ovunque mi girassi, c'erano piccoli gruppi di virtuosi dell'ultramaratona che sembravano spuntare dal nulla. Solo a poche miglia da me, nel Maryland, la tredicenne Mackenzie Riford stava felicemente correndo l'ultramaratona JFK di 80 chilometri con sua mamma («È stato divertente!»), mentre Jack Kirk – alias «il Demone di Dipsea» – correva ancora l'infernale corsa campestre Dipsea all'età di novantasei anni. La corsa comincia con 671 gradini da salire su un pendio, il che significa che un uomo la cui età corrispondeva a circa la metà della storia degli Stati Uniti saliva l'equivalente di cinquanta piani di scale prima di lanciarsi a correre nei boschi. «Non smetti di correre perché sei vecchio» diceva il Demone. «Diventi vecchio perché smetti di correre.»

Cos'era allora che mancava a me? La mia forma fisica era peggiore di quando avevo cominciato; non solo non potevo correre con i Tarahumara, ma dubitavo che il mio piede ormai affetto da FP mi avrebbe mai permesso di mettermi sulla linea di partenza di una qualsiasi gara.

«Sei semplicemente come tutti gli altri» mi disse Eric Orton. «Non hai idea di cosa stai facendo.»

Poche settimane dopo la mia débâcle in Idaho, ero stato inviato da una rivista a intervistare Eric. In qualità di allenatore di sport d'avventura a Jackson Hole, Wyoming, e di ex direttore fitness del Centro di scienze della salute dell'Università del Colorado, la specialità di Eric era scomporre gli sport di resistenza nei loro elementi fondamentali e scovare abilità trasferibili ad altre discipline. Studiava gli arrampicatori per trovare tecniche di uso della spalla che potessero essere utili per chi faceva kayak, e applicava la propulsione liscia dello sci di fondo alla mountain bike. Il suo obiettivo finale era scoprire i principi ingegneristici fondamentali del corpo umano; era convinto che il prossimo decisivo passo nel mondo del benessere fisico sarebbe arrivato non dall'allenamento o dalla tecnologia, ma dalla tecnica (l'atleta che evita gli infortuni sarà quello che lascia la competizione in secondo piano).

Era rimasto incuriosito dal mio articolo sui Tarahumara e su Caballo e voleva assolutamente saperne di più. «Quello che fanno i Tarahumara è pura arte del corpo» disse. «Nessun altro sul pianeta ha raggiunto una tale virtù dell'autopropulsione.» Eric aveva subito il fascino dei Tarahumara sin dal momento in cui un atleta che aveva allenato per la Leadville era tornato a casa con un'incredibile storia di fantastici indiani volanti usciti dalla notte dei tempi in sandali e abiti lunghi. Eric perlustrò intere biblioteche per trovare libri che parlassero dei Tarahumara, ma tutto quello che riuscì a reperire furono dei testi antropologici degli anni Cinquanta e il resoconto amatoriale di una coppia che aveva viaggiato per il Messico in camper. C'era una lacuna sconcertante nella letteratura sportiva; la corsa sulla lunga distanza è lo sport numero uno al mondo per partecipazione, ma quasi niente era stato scritto a proposito degli atleti numero uno in questo sport.

«Tutti pensano di sapere come si corre, ma è un'attività delicata quanto qualsiasi altra» mi disse Eric. «Chiedi in giro e la maggior parte delle persone ti diranno che "la gente corre come corre". È ridicolo. Per caso la gente "nuota come nuota"?» In ogni sport è fondamentale prendere lezioni; non è che esci di casa e ti metti a giocare in un golf club e neppure ti lanci giù da un monte con gli sci ai piedi prima che qualcuno ti abbia insegnato a muovere i primi passi e ti abbia spiegato qual è il modo giusto di farlo. Senza queste regole, non si riesce a fare niente e si finisce senz'altro per infortunarsi.

«Con la corsa le cose stanno allo stesso modo» spiegò Eric. «Impara a correre nel modo sbagliato e non saprai mai quanto può essere bello.» Mi mise sotto torchio per avere più dettagli sulla corsa con la palla che avevo visto alla scuola tarahumara. («La piccola palla di legno» rifletteva. «Il modo in cui imparano a correre prendendola a calci non può essere stato scelto per caso.») Poi mi propose un accordo: mi avrebbe allenato per la gara coi Tarahumara e in cambio io gli avrei presentato Caballo.

«Se questa corsa si farà, dobbiamo esserci» disse seccamente Eric. «Sarà l'ultramaratona più grandiosa di tutti i tempi.»

«Io semplicemente penso di non essere fatto per correre 80 chilometri.»

«*Tutti* siamo fatti per correre.»

«Ogni volta che provo a fare qualche chilometro in più mi faccio male.»

«Stavolta no.»

«Mi devo prendere un'ortesi?»

«Dimenticati le ortesi.»

Ero dubbioso, ma la fiducia assoluta di Eric stava avendo la meglio su di me. «Probabilmente dovrei prima perdere peso per alleggerire il carico sulle gambe.»

«La tua dieta si modificherà da sola. Aspetta e vedrai.»

«E lo yoga? Lo yoga aiuta, no?»

«Dimentica lo yoga. Ogni corridore che conosco che fa yoga finisce per infortunarsi.»

A ogni frase la faccenda diventava più allettante. «Pensi sul serio che possa farcela?»

«La verità è questa» disse Eric. «Non hai nessun margine di errore. Ma ce la puoi fare.» Dovevo dimenticare tutto quello che sapevo sulla corsa e cominciare da zero.

«Preparati a un viaggio nel tempo» disse Eric. «Stai per diventare un uomo delle caverne...»

Qualche settimana dopo, un uomo con la gamba destra storta dal ginocchio in giù zoppicò verso di me portando in mano una fune. Mi legò la fune intorno alla vita e la tenne tesa. «Vai!» gridò.

Mi piegai in avanti per tirare la fune, dimenando le gambe per trascinarmi dietro il tizio attaccato all'altra estremità. Poi lui lasciò la fune, e io partii di slancio. «Bene» disse l'uomo. «Ogni volta che corri, ricorda questa sensazione di dover fare forza contro la fune. Questo servirà a fare in modo che i piedi restino sotto il busto, le anche spingano dritto in avanti e i talloni restino fuori dai giochi.»

Eric mi aveva raccomandato di cominciare il mio processo per diventare un uomo delle caverne andando in Virginia a fare un periodo di apprendistato da Ken Mierke, fisiologo dell'allenamento e campione mondiale di triathlon che era stato costretto dalla distrofia muscolare a spremere dal suo stile di corsa ogni goccia di economia di movimento. «Io sono la prova vivente del senso dell'umorismo di Dio» amava dire Ken. «Ero un ragazzino obeso e affetto da piede cadente il cui padre era un patito dello sport. A causa del sovrappeso e di tutto il resto ero molto più lento di qualsiasi avversario abbia mai incontrato all'epoca. Così ho imparato a prendere in esame ogni cosa e a escogitare la migliore strategia d'azione.»

Nel basket non riusciva a giocare sotto canestro, e allora

si allenava a fare tiri da tre punti ed elaborò un gancio letale. Nel football americano non riusciva a star dietro a un quarterback o a scivolare in mezzo ai difensori avversari, ma studiò gli angoli del corpo e le linee di attacco e divenne un formidabile bloccatore sinistro. Non riuscendo a scattare su una volée incrociata, nel tennis sviluppò un servizio feroce e una risposta al servizio altrettanto implacabile. «Se non posso essere più veloce di te, dovrò essere più astuto» pensava. «Troverò la tua debolezza e la farò diventare la mia forza.»

A causa dell'atrofizzazione dei muscoli del polpaccio destro, quando cominciò a gareggiare nel triathlon Ken poteva correre solo con una pesante scarpa che aveva costruito usando un rollerblade e la molla a balestra di un'automobile. Questo peso aggiuntivo che doveva trascinarsi dietro lo metteva in una situazione di sostanziale svantaggio rispetto agli atleti che avevano subito amputazioni e che praticavano triathlon per diversamente abili, ragion per cui incrementare la sua efficienza energetica e compensare le sue scarpe da tre chili poteva fare una differenza enorme.

Ken prese una pila di video di corridori kenioti e li guardò al rallentatore, osservandoli fotogramma per fotogramma. Dopo ore di visione, ebbe una rivelazione: i più grandi maratoneti al mondo correvano come i bambini dell'asilo. «Guarda i bambini che corrono in un parco giochi: i loro piedi atterrano esattamente sotto il corpo e poi danno la spinta all'indietro» disse Ken. «I kenioti fanno la stessa cosa. Il modo in cui per tutto il periodo della crescita corrono a piedi nudi è incredibilmente simile al modo in cui corrono da grandi: ed è incredibilmente diverso dal modo in cui corrono gli americani.» Ken prese un blocco e una penna, mandò indietro il nastro e annotò tutte le componenti del passo keniota. Poi andò a cercare delle cavie per fare esperimenti.

Fortunatamente, Ken aveva già iniziato a fare test fisiologici sui triatleti per degli studi di kinesiologia al Politecnico della Virginia, e in questo modo aveva a disposizione diversi atleti per sperimentare le sue tecniche. I corridori professionisti probabilmente avrebbero fatto resistenza ad avere qualcuno che armeggiava con il loro modo di correre, ma i partecipanti alle gare di Ironman sono aperti a qualsiasi cosa. «I triatleti hanno la tendenza a pensare con lungimiranza» spiega Ken. «È uno sport giovane, che quindi non è impantanato nella tradizione. Nel 1988 i triatleti cominciarono a usare i manubri aerodinamici sulle biciclette e i ciclisti li prendevano in giro senza pietà: finché non lo usò anche Greg Lemond e ci vinse un Tour de France per otto secondi.»

La prima cavia di Ken fu Alan Melvin, un triatleta di livello mondiale di più di sessant'anni. Anzitutto, Ken pose le basi facendo correre Melvin per 400 metri a tutta velocità. Poi gli attaccò un piccolo metronomo elettrico sulla maglietta.

«A che serve?»

«L'ho impostato su 180 battute al minuto: devi correre seguendo il tempo.»

«Perché?»

«I kenioti hanno una rotazione dei piedi super-rapida» disse Ken. «Le falcate più veloci e leggere sono più economiche rispetto a quelle più lunghe e potenti.»

«Non capisco» disse Alan. «Non dovrei cercare di avere un passo più lungo, anziché più corto?»

«Lascia che ti faccia una domanda» replicò Ken. «Hai mai visto uno di quei tizi che corrono scalzi in gare sui 10 mila metri?»

«Sì. È come se corressero sui tizzoni ardenti.»

«Hai mai *battuto* uno di questi tizi che corrono scalzi, finora?»

Alan rifletté un attimo. «Hai ragione.»

Dopo essersi allenato per cinque mesi, Alan tornò per un'altra sessione di test. Corse quattro ripetute da un chilometro e mezzo e a ogni giro di pista i suoi tempi erano migliori dei precedenti. «E questo era un uomo che aveva corso per quarant'anni ed era già tra i migliori dieci corridori della sua età» puntualizzò Ken. «Non si trattava del normale miglioramento di un principiante. In realtà, un atleta di sessantadue anni in teoria dovrebbe solo peggiorare.»

Ken lavorava al contempo anche su di sé. Era stato un corridore così scarso che nella sua migliore gara di triathlon fino a quel momento alla fine del segmento di gara con la bicicletta era arrivato in testa e con un vantaggio di dieci minuti, ma poi aveva perso comunque a causa della sua corsa al rallentatore. Un anno dopo aver elaborato questa nuova tecnica, vale a dire nel 1997, era diventato praticamente imbattibile, e vinse i Mondiali per disabili per due anni di seguito. Quando si sparse la voce che Ken aveva trovato un modo per correre che non era solo rapido ma anche innocuo per le gambe, gli altri triatleti cominciarono ad assumerlo come allenatore: allenò undici campioni nazionali e oltre un centinaio di atleti di altri livelli.

Convinto di aver riscoperto un'arte antica, Ken chiamò il suo stile «corsa evolutiva». Per caso, nello stesso periodo, stavano emergendo altri due stili di corsa a piedi nudi: il «Chi Running», basato sull'equilibrio e sul minimalismo del Tai Chi, che cominciò a imporsi a San Francisco, e il metodo POSE, diffuso dal dottor Nicholas Romanov, un fisioterapista russo che viveva in Florida. Questa ondata minimalista non si levò perché le varie scuole si copiavano o si «impollinavano» a vicenda; sembrava piuttosto la prova dell'urgente bisogno di una risposta all'epidemia di infortuni podistici, e questa risposta era la pura logica meccanica di quello che Ted lo Scalzo avrebbe chiamato «il bricolage della corsa a piedi nudi»: l'eleganza della semplicità, del levare anziché dell'aggiungere.

Ma un sistema semplice non necessariamente è anche facile da imparare, come scoprii quando Ken Mierke mi filmò mentre correvo. La mia mente non aveva problemi a registrare che dovevo correre in modo facile, leggero e liscio, ma i video mostravano che stavo ancora saltellando su e giù, piegato in avanti come se fossi stato in mezzo a un uragano. Il fatto di essermi trovato a mio agio con Caballo, mi spiegò Ken, era stato un errore.

«Quando insegno questa tecnica e chiedo a qualcuno come si sente, se dice "alla grande" io rispondo "dannazione!", perché significa che non sta cambiando stile di corsa. Il cambiamento dev'essere disagevole. Devi attraversare un periodo in cui non sai più correre male ma non sei ancora in grado di correre bene. Non stai solo adattando le tue abilità, ma anche i tuoi tessuti; stai attivando muscoli che non hai mai usato in tutta la vita.»

Eric aveva un sistema molto semplice per insegnare il suo stile.

«Immagina di essere un bambino, che la tua amichetta stia correndo per strada e che tu debba fare uno scatto a piedi nudi per raggiungerla» mi disse Eric quando cominciai ad allenarmi con lui dopo essere stato da Ken. «Immediatamente assumeresti la postura perfetta: ti metteresti ritto sugli avampiedi, con la schiena dritta, la testa salda, le braccia alte, i gomiti alti e i piedi toccherebbero rapidamente il suolo con la punta verso il sedere.»

Poi, per far penetrare questo passo leggero e carezzevole nella mia memoria muscolare, Eric cominciò a mettere in programma degli esercizi che prevedevano un sacco di ripetute in salita. «Non puoi correre velocemente in salita con una biomeccanica scadente» spiegò Eric. «Non ce la fai, molto semplicemente. Se provi a far atterrare il piede sul tallone con la gamba tesa, finirai per cadere all'indietro.»

Eric mi procurò anche un cardiofrequenzimetro in modo da poter correggere il secondo errore più comune tra i corridori: il ritmo. Molti di noi non sanno da che parte cominciare con la velocità, proprio come accade con la tecnica. «Quasi tutti i corridori fanno le loro corse leggere troppo velocemente, e le loro corse intense troppo lentamente» sostiene Ken Mierke. «Quindi stanno solo allenando il corpo a bruciare zuccheri, il che è l'ultima cosa che vuole un corridore sulla lunga distanza. Hai abbastanza grasso in magazzino per correre fino in California, quindi più il tuo fisico è allenato a bruciare grassi, più farai durare la tua riserva limitata di zuccheri.»

Il modo per attivare la tua fornace brucia-grassi è restare al di sotto della tua soglia aerobica (il punto in cui cominci ad avere il respiro accelerato) durante le attività di resistenza. Rispettare questo limite di velocità era molto più semplice prima dell'avvento delle scarpe ammortizzate e delle strade asfaltate; prova a premere troppo sull'acceleratore su una strada sterrata piena di detriti avendo ai piedi dei sandali aperti, e vedrai come ti passerà alla svelta la voglia di dare gas. Quando i piedi non sono protetti artificialmente, siamo costretti a variare il ritmo e a controllare la velocità: nel momento in cui si va troppo veloce o in maniera troppo scoordinata, sarà il dolore che sale dagli stinchi a imporre di rallentare.

Ero tentato di gettarmi a peso morto sullo stile di Caballo e di sostituire le mie scarpe da corsa con un paio di sandali, ma Eric mi avvertì che, se di punto in bianco avessi cominciato a correre a piedi nudi dopo aver tenuto il piede immobilizzato per quarant'anni, sarei andato sicuramente incontro a una frattura da stress. Dato che la priorità numero uno era prepararmi per una corsa sullo sterrato di 80 chilometri, non c'era abbastanza tempo per rafforzarmi in modo graduale il piede prima di cominciare ad allenarmi seriamente. Dovevo cominciare con qualche protezione, perciò sperimentai alcuni modelli di scarpe a suola bassa prima di assestarmi su un classico che trovai su e-bay: un paio di vecchie Nike Pegasus* del 2000, una specie di ritorno alla sensazione di correre con il piede piatto che ti davano le vecchie Cortez.

Alla seconda settimana, Eric mi mandava già a fare delle

* La politica della Nike di ritirare dagli scaffali le sue scarpe più vendute ogni dieci mesi ha ispirato alcune raffiche di improperi tra i più lirici della storia dei forum sulla corsa. Le Nike Pegasus, per esempio, fecero la loro apparizione nel 1981, raggiunsero la loro calda ed elegante apoteosi nell'83 e poi – nonostante fossero state le scarpe più popolari di sempre – furono improvvisamente ritirate dal mercato nel 1998, per riapparire in una veste completamente nuova nel 2000. Perché tutti questi interventi chirurgici? Non per migliorare la scarpa, come mi disse un ex designer della Nike che aveva lavorato alle Pegasus originali, ma per aumentare gli introiti; lo scopo della Nike è triplicare le vendite spingendo i corridori a comprare due, tre, cinque paia di scarpe alla volta, mettendole da parte nel caso in cui venga loro impedito di trovare di nuovo le loro scarpe preferite.

corse di due ore filate, con l'unico consiglio di concentrarmi sulla postura e di mantenere un ritmo abbastanza basso da riuscire a volte a respirare con la bocca chiusa. (Cinquant'anni prima, Arthur Lydiard dava un consiglio analogo, benché espresso diversamente, per gestire il ritmo e i battiti cardiaci: «Vai alla massima velocità che riesci a mantenere mentre sostieni una conversazione».) Alla quarta settimana, Eric cominciò a lavorare sulla velocità: «Più riesci a correre veloce senza sforzo» mi insegnò «e meno avrai bisogno di energia. Andare più veloce significa che dovrai faticare per meno tempo». Appena otto settimane di questo programma di allenamento ed ero già in grado di correre in sette giorni più di quanto avessi mai corso in vita mia, e a una velocità maggiore.

Fu a quel punto che cominciai a barare. Eric aveva promesso che la mia dieta si sarebbe regolata da sola in base all'aumento dei chilometri percorsi, ma ero troppo dubbioso per aspettare di vedere cosa sarebbe successo. Avevo un amico ciclista che svuotava le bottiglie d'acqua prima di fare una salita; se 33 centilitri erano sufficienti a rallentarlo, pensavo, non era difficile calcolare quanto fosse duro per me trasportare i miei tredici chili di troppo. Ma se volevo trafficare con la mia dieta prima di una gara di 80 chilometri, dovevo stare attento a farlo in perfetto stile tarahumara: mentre diventavo più magro dovevo anche diventare più forte.

Contattai Tony Ramirez, un orticoltore che viveva nella cittadina di Laredo, al confine col Messico, e che aveva viaggiato per trent'anni nella terra dei Tarahumara e adesso coltivava un'antica varietà di mais tarahumara e produceva da solo il suo *pinole*. «Sono un appassionato di *pinole*. Lo adoro» mi disse Tony. «È una proteina incompleta, ma se la abbini a un piatto di fagioli è più nutriente di una bella bistecca. Di solito loro lo mescolano con l'acqua, ma io lo preferisco asciutto. Sembra di mangiare popcorn tritati.

«Hai presente i fenoli?» aggiunse Tony. «Sono delle sostanze chimiche naturali che combattono le malattie. In pratica potenziano il tuo sistema immunitario.» Quando i ricercatori della Cornell University fecero un'analisi comparativa di frumento, avena, mais e riso per vedere chi aveva la maggiore quantità di fenoli, il mais vinse la competizione a mani basse. E visto che è anche un cibo povero di grassi e integrale, il *pinole* previene il rischio di diabete e di una serie di tumori dell'apparato digerente; anzi, previene praticamente tutti i tumori. Secondo Robert Weinberg, professore di oncologia al MIT nonché scopritore del primo gene anticancro, un tumore su sette è dovuto al grasso corporeo. La matematica parla chiaro: riduci il grasso e ridurrai anche il rischio di sviluppare un cancro.

Perciò il miracolo dei Tarahumara, se parliamo di cancro, non è poi così misterioso, dopotutto. «Cambiando il tuo stile di vita puoi ridurre il tuo rischio di cancro del 60 o 70 per cento» disse una volta il professor Weinberg. I tumori del colon e della prostata e il cancro del seno erano praticamente sconosciuti in Giappone, sottolineava il professore, fino a quando i giapponesi non hanno cominciato a mangiare come gli americani. Quando nel 2003 l'Associazione americana di oncologia mise a confronto le persone grasse e quelle magre, i risultati erano perfino più inquietanti del previsto: gli uomini e le donne più pesanti avevano maggiori probabilità di morire di almeno dieci diversi tipi di cancro.

Il primo passo in direzione dello stile di vita a prova di tumore dei Tarahumara, di conseguenza, è abbastanza semplice: mangiare meno. Il secondo passo è altrettanto semplice, sulla carta, ma molto più duro nella pratica: mangiare meglio. Parallelamente all'aumento dell'attività fisica, dice Weinberg, dobbiamo ricostruire la nostra dieta attorno alla frutta e alla verdura anziché alla carne rossa e ai carboidrati raffinati. La prova più schiacciante è fornita dal vedere le cellule cancerose che combattono per la loro sopravvivenza: quando i tumori maligni vengono rimossi chirurgicamente, hanno il *300 per cento* di probabilità in più di tornare in pazienti con una «dieta occidentale tradizionale» piuttosto che in pazienti che mangiano molta frutta e verdura, secondo uno studio del «Journal of the American Medical Association». Perché? Perché le cellule tumorali residue sembrano essere stimolate dalle proteine animali. Togliete questi cibi dalla dieta e quei tumori potrebbero non tornare mai. Mangiate come se foste poveri (secondo l'adagio di coach Vigil), e vedrete il vostro medico solo quando ci andate a giocare a golf.

«È semplicissimo procurarsi qualsiasi cibo dell'alimentazione tarahumara» mi disse Tony. «Per lo più si tratta di fagioli rossi, zucca, peperoncino, erbe selvatiche, *pinole*, e molta chia. E il *pinole* è meno difficile da procurarsi di quanto si creda.» Lo potete ordinare sul sito nativeseeds.org, oppure potete anche ordinare i semi, nel caso vogliate coltivarvi il vostro mais e farvi un *pinole* fatto in casa usando un macinino da caffè. Le proteine non sono un problema; secondo uno studio del 1979 apparso sull'«American Journal of Clinical Nutrition» la dieta tarahumara tradizionale supera di più del 50 per cento le razioni di proteine quotidiane raccomandate dall'ONU. Lo stesso dicasi per il calcio, che rafforza le ossa e che si trova in grandi quantità nelle *tortillas* e nel *pinole* grazie alle pietre calcaree che le donne tarahumara usano per battere il mais.

«E la birra?» chiesi. «C'è qualche vantaggio nel bere come un Tarahumara?»

«Sì e no» disse Tony. «Il *tesgüino* tarahumara è molto poco fermentato, poco alcolico e molto nutriente.» Il che rende la birra tarahumara una ricca fonte di nutrienti – come un frullato di semi integrali – al contrario della nostra birra, che è solo acqua e zucchero. Se avessi voluto, avrei potuto provare a produrre la mia quasi-birra a base di mais, ma Tony mi diede un'idea migliore. «Pianta qualche geranio selvatico» consigliò, «oppure compra l'estratto di geranio su internet.» Il *Geranium niveum* è la panacea miracolosa dei Tarahumara; secondo il «Journal of Agricultural and Food Chemistry» ha un'efficacia pari a quella del vino rosso nel neutralizzare i disturbi che producono radicali liberi. Come disse uno scrittore, il geranio selvatico è «anti-tutto: antinfiammatorio, antivirale, antibatterico e antiossidante».

Feci immediatamente scorta di *pinole* e di chia, e ordinai perfino un po' di semi tarahumara da piantare nel mio orticello: *cocopah, chapelote* giallo e mais per *pinole*. Ma realisticamente sapevo che era solo questione di tempo prima che mi stancassi dei semi e del mais secco e ricominciassi a mangiare hamburger a quattro palmenti. Per fortuna, prima di ricadere nel tunnel del cibo spazzatura ebbi una conversazione con la dottoressa Ruth Heidrich.

«Hai mai mangiato un'insalata a colazione?» mi chiese. La dottoressa Ruth ha fatto per sei volte il triathlon in versione Ironman e, secondo la rivista «Living Fit», è una delle dieci donne più in forma d'America. Si diede all'atletica e prese un dottorato in scienze dell'alimentazione – mi raccontò – dopo che le fu diagnosticato un tumore al seno, ventiquattro anni fa. Era stato dimostrato che l'attività fisica riduceva di più del 50 per cento il rischio di ricadute per quanto riguardava il cancro al seno e perciò, con i punti della mastectomia ancora freschi, la dottoressa Ruth cominciò ad allenarsi per il suo primo triathlon. Cominciò anche a fare studi sui regimi alimentari delle popolazioni meno colpite da tumori e si convinse che doveva assolutamente passare dalla dieta americana standard (la Standard American Diet, o «SAD» come la chiamava lei per sottolineare quanto fosse triste) a una dieta più simile a quella dei Tarahumara.

«Avevo una pistola puntata alla tempia» mi disse. «Ero così spaventata da essere disposta a fare un patto col diavolo. Quindi, in confronto, dover abbandonare la carne non mi sembrò niente di che.» Si era data una regola semplice: se un alimento era prodotto da una pianta, lo mangiava; se aveva un'origine animale, no. La dottoressa Ruth aveva da perdere molto più di me nel caso si fosse sbagliata, ma in realtà cominciò a sentirsi più forte quasi subito.

La sua resistenza aumentò in maniera così esponenziale nel giro di un anno che passò dalle corse di 10 chilometri alle maratone e infine approdò al triathlon versione Ironman. «Perfino il colesterolo mi scese da 230 a 160 nel giro di tre settimane» aggiunse. Nel suo programma alimentare in stile tarahumara, pranzo e cena erano basati su frutta, fagioli, patate dolci, semi integrali e verdure; e spesso cominciava la giornata mangiando un'insalata per colazione.

«Prova a introdurre nell'organismo verdura a foglia larga a inizio di giornata e perderai un bel po' di peso» mi consigliò. Poiché la sua insalata dei campioni prevede anche carboidrati ricchi di nutrienti e pochi grassi, potevo rimpinzarmi a dovere senza avere né troppa fame né la nausea quando arrivava il momento di fare attività fisica. Inoltre le verdure sono ricche d'acqua e quindi sono perfette per reidratarsi dopo una notte di sonno. Infine: quale modo migliore per mangiare le cinque diverse verdure quotidiane che metterle tutte insieme nel pasto del mattino?

Così la mattina seguente feci un tentativo. Cominciai ad aggirarmi per la cucina con un'insalatiera in mano, e ci buttai dentro una mela mezza mangiata da mia figlia, qualche fagiolo di dubbia provenienza, una manciata di spinaci crudi e una tonnellata di broccoli, tritati in frammenti piccolissimi nella speranza di renderli più idonei a figurare in un'insalata. La dottoressa Ruth impreziosiva la sua con della melassa, ma io immaginai che in quel modo la mia insalata sarebbe stata troppo carica di zuccheri e grassi, e quindi volli strafare cospargendola con raffinati semi di papavero.

Dopo due forchettate, mi ero convertito. Preparare una colazione a base d'insalata, fui felice di constatare, è divertente quanto guarnire dei pancake con lo sciroppo d'acero. Era molto più rinfrescante dei waffle congelati e, soprattutto, potevo rimpinzarmi fino a farmi diventare gli occhi verdi e ciò nonostante schizzare fuori di casa e andare a fare esercizio un'ora dopo.

«I Tarahumara non sono grandi corridori» mi scrisse Eric in un messaggio all'inizio del mio secondo mese di allenamento. «Sono grandi atleti, e si tratta di due cose molto diverse.» I corridori sono lavoratori da catena di montaggio; diventano bravi a fare una cosa sola – muoversi in una sola direzione a velocità costante – e ripetono questo movimento fino a quando l'uso eccessivo non guasta il macchinario. Gli atleti invece sono come Tarzan. Tarzan nuota e lotta e salta e volteggia sulle liane. È forte ed esplosivo. Non si può mai sapere in anticipo cosa farà, ed è per questo che non si fa mai male.

«Il corpo ha bisogno di subire traumi per diventare resistente» mi spiegò Eric. Segui la stessa routine quotidiana e il tuo sistema muscolo-scheletrico capisce subito come adeguarsi e comincia a mettere il pilota automatico. Ma sorprendilo con nuove sfide – saltella in un torrente, striscia sotto un tronco, fai uno scatto fino a che non ti senti bruciare i polmoni – e fasci di nervi e muscoli ausiliari vengono immediatamente stimolati e costretti a passare all'azione.

Per i Tarahumara, questo è semplicemente il trantran quotidiano. I Tarahumara entrano nell'imprevedibile ogni volta che escono dalla loro grotta, perché non possono sapere in anticipo per quanto tempo dovranno correre dietro a un coniglio, quanto legname dovranno portare a casa, quanto infida sarà una scalata durante un temporale. La prima sfida che affrontano da bambini è riuscire a sopravvivere in cima a un dirupo; il loro primo (e perenne) modo di giocare è con la palla di legno, che non è altro che un gioco basato sull'imprevedibilità. Non si può portare avanti una palla di legno su un sentiero roccioso a meno che uno non sia pronto a saltare, allungare il passo, tornare indietro, scattare e lanciarsi dentro e fuori dai fossati.

Prima di correre su lunghe distanze, i Tarahumara diventano forti. E se volevo restare in salute, mi avvertì Eric, avrei fatto bene a fare altrettanto. Quindi, anziché fare stretching prima di una corsa, mi buttavo immediatamente sul lavoro. Balzi in avanti, flessioni, salti in alto, addominali; Eric mi aveva potenziato con mezz'ora di esercizi di pura forza un giorno sì e uno no, quasi tutti utilizzando una fitball, per migliorare il mio senso dell'equilibrio e utilizzare i muscoli ausiliari di sostegno. Appena avevo finito con questi esercizi, dovevo correre in salita. «In salita non si può correre col pilota automatico» precisò Eric. Le lunghe salite erano un esercizio di forza e di sorpresa, che mi costringevano a concentrarmi sulla tecnica e sul cambio di marcia, come un ciclista al Tour de France. «Le salite sono un lavoro di velocità travestito» amava dire Frank Shorter.

Quello fu l'anno in cui nella mia città in Pennsylvania si registrò un picco di caldo nel periodo di Natale. Perciò il 31 dicembre indossai i pantaloncini e una maglia termica e andai a fare una corsa di 8 chilometri, giusto per fare un po' di allungamento per le gambe in un giorno di riposo. Girai per i boschi per una mezz'ora, poi tagliai per un campo di fieno e mi diressi verso casa. Il tepore dell'aria e il profumo dell'erba scaldata dal sole erano così gradevoli che continuai a rallentare, cercando di far durare l'ultimo chilometro il più a lungo possibile. Quando arrivai a un centinaio di metri da casa, mi fermai, mi tolsi la maglia termica e tornai a fare un giro in mezzo al fieno. Finito quello, ne feci un altro, togliendomi anche la maglietta. Al quarto giro, misi da parte anche i calzini e le scarpe, e cominciai a correre con i piedi nudi, ammortizzati solo dall'erba e dal terriccio caldo. Al sesto giro, misi le mani sulla chiusura dei pantaloncini, poi però cambiai idea e decisi di tenerli indosso, come segno di rispetto per il mio vicino di casa ottantaduenne. Avevo finalmente recuperato la sensazione che avevo provato durante la corsa con Caballo: la facile, leggera, liscia e veloce sensazione di poter correre fino a sera e di proseguire poi fino l'alba del giorno dopo.

Come con Caballo, il segreto tarahumara aveva cominciato a funzionare prima che fossi arrivato a comprenderlo. Dato che stavo mangiando più leggero e non mi ero più infortunato, ero in grado di correre di più; dato che correvo di più, dormivo benissimo, mi sentivo rilassato e vedevo calare il mio ritmo cardiaco. Anche la mia personalità stava cambiando: il mio carattere brontolone e irascibile, che consideravo parte del mio DNA italo-irlandese, si era attenuato al punto che mia moglie disse: «Ehi, se questo cambiamento è dovuto all'ultramaratona, sono disposta ad allacciarti pure le scarpe...». Sapevo che l'esercizio aerobico è un potente antidepressivo, ma non avevo capito che potesse stabilizzare l'umore fino a quel punto e che contribuisse anche alla – per quanto odi questa parola – meditazione. Se non avete una risposta ai vostri problemi dopo quattro ore di corsa, probabilmente non ce l'avrete mai.

Continuai ad aspettare che tutti i fantasmi del passato tornassero a ruggire: il tendine d'Achille che gridava, uno strappo ai legamenti del ginocchio, la fascite plantare. Cominciai a portare con me il cellulare nelle corse più lunghe, convinto che un giorno o l'altro sarei finito a zoppicare sul ciglio della strada. Ogni volta che sentivo un dolorino spuntavo la lista delle possibili diagnosi:

Schiena dritta? Sì.

Ginocchia piegate e rivolte in avanti? Sì.

Talloni che spingono indietro? Ecco il problema. Una volta sistemata la faccenda, il dolore diminuiva e poi scompariva. Quando Eric mi portò a fare una corsa di cinque ore il mese prima della gara, erano spariti sia i fantasmi del passato sia il cellulare.

Per la prima volta in vita mia, guardavo a quelle corse incredibilmente lunghe non con timore, ma con impazienza. Com'è che aveva detto Ted lo Scalzo? *Come pesci finalmente ributtati in acqua*. Non poteva dirlo meglio. Mi sentivo come se fossi nato per correre.

E, secondo tre scienziati anticonformisti, lo ero.

# XXVIII

Vent'anni prima, in un minuscolo laboratorio sotterraneo un giovane scienziato ispezionò un cadavere, senza sapere che ci avrebbe trovato dentro il suo destino.

All'epoca, David Carrier era uno studente dell'Università dello Utah, e stava studiando la carcassa di un coniglio per cercare di capire cosa fossero quei cosi ossuti subito sopra il treno posteriore. La cosa intrigante era che quelle cosette ossute in teoria sembrava non avessero ragione di esserci. David era il migliore studente del corso di biologia dell'evoluzione tenuto dal professor Dennis Bramble, e sapeva perfettamente cosa avrebbe trovato aprendo l'addome di un mammifero. A che servono le grandi fibre muscolari sul diaframma? A fissarsi a qualcosa di stabile, e per questo si connettono alle vertebre lombari nello stesso modo in cui una vela è sostenuta dall'albero di una nave. Funzionava così per tutti i mammiferi, dalle balene ai vombati, ma non, a quanto pareva, per questo coniglio; anziché attaccarsi saldamente a qualcosa di robusto, i suoi addominali si connettevano a queste cosette fragili simili ad ali di pollo.

David ne premette una con il dito. Fico: si comprimeva come una molla e poi si riapriva. Ma perché, unico caso nell'intera classe dei mammiferi, un coniglio dovrebbe aver bisogno di una pancia caricata a molla?

«Questo cominciò a farmi pensare al loro modo di correre, al modo in cui inarcano la schiena a ogni passo al galoppo» mi disse in seguito Carrier. «Quando spingono con le zampe posteriori, distendono la schiena, e appena atterrano sulle zampe anteriori, la schiena si piega lungo la dorsale.» Molti mammiferi piegano in due il corpo in questo modo, rifletté. Anche le balene e i delfini muovono la coda su e giù, mentre uno squalo la sbatte lateralmente. «Pensa al più classico degli esempi» disse David. «La corsa del ghepardo, che ricorda il movimento di un bruco.»

Bene; questo era positivo. David stava arrivando a una conclusione. I grandi felini e i piccoli conigli corrono alla stessa maniera, ma uno ha delle molle piantate nel diaframma e l'altro no. Uno è veloce, ma l'altro deve esserlo ancora di più, almeno per qualche istante. E perché? Semplice economia: se un puma è più veloce di tutti i conigli, col tempo li mangerà tutti e se i conigli si estinguono i puma non avranno più cibo e finiranno per scomparire a loro volta. Ora, i conigli sono nati con un grosso problema: al contrario degli altri animali corridori, non hanno artiglieria di riserva. Non hanno zanne, corna, zoccoli; e non hanno neanche la protezione del branco. Per i conigli, è tutto o niente: o trovano da soli una via di fuga e si salvano la pelle, oppure diventano cibo per gatti.

D'accordo, pensò David, forse le molle hanno qualcosa a che fare con la velocità. Ma cos'è, in genere, che rende veloci? David cominciò a elencare le componenti. Vediamo... C'è bisogno anzitutto di un corpo aerodinamico. Di riflessi spettacolari. Di zampe potenti e reattive. Di capillari capienti. Di piedi piccoli e agili. Di tendini elastici che restituiscano energia. Di muscoli snelli vicino alle zampe e di più robusti vicino alle articolazioni...

Accidenti! Non ci volle molto a David per capire di essere finito in un vicolo cieco. Molti fattori contribuiscono alla velocità, e i conigli li avevano quasi tutti in comune con i loro predatori. Anziché cercare di capire in cosa fossero diversi dagli altri animali, stava scoprendo in cosa erano simili. Decise allora di provare con un trucco che gli aveva insegnato il professor Bramble: quando non riesci a rispondere a una domanda, prova a capovolgerla. Dimentica che cosa permette a un animale di andare veloce, e chiediti invece che cosa lo rallenta.

Ora, questa domanda era facile: oltre a mettergli un laccio attorno alle zampe, il modo più semplice per fermare un animale molto veloce è quello di spezzargli il fiato. Togliere aria significa togliere velocità; provate a fare uno scatto trattenendo il respiro, una volta, e vedrete per quanto riuscirete ad andare avanti. I muscoli hanno bisogno di ossigeno per bruciare calorie e convertirle in energia, quindi maggiore è l'efficienza con cui riuscite a scambiare i gas (inspirando ossigeno ed espirando anidride carbonica) e più a lungo riuscirete a sostenere la vostra massima velocità. Ecco perché nelle vene dei ciclisti del Tour de France si continua a trovare sangue altrui: le trasfusioni illecite permettono loro di avere una maggiore quantità di globuli rossi e quindi un maggiore apporto di ossigeno ai polmoni.

Aspetta un attimo... questo significa che perché un coniglio possa restare un passo avanti alle letali mandibole dei suoi predatori gli serve un po' più di aria rispetto ai mammiferi più grandi. David ebbe la visione di una macchina volante vittoriana, uno di quegli aggeggi eccentrici ma potenzialmente funzionanti pieni di pistoni, valvole e interminabili labirinti di leve mobili... Ma certo! Delle leve! Quelle molle cominciavano ad acquistare un senso. Dovevano essere leve che permettevano di dare il turbo ai polmoni del coniglio, aprendoli come fossero un mantice per alimentare il fuoco nel camino.

David fece i calcoli necessari per verificare se quella teoria poteva reggere e... bingo! Eccola lì, elegante e sapientemente bilanciata come una favola di Esopo: le lepri possono raggiungere una velocità di 72 chilometri all'ora, ma a causa dell'energia extra richiesta dalle leve (tra le altre cose), possono tenere questa velocità per un chilometro scarso. Giaguari, coyote e volpi, d'altro canto, possono mantenere la loro velocità massima per un tempo maggiore, ma non superano i 65 chilometri all'ora. Le molle del coniglio servono a equilibrare i giochi, concedendo alle bestiole (altrimenti indifese) precisamente 45 secondi per salvarsi la vita o soccombere. Trova un riparo alla svelta e vivi a lungo, piccolo Tamburino! Altrimenti, se perdi tempo a pavoneggiarti della tua velocità morirai in meno di un minuto...

«Vedi» pensò David, «a parte le leve, l'anatomia è esattamente la stessa di tutti gli altri mammiferi.» Forse è per questo che il loro diaframma si aggancia alla vertebra lombare: non perché la vertebra è rigida e offre un sostegno stabile, ma perché è elastica e può muoversi; il motivo per cui si aggancia proprio lì è che la vertebra lombare *si flette*!

«Sembrava ovvio che l'animale distendesse il dorso non solo per avere una spinta maggiore, ma anche per respirare» dice David. Immaginò un'antilope che correva per salvarsi la vita in mezzo alla polverosa savana, e dietro di lei una forma indistinta che la insegue a gran velocità. Si concentrò sulla forma indistinta, la bloccò, e poi la mandò avanti al rallentatore, un fotogramma alla volta:

*Clic!* Quando il ghepardo si distende per una falcata, la sua cassa toracica si apre, per immettere aria nei polmoni; poi...

*Clic!* Adesso le zampe anteriori spingono all'indietro fino a toccare le zampe posteriori. La spina dorsale del ghepardo si piega, comprimendo la cassa toracica e svuotando i polmoni dall'aria; poi...

Eccolo lì: ecco a voi un altro aggeggio di respirazione vittoriano, sebbene dotato di minore turbopotenza.

Il cuore di David andava all'impazzata. L'aria! Tutti i nostri corpi sono progettati in funzione dell'aria! Capovolgendo l'equazione, come gli aveva insegnato il professor Bramble, si ottiene questo: la necessità di immettere aria potrebbe aver determinato il modo in cui si è strutturato il nostro corpo.

Dio, era così semplice, e allo stesso tempo così sconvolgente: se David aveva ragione, era appena stato risolto il più grande mistero dell'evoluzione umana. Nessuno aveva mai capito perché i primi ominidi si fossero differenziati dal resto della creazione alzando le mani da terra e cominciando a stare in piedi. Lo avevano fatto per respirare! Per aprire la gola, aumentare la capacità polmonare e inspirare aria meglio di qualsiasi altra creatura del pianeta.

Ma questo era solo l'inizio. Perché migliore è la tua respirazione, capì subito David, e migliore sarà la tua...

«*Corsa?* Mi stai dicendo che secondo te gli uomini si sarebbero evoluti per poter correre?»

Il professor Dennis Bramble ascoltò con interesse la spiegazione della teoria di David Carrier. Poi, con aria serena, cominciò a farla a pezzi. Cercò di essere il più gentile possibile; David era uno studente brillante, con una mente davvero originale, ma questa volta, sospettò Bramble, era caduto vittima dell'errore più comune in campo scientifico: la cosiddetta Sindrome del Martello, che consiste nel fatto che quando abbiamo un martello in mano cominciamo a vedere chiodi dappertutto.

Il professor Bramble sapeva qualcosa della vita extrauniversitaria di David, ed era consapevole che nei pomeriggi soleggiati di primavera amava schizzare fuori dal laboratorio e andare a correre sui monti Wasatch, che si trovavano esattamente dietro il campus dell'Università dello Utah. Anche il professor Bramble era un corridore e capiva bene il fascino della corsa, ma bisogna stare attenti con quel genere di cose: il secondo più grande rischio professionale di un biologo, dopo quello di innamorarsi della propria assistente, era quello di innamorarsi dei propri hobby. Così si finisce per diventare le cavie di se stessi; si inizia a considerare il mondo un riflesso della propria vita, e la propria vita un metro di paragone per ogni fenomeno del mondo.

«David» cominciò il professore, «le specie evolvono in base a ciò che gli riesce meglio, non in base a ciò che gli riesce peggio. E gli esseri umani, come corridori, non sono semplicemente scarsi: sono un disastro.» Non occorre neppure arrivare a prendere in considerazione la biologia: basta guardare auto e moto. Quattro ruote sono più veloci di due, perché appena ti metti in piedi perdi spinta, stabilità e aerodinamica. Proiettare questo discorso sul regno animale non è difficile; una tigre è lunga tre metri e ha la forma di un missile da crociera: le tigri sono le Ferrari della giungla, mentre gli uomini se ne devono stare in disparte, con le loro gambe secche, la falcata minuscola e un'aerodinamicità penosa.

«Certo, lo capisco bene» disse David. «Una volta che abbiamo tolto le mani da terra, è andato tutto a scatafascio. Abbiamo perso velocità e potenza nella parte superiore del corpo...»

«Che ragazzo sveglio» pensò Bramble, «capisce tutto al volo.»

Ma David non aveva ancora finito. «Ma allora perché» continuò «abbiamo rinunciato alla forza *e* alla velocità allo stesso tempo? Così siamo rimasti senza la capacità di correre, di lottare, di arrampicarci e di nasconderci in una fessura di un albero. Avremmo dovuto essere spazzati via dalla selezione naturale... *a meno che* non avessimo ottenuto in cambio qualcosa di veramente stupefacente. Giusto?»

Questo, dovette ammettere il professor Bramble, era un modo dannatamente sensato di porre la questione. I ghepardi sono veloci ma fragili; devono cacciare di giorno per evitare i predatori notturni, come leoni e pantere, e abbandonano le loro prede quando arrivano bislacchi branchi di animali come le iene. Un gorilla, d'altro canto, è abbastanza forte da sollevare un SUV di milleottocento chili, ma, dato che la sua velocità massima è di circa 30 chilometri l'ora, quello stesso SUV gli potrebbe scappare senza nemmeno dover passare in seconda. E poi ci sono gli uomini, che sono mezzi gorilla e mezzi ghepardi: lenti come un gorilla e deboli come un ghepardo.

«Allora com'è che l'evoluzione ci avrebbe fatto diventare *più deboli*, invece che più forti?» insistette David. «Non essendo ancora ovviamente in grado di costruire armi, qual è stato il vantaggio genetico?»

Il professor Bramble cercava di immaginarsi la faccenda. Pensò a una tribù di ominidi, accovacciati, rapidi e potenti, che tenevano per sicurezza la testa bassa mentre si arrampicavano agilmente tra gli alberi. Un giorno salta fuori un figlio lento, magrolino, con un torace incavato che è poco più grande di quello di una donna e che continua ad andarsene in giro a testa alta come se volesse diventare al più presto la cena di una tigre. È troppo fragile per lottare, troppo lento per scappare, troppo debole per sedurre una compagna che gli dia dei figli. Sembra a tutti gli effetti il candidato perfetto per l'estinzione; eppure in qualche modo questo figlio sfigato diventa il progenitore del genere umano, mentre i suoi fratelli più forti e veloci vengono inghiottiti dall'oblio.

Questa ricostruzione ipotetica era in realtà una descrizione piuttosto accurata di quello che è conosciuto come l'«enigma dell'uomo di Neandertal». Molti credono che i neandertaliani fossero nostri antenati, mentre in realtà si tratta di una specie (o sottospecie, secondo alcuni) parallela alla nostra, che si batté con l'*Homo sapiens* nella lotta per la sopravvivenza. «Si batté» in realtà è un modo un po' troppo eufemistico di descrivere la faccenda: in verità i Neandertal erano migliori di noi da ogni punto di vista. Erano più forti, più resistenti e probabilmente più intelligenti: avevano muscoli più massicci, ossa più infrangibili, un miglior sistema d'isolamento dal freddo e, come suggeriscono i resti fossili, un cervello più grande. I neandertaliani erano cacciatori meravigliosamente dotati e talentuosi costruttori di armi, e potrebbero aver avuto molto prima di noi un linguaggio per comunicare. Avevano un enorme vantaggio nella gara per dominare il mondo; quando il primo *Homo sapiens* apparve in Europa, i Neandertal si erano già comodamente stabiliti lì da quasi duecentomila anni. Se dovessimo scommettere sui neandertaliani o sui nostri antenati in una gara in cui vince l'ultimo che resta in piedi, chiunque di noi punterebbe sui neandertaliani senza pensarci due volte.

Ma allora dove sono finiti, questi neandertaliani?

Nel giro di diecimila anni dall'arrivo in Europa dell'*Homo sapiens*, l'uomo di Neandertal si era estinto. In che modo questo avvenne, non lo sappiamo. La sola spiegazione è che qualche Fattore X abbia dato a noi – le creature più deboli, stupide e fragili – un qualche vantaggio cruciale rispetto al Dream Team dell'Era Glaciale. Non era la forza. Non erano le armi. Non era l'intelligenza.

«Che fosse l'abilità nella corsa?» si chiese il professor Bramble. «Che David abbia veramente scoperto qualcosa?»

C'era un solo modo per verificarlo: studiare le ossa.

«All'inizio ero molto scettico sulla teoria di David, per lo stesso motivo per cui lo sarebbero stati la maggior parte degli studiosi di morfologia» mi disse in seguito il professor Bramble. La morfologia è sostanzialmente la scienza opposta all'ingegneria: guarda in che modo è fatto un corpo e cerca di capire come dovrebbe funzionare. Gli studiosi di morfologia sanno perfettamente cosa cercare in una macchina veloce, e il corpo umano non aveva nessuna di quelle caratteristiche. «Nell'intera storia dei vertebrati sulla Terra – *l'intera storia* – gli umani sono stati gli unici bipedi corridori privi di coda» mi avrebbe detto Bramble in seguito. La corsa è semplicemente una caduta controllata, quindi come fanno gli uomini a tenersi in piedi ed evitare di cadere a faccia in giù senza un pesante timone, come la coda del canguro?

«Fu questo punto che convinse me e molti altri ad abbandonare l'ipotesi che gli umani si fossero evoluti come animali che corrono» disse Bramble. «E non avrei certo cambiato idea, rimanendo completamente scettico, se non avessi avuto una buona dimestichezza con i fossili.»

La sua specializzazione secondaria in paleontologia permise al professor Bramble di studiare il modo in cui il progetto del corpo umano si era modificato nel corso dei millenni e compararlo con altri organismi. Trovò immediatamente alcuni elementi che non quadravano. «Anziché affidarmi alle liste convenzionali, come la maggior parte degli esperti di morfologia, e spuntare gli elementi che ci si aspettava di trovare, cominciai a concentrarmi sulle anomalie» disse Bramble. «In altre parole, quali elementi non avrebbero dovuto trovarsi lì?» Cominciò a dividere il regno animale in due categorie: corridori e camminatori. Tra i corridori figurano, per esempio, cani e cavalli; tra i camminatori maiali e scimpanzé. Se gli uomini fossero stati progettati più che altro per camminare, e per correre solo in situazioni di emergenza, le nostre parti meccaniche avrebbero dovuto essere abbastanza simili a quelle degli animali camminatori.

Gli scimpanzé erano un punto di partenza perfetto. Non solo sono il classico esempio di animale camminatore, ma sono anche il nostro parente vivente più prossimo; dopo più di sei milioni di anni di evoluzione separata condividiamo ancora il 95 per cento del nostro DNA con loro. Ma una cosa che non condividiamo, notò Bramble, è il tendine d'Achille, che connette il polpaccio al tallone: noi ce l'abbiamo, mentre gli scimpanzé no. Anche il piede è molto diverso: il nostro è arcuato, quello degli scimpanzé è piatto. Le nostre dita dei piedi sono corte e dritte, il che favorisce la corsa, mentre quelle degli scimpanzé sono lunghe e aperte, molto più utili a camminare. E osservate poi il fondoschiena: noi abbiamo un massiccio muscolo chiamato grande gluteo, mentre gli scimpanzé ne sono praticamente privi. Il professor Bramble si concentrò poi sul poco noto legamento dietro la testa, il legamento nucale: gli scimpanzé non ce l'hanno; i maiali nemmeno. Sapete chi ce l'ha, invece? I cani. I cavalli. E gli uomini.

Questo era un ottimo motivo per restare perplessi. Il legamento nucale è utile solo per stabilizzare la testa quando l'animale si muove rapidamente; a un animale camminatore questo legamento non serve. Anche i glutei prominenti sono necessari per correre. (Date un'occhiata da soli: afferratevi i glutei e camminate un po' per la stanza. Restano morbidi e carnosi, e si induriscono solo quando cominciate a correre. Il lavoro dei glutei serve per evitare che lo slancio della parte superiore del corpo vi faccia cadere in avanti.) Allo stesso modo il tendine d'Achille non ha alcuna utilità quando camminate, ed è per questo che gli scimpanzé non ce l'hanno. E nemmeno gli Australopitechi, i nostri antenati semiscimmieschi di quattro milioni di anni fa; le prime prove della presenza del tendine d'Achille cominciano ad apparire solo due milioni di anni fa, con l'*Homo erectus*.

Il professor Bramble diede uno sguardo più da vicino ai teschi e fece un salto. «Per la miseria!» pensò. «C'è qualcosa che non quadra, qui.» Il retro del teschio dell'Australopiteco era liscio, ma quando guardò quello dell'*Homo erectus*, trovò il leggero solco del legamento nucale. Una sconcertante ma innegabile linea temporale stava prendendo forma: il corpo umano è cambiato nel tempo, adottando via via le strutture tipiche degli animali corridori.

«Strano» pensò Bramble. «Com'è che noi abbiamo acquisito tutti questi attrezzi da corsa specializzati e gli altri camminatori no?» Per un animale camminatore, il tendine d'Achille sarebbe stato soltanto un ostacolo. Muoversi su due zampe è come camminare sui trampoli: pianti il piede, fai perno con il peso del corpo sull'altra gamba, e ripeti il gesto. L'ultima cosa di cui hai bisogno è un tendine flessibile e traballante alla base del tuo sostegno. Tutto quello che fa il tendine d'Achille è allungarsi come una fascia elastica...

*Una fascia elastica!* Il professor Bramble fu pervaso da un'ondata di orgoglio e imbarazzo. Fasce elastiche... Se ne stava lì, a farsi bello del fatto che lui non era come gli altri morfologi che «spuntano su una lista gli oggetti che si aspettano di trovare», quando in realtà per tutto il tempo era stato ingannato dalla sua stessa miopia: non ci aveva neanche pensato, al fattore fascia elastica. Quando David aveva cominciato a parlare di corsa, il professor Bramble aveva dato per scontato che parlasse di velocità. Ma in realtà c'erano *due* tipi di grandi corridori: gli scattisti e i maratoneti. Forse la corsa degli uomini consisteva nell'andare *lontano*, non veloci. Questo poteva spiegare perché i nostri piedi e le nostre gambe sono così pieni di tendini molleggiati: perché i tendini molleggiati immagazzinano e restituiscono energia, proprio come le fasce elastiche servono a dare la spinta agli aeroplani in balsa. Più tendi la fascia di gomma, più l'aeroplano volerà lontano; allo stesso modo, più puoi allungare i tendini, più energia libera ottieni quando la gamba si estende e torna indietro.

«E se io dovessi progettare una macchina da corsa per la lunga distanza» pensò il professor Bramble, «è esattamente in questo modo che la farei: con molte fasce elastiche per massimizzare la resistenza. Correre è davvero solo un modo di saltare molleggiandosi da una gamba all'altra. I tendini sono irrilevanti quando si cammina, ma sono utilissimi per saltare in modo energeticamente efficiente. Lasciamo perdere la velocità, quindi: forse il punto chiave è la corsa sulla lunga distanza, forse siamo nati per essere i più grandi maratoneti del mondo.

«E bisognerebbe anche chiedersi perché c'è una sola specie che sente il bisogno di raggruppare decine di migliaia dei suoi esemplari per correre per 42 chilometri sotto il sole, senz'altro scopo che il puro divertimento» rifletté Bramble. «Anche il divertimento deve avere le sue ragioni.»

Il professor Bramble e David Carrier cominciarono a unire gli sforzi per verificare la teoria del Più Grande Maratoneta del Mondo. Subito le prove cominciarono a saltar fuori da ogni parte, anche da luoghi in cui non si sarebbero aspettati di trovarne. Una delle loro prime grandi scoperte arrivò per caso quando David si mise a osservare un cavallo. «Volevamo filmare il cavallo per vedere come si coordinano respiro e passo» disse il professor Bramble. «Avevamo bisogno di qualcuno che lo riprendesse da vicino, quindi David si mise a correre accanto a lui.» Quando riavvolsero la videocassetta, qualcosa sembrava non tornare, anche se Bramble non riusciva a capire cosa fosse. Dovette rivedere il video diverse volte prima di rendersene conto: anche se David e il cavallo andavano alla stessa velocità, le gambe di David si muovevano più lentamente.

«Era sorprendente» spiegò Bramble. «Nonostante il cavallo abbia le zampe lunghe e ne abbia quattro, era David ad avere il passo più lungo.» David era in gran forma per essere uno scienziato, ma era anche un uomo perfettamente normale: altezza media, costituzione media, corridore attivo ma non eccellente. Questo lasciava aperta soltanto una spiegazione: per quanto sembrasse bizzarro, l'uomo medio ha il passo più lungo di un cavallo. Il cavallo sembra fare grandi balzi in avanti, ma i suoi zoccoli tornano indietro prima di toccare il suolo. Il risultato è che, sebbene i corridori umani abbiano un passo biomeccanicamente più corto, tuttavia coprono con un passo una distanza maggiore, il che li rende più efficienti. Con la stessa quantità di carburante nel serbatoio, in altre parole, in teoria un essere umano può percorrere più strada di un cavallo.

Ma perché limitarsi a teorizzare, quando si può testare l'ipotesi per via sperimentale? Ogni ottobre, qualche dozzina di corridori e di fantini si fronteggiano in una corsa Uomo contro Cavallo di 80 chilometri, a Prescott, in Arizona. Nel 1999 un corridore del posto, Paul Bonnet, superò il cavallo che conduceva la gara sulla ripida salita per arrivare sul monte Mingus e lo rivide solo dopo che l'animale ebbe tagliato il traguardo. L'anno seguente, Dennis Poolheco diede avvio a un'impressionante serie di vittorie: sconfisse ogni uomo, donna e destriero per i successivi sei anni, fino a che Paul Bonnet non gli strappò nuovamente il titolo nel 2006. Ci sarebbero voluti otto anni prima che un cavallo riuscisse infine a riacciuffare quei due e aggiudicarsi di nuovo la gara.

Scoperte del genere, tuttavia, non erano altro che fortunati piccoli extra, per i due scienziati dell'Università dello Utah che si stavano aprendo la strada verso la loro scoperta rivoluzionaria. Come David aveva sospettato dal giorno in cui aveva osservato l'interno della carcassa di un coniglio e vi aveva trovato l'intera storia della biologia, l'evoluzione sembrava essersi incentrata completamente sull'aria; più le specie evolvevano, e migliori erano i loro carburatori. Prendete i rettili: David mise una lucertola su un tapis roulant e scoprì che non era neanche capace di correre e respirare nello stesso tempo. La cosa migliore che riusciva a fare era un rapido scatto prima di fermarsi a prendere fiato.

Il professor Bramble, nel frattempo, si occupava di soggetti che si collocano un po' più in alto sulla scala evolutiva: i grandi felini. Scoprì che quando corrono, gli organi interni di molti quadrupedi sciabordano avanti e indietro come acqua in una vasca da bagno. Ogni volta che le zampe anteriori di un ghepardo toccano il suolo, le sue budella sbattono contro i polmoni, facendo uscire l'aria. Quando poi il corpo si distende per il passo successivo, le interiora scivolano indietro, facendo entrare aria. L'aggiunta di questa spinta extra alla capacità polmonare dei ghepardi ha però un costo: limita la loro respirazione a un respiro per ogni passo.

In realtà, il professor Bramble fu stupito di scoprire che *tutti* i mammiferi corridori devono limitarsi a questo ciclo che a ogni passo fa corrispondere un solo respiro. In tutto il mondo, lui e David riuscirono a trovare una sola eccezione a questa regola.

L'uomo.

«Quando i quadrupedi corrono, sono obbligati a seguire il ritmo di un respiro per ogni ciclo di locomozione» mi disse il professor Bramble. «Ma i corridori umani che abbiamo testato non seguono *mai* questo ritmo di uno a uno. Possono seguire rapporti diversi, e in genere scelgono quello di uno a due.» La ragione per cui siamo liberi di respirare a nostro piacimento è la stessa per cui dobbiamo fare una doccia in una calda giornata d'estate: siamo gli unici animali che disperdono la maggior parte del loro calore attraverso la sudorazione. Tutte le creature dotate di pelliccia al mondo si raffreddano principalmente tramite il respiro, il che lega indissolubilmente il loro sistema di regolazione del calore alla respirazione, e quindi ai polmoni. Noi esseri umani, invece, con i nostri milioni di ghiandole sudoripare, siamo il primo motore con raffreddamento ad aria che l'evoluzione abbia mai messo in circolazione.

«È il vantaggio di essere animali nudi che sudano» spiega David Carrier. «Finché continuiamo a sudare, continuiamo anche ad andare.» Una squadra di scienziati di Harvard una volta verificò questo aspetto mettendo un termometro rettale a un ghepardo e facendolo correre su un tapis roulant. Quando la temperatura arrivava a 40 gradi, il ghepardo si fermava e rifiutava di continuare a correre. Questa è la reazione naturale di tutti i mammiferi corridori; quando sviluppano un calore superiore a quello che riescono a smaltire con il respiro, o si fermano o muoiono.

Grandioso! Gambe molleggiate, torso sottile, ghiandole sudoripare, assenza di pelliccia e corpo verticale meno esposto al calore solare: non c'è da stupirsi se siamo i migliori maratoneti al mondo. E con ciò? La selezione naturale si basa su due fattori: mangiare e non essere mangiati; ed essere in grado di correre per 30 chilometri non conta nulla se il cervo scompare nei primi venti secondi o se una tigre vi cattura in dieci. A cosa può servire la resistenza in un campo di battaglia che si basa completamente sulla rapidità?

Questa era la domanda che il professor Bramble stava ruminando all'inizio degli anni Novanta, quando prese un anno sabbatico e conobbe il dottor Dan Lieberman durante una visita a Harvard. All'epoca Lieberman stava lavorando all'estremo opposto delle Olimpiadi del mondo animale, facendo correre un maiale su un tapis roulant per capire come mai quell'animale fosse un corridore così scarso.

«Da' un'occhiata alla testa» gli disse Bramble. «Oscilla in tutte le direzioni. I maiali non hanno il legamento nucale.»

Lieberman drizzò le orecchie. Da antropologo dell'evoluzione, sapeva che nessuna parte del nostro corpo è cambiata quanto la forma del cranio, e che nessun indicatore è più significativo di quello. Perfino il *burrito* che avete mangiato a colazione ha a che fare con il vostro cranio: le ricerche del professor Lieberman avevano rivelato che con il mutare della nostra dieta nei secoli (passata da cibi più duri da masticare come radici e selvaggina cruda ad alimenti morbidi come gli spaghetti e la carne macinata) la faccia dell'uomo aveva cominciato a restringersi. Il viso di Benjamin Franklin era più massiccio del nostro, e quello di Giulio Cesare era più grande del suo.

I due scienziati di Harvard e dell'Università dello Utah ricominciarono tutto dall'inizio, soprattutto a causa degli occhi di Lieberman, che non si sgranarono per l'entusiasmo quando Bramble gli espose la teoria dell'Uomo Corridore. «Nessuno nell'ambiente scientifico era disposto a prenderla seriamente» disse Bramble. «Per ogni articolo sulla corsa ce n'erano quattromila sul camminare. Ogni volta che in un convegno provavo a porre il problema, tutti quanti dicevano: "Certo, però siamo lenti". Si concentravano tutti sulla velocità e non riuscivano a capire in che modo la resistenza potesse essere un vantaggio.»

Be', a essere onesti neanche Bramble aveva un'idea precisa al riguardo. Da biologi, lui e David Carrier potevano decifrare come era progettata una macchina, ma avevano bisogno di un antropologo per stabilire che cosa potesse fare concretamente quella macchina una volta realizzata. «Sapevo molto dell'evoluzione e poco della locomozione» mi disse Lieberman. «Dennis sapeva una valanga di cose sulla locomozione, ma non molto di evoluzione.»

Quando unirono gli sforzi e le idee, Bramble constatò che Lieberman era il suo compagno di laboratorio perfetto. Lieberman era uno scienziato convinto che mettere le mani su un oggetto di studio significasse necessariamente essere disposti ad affondarle nel sangue. Per anni Lieberman aveva organizzato un «barbecue Cro-Magnon» su di un prato dell'Università di Harvard, come parte integrante del suo corso sull'evoluzione umana. Per mostrare la destrezza necessaria a lavorare con utensili primitivi, faceva macellare una capra ai suoi studenti con delle pietre scheggiate e poi la cucinava in una buca. Non appena l'aroma della capra arrostita si diffondeva e le libagioni post macellazione cominciavano ad alzarsi, la lezione di evoluzione si trasformava in una festa. «Qualche volta si trasformava in una specie di baccanale» disse Lieberman alla «Harvard University Gazette».

Ma c'era una ragione ancora più importante per la quale Lieberman era l'uomo giusto per affrontare il mistero dell'Uomo Corridore, e cioè il fatto che la soluzione sembrava legata alla sua specialità: la testa. Tutti sanno che a un certo punto della loro storia i primi uomini ebbero accesso a grandi fonti di proteine, il che permise al loro cervello di espandersi come una spugna secca in un secchio d'acqua. Il cervello umano continuò a crescere fino a diventare sette volte più grande di quello di qualsiasi altro mammifero paragonabile all'uomo. E per di più quell'organo consumava una quantità assurda di calorie; anche se il nostro cervello costituisce solo il 2 per cento del nostro peso corporeo, consuma il 20 per cento della nostra energia, contro il 9 per cento del cervello di uno scimpanzé.

Lieberman si gettò nella ricerca sull'Uomo Corridore con il suo consueto fervore creativo. Presto gli studenti, entrando nel suo ufficio all'ultimo piano del Museo Peabody di Harvard, cominciarono ad allarmarsi trovando un uomo con un braccio solo, madido di sudore, che correva su un tapis roulant con una vaschetta di formaggio spalmabile vuota sulla testa. «Noi esseri umani siamo strani» diceva Lieberman mentre premeva i pulsanti del pannello di controllo. «Non è stata trovata nessuna creatura con un collo simile al nostro.» Poi faceva una pausa per rivolgersi al tizio sul tapis roulant: «Quanto veloce puoi andare, Willie?».

«Più veloce di questo coso!» rispondeva lui, con la mano sinistra d'acciaio che tintinnava contro la struttura del tapis roulant. Willie Stewart aveva perso il braccio a diciotto anni, facendo il muratore, quando un cavo d'acciaio che stava trasportando finì in una turbina. Presto però si riprese e divenne un campione di triathlon e un rugbista. Oltre alla vaschetta di formaggio, che serviva a tenere un giroscopio, Willie aveva anche degli elettrodi fissati al petto e alle gambe. Il professor Lieberman l'aveva reclutato per saggiare la teoria secondo la quale la testa umana, con la sua posizione unica, direttamente sopra il collo, agirebbe come quei tetti rinforzati che impediscono ai grattacieli di cadere a causa del vento. La nostra testa non si è ingrossata in seguito a un miglioramento delle nostre abilità di corridori, secondo Lieberman; al contrario, siamo diventati corridori migliori proprio perché la nostra testa si stava espandendo, fornendoci una buona zavorra.

«La testa lavora insieme alle braccia per evitare di oscillare e barcollare a metà di un passo» dice il professor Lieberman. Le braccia, nel frattempo, servono a controbilanciare il movimento per tenere la testa dritta. «È così che i bipedi hanno risolto il problema della stabilizzazione della testa su un collo mobile. È un altro aspetto dell'evoluzione umana che acquista un senso solo all'interno della teoria dell'Uomo Corridore.»

Ma il grande mistero continuava a essere il cibo. A giudicare dalla crescita della nostra testa in perfetto stile Godzilla, Lieberman poteva individuare con precisione l'esatto momento in cui il menu degli uomini delle caverne subì un mutamento: doveva essere stato circa due milioni di anni fa, quando l'Australopiteco, il nostro antenato simile a un gorilla (con un cervello minuscolo, le mascelle enormi e una dieta da caprone a base di piante dure e fibrose), evolvette nell'*Homo erectus*, il nostro antenato snello, con le gambe lunghe, la testa grande e i denti piccoli e sbranatori, perfettamente adatti alla carne cruda e alla frutta morbida. Solo una cosa poteva aver innescato una simile rivoluzione: una dieta che nessun primate aveva mai seguito fino a quel momento e che prevedeva un consistente apporto di carne, con la sua alta concentrazione di calorie, grassi e proteine.

«Ma come diavolo se la procuravano, tutta quella carne?» si chiedeva Lieberman, con la voluttà di un uomo che non si faceva problemi a squartare una capra con una pietra. «Arco e frecce sono stati inventati ventimila anni fa, ma l'*Homo erectus* è apparso *due milioni* di anni fa. Questo significa che per la maggior parte della nostra esistenza – *per quasi due milioni di anni!* – gli ominidi si sono procurati la carne a mani nude.»

Lieberman cominciò a considerare mentalmente le diverse possibilità. «Forse facevano come gli sciacalli, mangiavano le carcasse uccise da altri predatori, afferrandole di corsa mentre il leone dormiva?» si chiese.

No; questo ci avrebbe dato la possibilità di soddisfare un piccolo appetito carnivoro, ma non avrebbe fornito una fonte su cui contare in modo stabile. Bisognava arrivare sul luogo del delitto prima degli avvoltoi, che possono ripulire un'antilope in pochi minuti e «masticarne le ossa come fossero cracker» secondo l'espressione che amava usare Lieberman. E comunque, si sarebbe riusciti a dare giusto qualche morso, prima che un leone aprisse minaccioso un occhio o un branco di iene vi costringesse a fuggire.

«Ok, magari non avevamo delle lance, però potevamo comunque saltare su un cinghiale e strangolarlo. O ucciderlo a randellate.»

Stai scherzando? In un combattimento del genere ti saresti distrutto i piedi, massacrato i testicoli e rotto le costole. Magari avresti vinto, ma a caro prezzo; rompersi una caviglia per procurarsi la cena, nello spietato mondo preistorico, poteva voler dire diventare a propria volta la cena di qualcun altro.

Difficile dire per quanto tempo Lieberman sarebbe rimasto con questo dubbio se il suo cane a un certo punto non gli avesse offerto la soluzione. Un pomeriggio d'estate Lieberman portò Vashti, il suo bastardino mezzo border collie, a fare una corsa di 8 chilometri attorno al lago Fresh Pond. Era una giornata torrida e dopo un po' Vashti si piazzò sotto un albero e si rifiutò di muoversi. Lieberman divenne impaziente; d'accordo, faceva abbastanza caldo, ma niente di che...

Mentre aspettava che il suo cane in affanno si riprendesse, alla mente di Lieberman tornò il ricordo di quando era in Africa per alcune ricerche di paleontologia. Si ricordò i tremolanti vapori sulla savana battuta dal sole e l'argilla secca che assorbiva il calore e lo rilasciava direttamente nelle suole dei suoi stivali. I resoconti degli etnografi che aveva letto anni prima cominciarono a inondargli il cervello; raccontavano di cacciatori africani che cacciavano le antilopi nella savana, e degli indiani tarahumara che inseguivano un cervo «finché non gli cadevano gli zoccoli». Lieberman aveva sempre ignorato tutte queste storie, favole di un'epoca dell'oro in cui sarebbero vissuti eroi che non erano mai realmente esistiti. Ma adesso cominciò a chiedersi...

«Quanto tempo ci vorrà per uccidere un animale costringendolo a correre?» Per fortuna, il laboratorio biologico di Harvard aveva il miglior centro di ricerca sulla locomozione al mondo (come dovrebbe aver ampiamente dimostrato il fatto che là dentro fossero disposti a infilare un termometro nel didietro di un ghepardo), quindi i dati di cui Lieberman aveva bisogno erano a portata di mano. Quando tornò nel suo ufficio cominciò a fare i conti. «Vediamo» cominciò. Un corridore in forma decente fa in media tre o quattro metri al secondo. Un cervo corre quasi alla stessa velocità. Ma ecco il punto: quando un cervo cerca di accelerare a quattro metri al secondo, deve entrare in una zona di galoppo e respirare più forte, *mentre un essere umano può andare alla stessa velocità ed essere ancora in una zona di corsa leggera*. Un cervo è molto più veloce sullo scatto, ma noi siamo più veloci nella corsa leggera; quindi quando Bambi è già al limite del debito d'ossigeno, noi stiamo appena cominciando ad avere il respiro accelerato.

Lieberman continuò a cercare, e trovò dei paragoni ancor più rivelatori: la velocità massima per quasi tutti i cavalli è 7,7 metri al secondo. Possono tenere questo ritmo per circa dieci minuti, poi devono rallentare a 5,8 metri al secondo. Ma un grande maratoneta può fare della corsa leggera per ore a 6 metri al secondo. Il cavallo schizzerà via sulla linea di partenza, come Dennis Poolheco aveva scoperto nella gara Uomo contro Cavallo, ma se si ha abbastanza pazienza e una lunga distanza a disposizione, l'uomo può recuperare lentamente lo svantaggio.

Non c'è neanche bisogno di andare veloci, comprese Lieberman. Tutto quello che occorre fare è tenere l'animale in vista e nel giro di dieci minuti l'avrete riacciuffato.

Lieberman cominciò a calcolare le temperature, la velocità e il peso corporeo. Presto si trovò davanti la soluzione al Mistero dell'Uomo Corridore. Per far correre un'antilope fino a ucciderla, calcolò Lieberman, tutto quello che bisogna fare è spaventarla e costringerla a scappare in un giorno caldo. «Se ti mantieni abbastanza vicino perché lei continui a vederti, continuerà a correre via. Dopo circa 10 o 15 chilometri di corsa, entrerà in ipertermia e collasserà.» Traduzione: se riesci a correre per 10 chilometri in un giorno d'estate, allora, amico mio, nel regno animale puoi diventare un'arma letale. Noi possiamo disperdere calore durante la corsa, mentre gli animali possono espellerlo solo dalla bocca, ma non ci riescono mentre corrono.

«Noi possiamo correre in condizioni in cui nessun altro animale riesce a correre» comprese Lieberman. «E non è neanche difficile. Se un professore di mezza età può battere un cane in un giorno caldo, immaginate cosa possono fare un gruppo di cacciatori-raccoglitori molto motivati con un'antilope in ipertermia.»

Non è difficile immaginare il disprezzo che si dipinse sui volti di quei Padroni del Mondo che erano i neandertaliani, quando videro spuntare fuori questi Uomini Corridori che sbuffavano dietro qualche Bambi o che correvano tutto il giorno sotto un sole cocente per tornare a casa con un piccolo carico di patate. Gli Uomini Corridori potevano racimolare un carico di carne, ma non riuscivano a correre con la pancia piena di carne, quindi per lo più il loro carburante restava a base di carboidrati, ovvero radici e frutta, conservando i bocconcini di antilope per le occasioni speciali in cui dovevano fare il pieno di calorie. Andavano alla ricerca di cibo tutti insieme – gli Uomini Corridori, le Donne Corridore, i Bambini Corridori e i Nonni Corridori – ma nonostante tutto quel gioco di squadra era più probabile che finissero per farsi una cena a base di larve che di selvaggina.

*Bleah!* I neandertaliani non avrebbero mai toccato degli insetti o roba del genere; loro mangiavano sempre e solo carne, e di certo non quella stopposa delle piccole antilopi. I neandertaliani volevano solo il meglio: orsi, bisonti, alci conditi di succoso grasso, rinoceronti con fegati ricchi di ferro, mammut con cervelli succulenti e oleosi e con ossa da cui colava un midollo da leccarsi i baffi. Provate a inseguire delle belve del genere, però, e vedrete che alla fine saranno loro a inseguire voi. Ragion per cui è necessario batterle con l'intelligenza e con il combattimento. I neandertaliani le attiravano in luoghi in cui potevano tendere loro delle imboscate e le attaccavano con un movimento a tenaglia, piovendo da tutti i lati con lance di legno lunghe due metri e mezzo. Una caccia del genere non è roba da gente mansueta; i neandertaliani soffrivano degli infortuni tipici che si rimediano durante un rodeo, traumi alla testa o al collo provocati dall'essere colpiti da una bestia che scalcia, ma potevano sempre contare sui loro fratelli per curare le ferite o seppellire i corpi. A differenza dei nostri antenati (gli scorrazzanti Uomini Corridori), i neandertaliani erano i potenti cacciatori che ci piace immaginare di essere stati nei tempi andati; stavano fianco a fianco in battaglia, come un fronte compatto di mente e coraggio, una falange di intelligenti guerrieri con resistenti armature di muscoli ma anche abbastanza raffinati da cuocere la carne e farla intenerire in forni scavati nella terra e da tenere donne e bambini lontani dal pericolo.

I neandertaliani dominavano il mondo... finché il tempo non cominciò a migliorare. Circa quarantacinquemila anni fa, il Lungo Inverno terminò e le temperature cominciarono ad alzarsi. Le foreste si ridussero, lasciando al loro posto praterie riarse che si estendevano a perdita d'occhio. Il nuovo clima era perfetto per gli Uomini Corridori; i branchi di antilopi esplosero e mazzi di gustose radici spuntarono in tutta la savana.

Per i neandertaliani le cose invece andavano peggio: le loro lunghe lance e le imboscate nei canyon erano inutili contro le creature che si muovevano a branchi nelle praterie, e le grandi belve che loro prediligevano si stavano ritirando sempre di più nel profondo delle foreste residue. Be', perché allora non adottarono semplicemente la strategia di caccia degli Uomini Corridori? Erano intelligenti e di sicuro abbastanza forti, ma proprio qui stava il problema: erano *troppo* forti. Quando le temperature superarono i 30 gradi, qualche chilo di peso corporeo in più faceva una differenza enorme: così tanta differenza che per mantenere l'equilibrio termico in una maratona, un corridore che pesa 72 chili perde quasi due minuti *a chilometro* rispetto a uno di 45 chili. Nell'inseguimento di due ore di un cervo, gli Uomini Corridori avrebbero lasciato indietro i neandertaliani di più di 15 chilometri.

Pieni di muscoli com'erano, gli uomini di Neandertal seguirono la sorte dei mastodonti, prima nelle foreste e poi nell'oblio. Il nuovo mondo era più adatto ai corridori, e loro non erano semplicemente fatti per correre.

David Carrier sapeva in cuor suo che la teoria dell'Uomo Corridore aveva un terribile difetto. Questo segreto lo rose fin quasi a farlo diventare un assassino.

«È vero, ero praticamente ossessionato» ammise quando lo incontrai nel suo laboratorio all'Università dello Utah, venticinque anni e tre gradi accademici dopo il momento in cui ebbe l'ispirazione sul tavolo dell'autopsia nel 1982. Adesso aveva un dottorato, era professore di biologia e portava una folta barba che tendeva ormai al grigio e occhiali tondi sopra gli intensi occhi marrone. «Stavo impazzendo dal bisogno di avere per le mani qualcosa di concreto e poter dire: "Lo vedete adesso? Siete contenti?".»

Il problema era che inseguire un animale fino a ucciderlo è la versione preistorica del crimine perfetto. La caccia di persistenza, come la chiamano gli antropologi, non lascia tracce: nessuna punta di freccia, nessun osso di cervo scheggiato da una lancia; e com'è possibile aprire un caso di omicidio se non si trovano né cadavere, né arma, né testimoni? Nonostante la genialità in campo fisiologico del professor Bramble e la competenza in campo paleontologico del professor Lieberman, non c'era modo di provare che le nostre gambe erano state un tempo delle armi letali se non si fosse riusciti a dimostrare che *qualcuno*, da qualche parte, aveva realmente inseguito un animale fino a farlo stramazzare. Si può elaborare qualsiasi teoria sulle prestazioni umane («Possiamo interrompere il battito cardiaco! Possiamo piegare un cucchiaio con l'energia psichica!»), ma alla fine, non puoi passare da un'ipotesi seducente a un fatto empirico se non riesci a produrre una prova concreta.

«La cosa frustrante era che trovavamo dappertutto storie di caccia di persistenza» disse David Carrier. Lancia una freccetta su un planisfero e sicuramente nel posto che hai colpito troverai racconti di caccia di persistenza. Se ne raccontano nelle tribù dei Goshute e dei Papago, in America occidentale; altrettante se ne sentono sui Boscimani del Kalahari in Botswana, sugli aborigeni australiani, sui guerrieri Masai in Kenya, sui Seri e i Tarahumara in Messico. Il problema era che tali leggende nel migliore dei casi erano di quarta o quinta mano; di prove a supporto di questa teoria ce n'erano tante quante ce n'erano a conferma della canzoncina in cui si dice che Davy Crockett uccise un orso quando aveva tre anni.

«Non riuscivamo a trovare nessuno che avesse cacciato in quel modo in prima persona» disse David. «E non riuscivamo a trovare nemmeno qualcuno che avesse *visto* qualcun altro che lo faceva.» Non c'è da stupirsi che la comunità scientifica fosse scettica. Se la teoria dell'Uomo Corridore era corretta, allora almeno uno tra i sei miliardi di persone che vivono su questo pianeta avrebbe dovuto essere in grado di cacciare una preda correndo. Potevamo aver perso la tradizione e la necessità di farlo, ma avremmo comunque dovuto avere ancora l'abilità innata: negli ultimi secoli il nostro DNA non si è modificato ed è identico per il 99,9 per cento in tutti gli uomini della terra, il che significa che abbiamo tutti gli stessi pezzi di serie che avevano i vecchi cacciatori-raccoglitori. Com'è possibile allora che nessuno di noi sia in grado di cacciare un dannato cervo?

«Fu così che decisi di farlo io» disse David. «Da studente facevo delle gare di corsa in montagna, con sommo divertimento. Quando cominciammo a capire che gli uomini respirano diversamente quando corrono, pensai che sarebbe stato più semplice testare la teoria direttamente su di me. A me l'idea non sembrava così assurda come sarebbe potuta apparire a qualcuno che non usciva mai dal laboratorio.»

E non gli sembrava strano neanche trasformarsi in un uomo delle caverne per sopperire al fatto che non riusciva a trovarne uno. Nell'estate del 1984, David convinse suo fratello Scott, uno scrittore e reporter freelance della National Public Radio (NPR), ad andare con lui in Wyoming per aiutarlo a cacciare un'antilope selvatica. Scott non era un granché come corridore, ma David era in gran forma e ferocemente motivato dalla prospettiva dell'immortalità scientifica. A lui e suo fratello, pensò David, sarebbero bastate un paio d'ore prima che una prova di trecentocinquanta chili cadesse ai loro piedi.

«Guidiamo prima sull'interstatale e poi su una strada sterrata per qualche chilometro, prima di arrivare a un ampio e aperto altopiano desertico pieno di artemisie, secche come ossa, e una corona di montagne da ogni lato. Ci sono antilopi ovunque.» In seguito Scott raccontò la scena agli ascoltatori della trasmissione radiofonica *Questa vita americana*: «Fermiamo la macchina e iniziamo a inseguirne tre, un maschio e due femmine. Sono molto veloci, ma solo per brevi distanze, dopodiché si fermano a guardarci, mentre noi recuperiamo terreno. Poi partono di nuovo. A volte corrono per quattrocento metri prima di fermarsi, a volte per ottocento».

Perfetto! Stava accadendo esattamente quello che David aveva previsto. L'antilope non aveva abbastanza tempo per raffreddarsi prima che David e Scott fossero di nuovo, urlanti, alle sue spalle. Ancora qualche miglio di questa storia, pensò David, e sarei tornato a Salt Lake con una cassa di carne e il video di un antilopicidio da sbattere sulla scrivania del professor Bramble. Suo fratello, invece, aveva l'impressione che stesse succedendo qualcosa di molto diverso...

«Le tre antilopi mi guardano come se sapessero esattamente quali sono i nostri propositi, e non sembrano per niente preoccupate» continua Scott. Non gli ci volle molto per capire come mai erano così calme di fronte a quella che poteva essere una morte imminente. La risposta era semplice: anziché arrivare a essere esauste, le antilopi facevano il gioco delle tre carte; quando erano senza fiato, tornavano indietro e si nascondevano nel gregge, lasciando David e Scott nell'incapacità di distinguere le antilopi che avevano stancato da quelle che erano ancora fresche. «Si mescolano, si scambiano, cambiano posizione» dice Scott. «Non ci sono individui, ma solo una massa che si muove nel deserto come il mercurio su un tavolo di cristallo.»

Per altri due giorni i fratelli continuarono a dare la caccia a goccioline di mercurio sulle pianure del Wyoming, senza rendersi conto di trovarsi nel bel mezzo di un gigantesco errore. Il fallimento di David era una prova involontaria della sua stessa teoria: il modo di correre degli uomini è diverso da qualsiasi altro modo di correre sulla faccia della terra. Non puoi acchiappare altri animali muovendoti sul loro terreno, e soprattutto con quell'imitazione approssimativa della corsa che chiamiamo attività sportiva. David e Scott si affidavano a istinto, forza e resistenza, senza capire che la corsa sulla lunga distanza degli uomini, nel suo picco evolutivo, è molto più di questo; è una miscela di strategia e abilità perfezionata in milioni di anni di piccole decisioni da cui poteva dipendere la vita o la morte. E, come ogni altra arte, la corsa sulla lunga distanza degli esseri umani richiedeva una connessione mente-corpo di cui nessun'altra creatura era capace.

Ma si tratta di un'arte dimenticata, come avrebbe scoperto Scott Carrier nel decennio successivo. Era successo qualcosa di strano nelle pianure del Wyoming: il fascino dell'arte perduta era penetrato nel sangue di Scott e non ne voleva sapere di andarsene. Nonostante l'esito disastroso della spedizione, Scott passò gli anni seguenti a fare ricerche sulla caccia di persistenza per conto del fratello. Aveva anche creato un'associazione non profit dedicata al reperimento degli Ultimi Cacciatori di Persistenza, e reclutò il grande ultramaratoneta Creighton King (il detentore del record dell'ultramaratona Double Grand Canyon prima dell'avvento dei fratelli Skaggs) per una spedizione al Golfo di California, dove si diceva che una minuscola tribù di indiani Seri avesse conservato un legame con il nostro passato di corsa sulla lunga distanza.

Scott trovò il clan, ma era troppo tardi. Due decani avevano imparato la corsa vecchio stile dai loro padri, ma erano fuori esercizio da mezzo secolo e troppo vecchi per offrire una dimostrazione empirica.

La ricerca era finita. Nel 2004, dopo che la caccia a quell'unica persona tra sei miliardi era durata vent'anni senza portare da nessuna parte, Scott Carrier rinunciò al suo proposito. David Carrier aveva rinunciato molto tempo prima e si era dedicato a studiare le strutture del combattimento corpo a corpo nei primati. La ricerca dell'Ultimo Cacciatore di Persistenza era un caso archiviato.

Fu a quel punto, ovviamente, che squillò il telefono.

«E così, di punto in bianco, mi trovo a parlare con questo straniero» comincia il dottor Bramble. Ha l'aspetto di un vecchio mandriano, con i capelli grigi scarmigliati e la camicia a quadri da ranger, uno stile che si adatta perfettamente ai teschi di animali appesi al muro del suo laboratorio e al suo affascinante modo di raccontare storie come se fossimo seduti attorno a un falò. Nel 2004, dice il professor Bramble, la squadra di ricerca delle Università di Harvard e Utah aveva identificato ventisei aspetti significativi del corpo umano riconducibili alla corsa sulla lunga distanza. Pur avendo poche speranze di trovare l'Ultimo Cacciatore, decisero comunque di andare avanti e pubblicare le loro scoperte. Il periodico scientifico «Nature» li mise in copertina e, a quanto pareva, una copia della rivista era arrivata fino a una città sulla costa del Sudafrica, da dove era giunta la telefonata.

«Non è difficile uccidere un'antilope costringendola a correre» disse lo straniero. «Se volete vi posso mostrare come si fa.»

«Mi scusi... ma chi è lei?»

«Louis Liebenberg. Da Noordhoek.»

Bramble conosceva tutti i nomi importanti nel campo delle teorie della corsa (il che non era difficile, dato che avrebbero potuto sedere tutti comodamente attorno a un tavolino di fast food). Ma di Louis Liebenberg non aveva mai sentito parlare.

«È un cacciatore?» chiese Bramble.

«Chi? Io? No.»
«Un antropologo?»
«No.»
«Qual è il suo campo?»
«Matematica. Matematica e fisica.»
*Matematica?* «Be'... e com'è che un matematico riesce a uccidere un'antilope facendola correre?»
Bramble sentì uno sbuffo di risa. «Per caso, di solito.»

È inquietante il modo in cui le vite di Louis Liebenberg e di David Carrier si erano mosse per decenni come due spirali una attorno all'altra senza che lo sapessero. Negli anni Ottanta, anche Louis era uno studente al college e, come David, era rimasto elettrizzato da un'intuizione sull'evoluzione umana alla quale credevano in pochi.

Il più grosso problema di Louis era l'esperienza: non ne aveva neanche un po'. All'epoca aveva appena vent'anni e studiava matematica applicata e fisica all'Università di Città del Capo. Fu durante un corso opzionale di filosofia della scienza che cominciò a farsi domande su quella specie di Big Bang evolutivo da cui era scaturita la mente umana. Come eravamo passati da un pensiero elementare di stretta sopravvivenza, come quello degli altri animali, a concetti selvaggiamente complicati come la logica, l'umorismo, la deduzione, il ragionamento astratto e l'immaginazione creativa? D'accordo, gli uomini primitivi migliorarono il loro hardware grazie a un cervello più grande: ma da dove era arrivato il software? Maturare un cervello più grande è un processo organico, ma essere in grado di usarlo per fare progetti rivolti al futuro e connessioni mentali che unissero, per esempio, un aquilone, una chiave e un fulmine e dedurne che il fulmine ha una natura elettrica, era stato una specie di magia. Da dove era arrivata allora questa scintilla d'ispirazione?

La risposta, secondo Louis, andava cercata nei deserti dell'Africa meridionale. Anche se era un ragazzo di città che non sapeva un tubo del mondo di fuori, aveva avuto l'intuizione che il miglior posto dove cercare le origini del pensiero umano fosse quello dove era iniziata la vita dell'uomo. «Avevo una vaga sensazione che l'arte di seguire gli animali potesse essere all'origine della scienza stessa» dice Louis. Allora, quale soggetto migliore, per uno studio del genere, dei Boscimani del deserto del Kalahari, che erano maestri nell'arte di seguire sia animali sia i resti viventi del nostro passato preistorico?

Fu così che all'età di ventidue anni Louis decise di mollare il college e di scrivere un nuovo capitolo di storia naturale testando la sua teoria sui Boscimani. Era un piano follemente ambizioso per uno studente che aveva abbandonato gli studi e non aveva nessuna esperienza di antropologia, di norme per la sopravvivenza nel mondo selvaggio e di metodo scientifico. Non parlava né la lingua nativa dei Boscimani, il khoisan, né la lingua adottiva, l'afrikaans. Non sapeva niente nemmeno di come si segue un animale e questo era il motivo per cui aveva intrapreso quella spedizione. E con ciò? Louis scrollò le spalle e si mise al lavoro. Trovò un interprete di afrikaans, contattò guide di caccia e antropologi, e a un certo punto imboccò la superstrada Trans-Kalahari con destinazione Botswana, Namibia... e l'ignoto.

Come Scott Carrier, Louis scoprì subito che si trattava di una corsa contro il tempo persa in partenza. «Andai di villaggio in villaggio in cerca di Boscimani che cacciavano con arco e frecce, pensando che fossero i depositari dell'antica arte di seguire un animale» dice Louis. Ma con tutti i safari e i latifondisti che si erano presi tutte le loro vecchie terre di caccia, la maggior parte dei Boscimani avevano abbandonato la vita nomade e si erano sistemati in accampamenti costruiti dal governo. Il loro declino spezzava il cuore: anziché vagare nelle loro terre selvagge, molti di loro sopravvivevano con salari da schiavi lavorando come braccianti e vedendo le loro sorelle e le loro figlie reclutate per andare a lavorare nei bordelli per camionisti.

Louis però non si diede per vinto. E alla fine nelle profondità del deserto del Kalahari incontrò un gruppo di Boscimani ribelli che, dice, «ostinatamente si aggrappavano alla loro libertà e indipendenza e non si piegavano al lavoro manuale o alla prostituzione». Venne fuori quindi che la proporzione di Uno su Sei Miliardi non era molto lontana dalla verità: tra tutti i Boscimani non restavano che sei veri cacciatori.

I ribelli accettarono che Louis restasse con loro, un'offerta che lui seppe sfruttare al massimo grado; una volta installatosi, si comportò come un parente disoccupato e approfittò dell'ospitalità dei Boscimani per i successivi quattro anni. Il ragazzo di città che veniva dalla capitale del Sudafrica imparò a vivere con la dieta boscimana fatta di radici, bacche, istrici e lepri saltatrici simili a topi. Imparò a tenere sempre acceso il fuoco dell'accampamento e sempre chiusa la sua tenda, anche nelle notti più torride, dato che era noto che mute di iene attaccavano le persone nelle tende e squarciavano loro la gola. Imparò che se ti imbatti in una leonessa minacciosa con i suoi cuccioli, la cosa migliore da fare è fronteggiurla fino a farla arretrare, mentre se ti trovi in una situazione analoga con un rinoceronte, è bene che tu ti metta a correre come non hai mai corso in vita tua.

Non c'è maestro migliore al mondo del dover lottare per la sopravvivenza: anche solo cercare il modo di riempirsi la pancia ogni giorno cercando nel frattempo di non far incazzare, per esempio, due sciacalli dalla schiena nera che si accoppiano sotto un baobab era una strategia eccellente per far acquisire a Louis le arti stregonesche che servono per seguire un animale. Imparò a osservare mucchi di escrementi di zebra e a distinguere quali corrispondessero a quali animali; gli intestini, scoprì, hanno escrescenze e solchi che lasciano segni inconfondibili sulle feci. Imparando a distinguerle, e basandosi sugli escrementi lasciati sul cammino è possibile seguire per giorni una zebra rimasta isolata dal suo branco. Louis imparò a individuare il sentiero percorso da una volpe e a ricostruire precisamente i suoi movimenti: in questo punto ha rallentato come se avesse annusato la presenza di topi o scorpioni, ed ecco, in quel punto ha cominciato a trotterellare via con qualcosa in bocca. Un vortice di terra battuta indicava dove uno struzzo si era rotolato al suolo, permettendo a Louis di ripercorrere i suoi passi per trovare il luogo dove aveva deposto le uova. I suricati fanno le tane nella terra dura: com'è che allora avevano scavato in questa sabbia morbida? Probabilmente perché qui sotto ci sarà un covo di succulenti scorpioni...

Anche dopo aver imparato a leggere i segni sul terreno, non si è ancora imparato abbastanza; il livello successivo è seguire un animale senza servirsi di tracce, un tipo di ragionamento noto in letteratura come «caccia speculativa». L'unico modo per riuscire a portarla a termine, scoprì Louis, è proiettarsi nel futuro, trasportandosi dentro la mente dell'animale che si sta seguendo. Quando impari a pensare come un'altra creatura, puoi anticipare le sue azioni e le sue reazioni. So bene che questa cosa suona un tantino hollywoodiana, come tutta quell'incredibile sfilza di film e serie televisive dove grazie alla loro incredibile chiaroveggenza i criminologi dell'FBI sono in grado di entrare «nella mente di un serial killer». Ma nelle pianure del deserto del Kalahari, la previsione mentale era un talento incredibilmente concreto e potenzialmente letale.

«Quando si segue un animale, si cerca di pensare come un animale e di prevedere quali saranno i suoi prossimi passi» dice Louis. «Osservando le tracce che lascia, si visualizza il movimento dell'animale e si sente quel movimento nel proprio corpo. Entri in una specie di trance, tanto è intensa la concentrazione. In realtà è una cosa che può diventare perfino pericolosa, perché in quel momento sei completamente insensibile al tuo stesso corpo e continui ad andare avanti finché non collassi.»

Visualizzazione... empatia... pensiero astratto e proiezione nel futuro: eccetto la parte relativa al collasso, non sono esattamente gli stessi meccanismi mentali che usiamo per la scienza, la medicina, le arti creative? «Quando segui un animale, crei delle connessioni causali ipotetiche, dato che non vedi realmente quello che vede un animale» comprese Louis. «Questa è l'essenza stessa della fisica.» Con la caccia speculativa i primi cacciatori umani erano andati oltre la pratica dell'unire i puntini: stavano unendo dei puntini che esistevano solo nella loro mente.

Una mattina, quattro dei Boscimani ribelli – Nate, Nam-Kabe, Kayate e Boro-Xao – svegliarono Louis prima dell'alba per invitarlo a una caccia speciale. Gli dissero di non mangiare niente per colazione e di bere più acqua possibile. Louis buttò giù un boccale di caffè, prese gli stivali e seguì i cacciatori che marciavano per la savana nell'oscurità. Il sole si levò e cominciò a picchiare sulle loro teste, ma i cacciatori non si fermarono. Infine, dopo aver camminato per quasi 30 chilometri, avvistarono un piccolo gruppo di cudù, delle antilopi particolarmente agili. Fu allora che i Boscimani si misero a correre.

Louis rimase fermo, confuso. Conosceva la normale tecnica di caccia con l'arco dei Boscimani: abbassarsi, avvicinarsi a portata di freccia e scoccare. Allora cosa diavolo stavano facendo adesso? Gli era capitato di sentir parlare della caccia di persistenza, ma la considerava qualcosa a metà strada tra un caso fortunato e una menzogna: o l'animale si rompeva il collo in qualche modo durante la fuga, oppure la storia doveva essere una panzana bella e buona. Era impossibile che questi tizi potessero acciuffare uno dei cudù a piedi. Impossibile. Ma più si ripeteva «impossibile» e più i Boscimani si allontanavano, così anche Louis smise di pensare e si mise a correre.

«È così che si fa» gli disse Nate quando Louis li riprese. I quattro cacciatori correvano rapidamente ma senza sforzo dietro i saltellanti cudù. Ogni volta che gli animali si nascondevano in un boschetto di acacie, uno dei cacciatori si staccava dal gruppo e riportava i cudù all'aperto. Il branco si sparpagliava, si riuniva, poi si sparpagliava di nuovo, ma i quattro Boscimani correvano e si concentravano su un solo cudù, tagliandolo fuori dal branco ogni volta che cercava di rientrare e scacciandolo dagli alberi quando cercava di riposare. Se avevano un dubbio su quale cacciare, guardavano a terra, controllavano le tracce e si rimettevano all'inseguimento dell'animale.

Mentre arrancava dietro il gruppo di cacciatori, Louis era sorpreso dal fatto che Nate, il cacciatore più forte e abile tra i Boscimani ribelli, restasse indietro insieme a lui. Nate, a differenza degli altri, non portava neanche una borraccia. Dopo quasi novanta minuti d'inseguimento, Louis capì perché: quando uno dei cacciatori più vecchi si stancava e mollava la corsa, dava la sua borraccia a Nate, che la scolava, per poi scambiarla con un'altra mezza piena del cacciatore successivo che abbandonava la corsa.

Louis osservava stupefatto da dietro, determinato a osservare la caccia fino alla fine. Si stava pentendo amaramente di aver messo gli stivali pesanti; i Boscimani di solito portavano leggeri mocassini in pelle di giraffa, e adesso indossavano sottili e quasi impalpabili scarpe da ginnastica che lasciavano il piede fresco e aerato. Louis si sentiva come sembrava si stesse sentendo anche il cudù: lo guardava ondeggiare come fosse ubriaco... poi cominciarono a tremargli le ginocchia... poi si riprendeva e balzava via... infine il cudù stramazzò al suolo.

Poco dopo, Louis fece altrettanto: quando arrivarono dove il cudù era caduto, Louis era così surriscaldato che aveva smesso di sudare, e cadde a terra con la faccia nella sabbia. «Quando sei concentrato sulla caccia, ti spingi al limite. Non ti accorgi di essere esausto» spiegò poi. In un certo senso era stato un trionfo; Louis era riuscito a resistere e a correre come se l'animale inseguito fosse stato lui. Non era invece riuscito a tenere sotto controllo le sue stesse tracce; dato che è così facile diventare sordi ai segnali vitali del proprio corpo, i Boscimani avevano imparato da molto tempo a controllare di tanto in tanto le proprie tracce vitali. Se c'erano segnali che sembravano indicare che erano messi male quanto il cudù, si fermavano, si sciacquavano la faccia, bevevano un sorso d'acqua facendola scendere lentamente giù per la gola. Dopo averla ingoiata, camminavano e continuavano a tenere sotto controllo i propri segnali.

Louis sentiva la testa pesante e aveva gli occhi secchi e la vista annebbiata. Ci mancava poco che perdesse i sensi, ma era ancora abbastanza in sé da essere molto spaventato; era disteso nel deserto, c'erano 40 gradi e sapeva che c'era un solo modo per salvarsi la vita: bere. Afferrò il suo coltello nella cintura e raggiunse il cudù morto pensando che se lo avesse aperto avrebbe potuto bere l'acqua contenuta nel suo stomaco.

«NO!» lo fermò Nate. Al contrario delle altre antilopi, i cudù mangiano foglie d'acacia, velenose per gli uomini. Nate calmò Louis, gli disse di resistere ancora un po' e si allontanò di corsa: anche se Nate aveva già camminato per 30 chilometri e corso per 25, era in grado di correre altri 10 chilometri per portare a Louis un po' d'acqua. Quando tornò con l'acqua, Nate non gliela lasciò bere subito. Prima gli rinfrescò la testa, poi il viso e solo dopo che la pelle si fu un po' raffreddata gli permise di bere qualche piccolo sorso.

In seguito, dopo che Nate l'aveva aiutato a rientrare all'accampamento, Louis si stupì della spietata efficacia della caccia di persistenza. «È molto più efficace della caccia con arco e frecce» osservò. «Ci vogliono molti tentativi per riuscire a uccidere una preda con l'arco. Puoi colpire un animale e comunque fartelo scappare, oppure gli animali saprofagi possono sentire l'odore del sangue e raggiungere la vittima prima di te, oppure a volte occorre una notte intera prima che il veleno della freccia cominci a fare effetto. Solo una piccola percentuale di colpi sono efficaci, per cui a parità di giorni di caccia la quantità di carne che si riesce a rimediare con la caccia di persistenza è molto maggiore.»

Louis scoprì solo alla seconda, terza e quarta volta in cui partecipò a una caccia di persistenza quanto fossero stati fortunati la prima volta; quel primo cudù era caduto dopo solo due ore, mentre in seguito i cudù impegnarono i Boscimani tra le tre e le cinque ore ciascuno (che corrispondono precisamente, si potrebbe notare, al tempo necessario alla maggior parte delle persone per finire la versione contemporanea della caccia preistorica, ovvero la maratona. *Anche il divertimento ha le sue ragioni*, ricordate?).

Per diventare un buon cacciatore, Louis dovette reinventarsi come corridore. Al liceo era stato un eccellente corridore di medie distanze, aveva vinto il campionato sui 1500 metri ed era arrivato di poco secondo negli 800 metri, ma per riuscire a correre con i Boscimani aveva dovuto dimenticare tutto quello che gli avevano insegnato i moderni allenatori e mettersi a studiare con gli antichi. Come atleta su pista, doveva abbassare la testa e darci dentro, mentre come apprendista Boscimano doveva tenere la testa alta e l'attenzione ben vigile a ogni passo. Non poteva distrarsi e ignorare il dolore; la sua mente, al contrario, doveva fare la spola tra l'immediato – tracce a terra, sudore sulla fronte – e l'immaginario, dato che doveva giocare d'astuzia e strategia per essere sempre un passo avanti alla sua preda.

Il ritmo non era così feroce; in media i Boscimani coprivano un chilometro in sette minuti, ma molti di quei chilometri li correvano sulla sabbia morbida e nella boscaglia, e spesso si fermavano per studiare le tracce. A volte mettevano il turbo e scattavano, ma sapevano bene come rallentare poco dopo e recuperare durante la corsa. Non potevano fare altrimenti, dato che la caccia di persistenza è come trovarsi alla linea di partenza senza sapere se si debba correre una mezza maratona, una maratona o un'ultramaratona. Dopo un po' di tempo Louis cominciò a guardare alla corsa nel modo in cui le altre persone guardano al passeggiare; imparò a rallentare e lasciare che le gambe si rilassassero con un trotterellio morbido e rapido, una sorta di movimento di base che poteva durare tutto il giorno e lasciargli abbastanza energia per accelerare quando ce n'era bisogno.

Anche la sua alimentazione cambiò. I cacciatori-raccoglitori non seguono mai orari prestabiliti; magari state tornando a casa dopo un'estenuante giornata passata a raccogliere patate, ma se della selvaggina fresca entra nel vostro campo visivo, non potete far altro che mollare tutto e inseguirla. Così Louis doveva imparare a mangiar poco durante tutto il giorno anziché riempirsi con pasti consistenti, e non lasciare mai che la sete lo cogliesse di sorpresa, come se ogni giorno dovesse fare una gara e come se la gara non finisse mai.

L'estate del Kalahari cominciò poi a farsi più fredda, e arrivò l'inverno, ma le cacce non s'interruppero. I professori di Harvard e dell'Università dello Utah si erano sbagliati su un aspetto della loro teoria dell'Uomo Corridore: la caccia di persistenza non dipende evidentemente dal calore che uccide la preda, dato che gli ingegnosi Boscimani riuscivano a uccidere le loro prede con ogni clima. Anche nella stagione delle piogge sia le piccole antilopi cefalofine sia i giganti orici gazzella, con le loro corna a forma di lancia, si sarebbero surriscaldati a causa della sabbia bagnata sotto gli zoccoli, che li costringeva a movimenti molto più convulsi. Gli alcelafi rossi di duecento chili sono a loro agio nelle praterie in cui l'erba è alta un metro, ma sono esposti e vulnerabili quando il suolo si inaridisce negli inverni secchi. Durante le notti di luna piena le antilopi restano sveglie fino all'alba e al mattino sono molto stanche; mentre quando arriva la primavera sono indebolite dalla diarrea indotta dalle scorpacciate di foglie verdi.

Nel momento in cui Louis era pronto a tornare a casa e mettersi a scrivere *L'arte della caccia: le origini della scienza*, era così abituato a quelle corse epiche da darle ormai per scontate. Nel suo libro non cita quasi mai la corsa, concentrandosi soprattutto sugli aspetti mentali della caccia piuttosto che su quelli fisici. Solo dopo che una copia di «Nature» gli finì tra le mani, Louis riuscì ad apprezzare completamente ciò che aveva visto nel deserto del Kalahari; fu allora che afferrò il telefono e chiamò nello Utah.

Lei sa perché la gente corre le maratone? chiese al professor Bramble. Perché la corsa è radicata nel nostro immaginario collettivo, e il nostro immaginario collettivo è radicato nella corsa. Il linguaggio, l'arte, la scienza; gli space shuttle, la *Notte stellata* di Van Gogh, la chirurgia intravascolare: tutto affonda le radici nella nostra capacità di correre. La corsa è il superpotere che ci ha resi umani: il che significa anche che è un superpotere che tutti gli esseri umani hanno a disposizione.

«Allora perché c'è così tanta gente che odia la corsa?» chiesi al professor Bramble dopo che ebbe finito di raccontarmi la storia di Louis e dei Boscimani. «Se siamo nati per correre, non dovrebbe essere un piacere per tutti?»

Il professor Bramble cominciò la sua risposta con un indovinello. «C'è un aspetto della faccenda che io trovo molto affascinante» disse. «Abbiamo monitorato i risultati della maratona di New York del 2004 e li abbiamo analizzati in base all'età dei corridori. Abbiamo scoperto che, a partire dai diciannove anni, i ragazzi diventano più veloci ogni anno, fino a raggiungere il picco a ventisette. Dopo i ventisette, comincia il declino. Dunque ecco la domanda: a che età una persona torna in media alla velocità che aveva a diciannove anni?»

Bene. Aprii il mio taccuino a una pagina bianca e cominciai a fare qualche calcolo. Ci vogliono in media otto anni prima che uno faccia il suo tempo migliore, e questo succede a ventisette anni. Se diventi più lento allo stesso ritmo a cui diventi più veloce, allora arriverai alla stessa velocità di quando avevi diciannove anni quando ne avrai trentasei. Otto anni a salire e otto per ridiscendere la china. Ma sapevo che ci doveva essere un trabocchetto da qualche parte, ed ero abbastanza sicuro che riguardasse il fatto che decliniamo a un ritmo diverso rispetto a quello al quale miglioriamo. «Probabilmente perdiamo velocità più lentamente, una volta che l'abbiamo raggiunta» stabilii. Khalid Khannouchi aveva ventisei anni quando batté il record mondiale della maratona, e a trentasei era ancora abbastanza veloce da finire tra i primi quattro ai Giochi olimpici del 2008. Aveva perso solo dieci minuti in dieci anni, nonostante una valanga di infortuni. In onore alla Parabola di Khannouchi, alzai la mia risposta a quarant'anni.

«Quaranta...» cominciai a dire, ma poi vidi un sorriso che si allargava sul volto di Bramble e mi affrettai ad aggiungere «... cinque». «Direi quarantacinque.»

«Sbagliato.»

«Cinquanta.»

«No.»

«Non può essere cinquantacinque.»

«Infatti» disse Bramble. «Non è cinquantacinque. È sessantaquattro.»

«Sul serio? C'è una differenza di...» feci qualche calcolo sul taccuino «... quarantacinque anni! Mi sta dicendo che degli adolescenti non possono battere gente che ha tre volte la loro età?»

«Non è incredibile?» concordò Bramble. «Mi dica una qualsiasi altra disciplina sportiva in cui un sessantaquattrenne può competere con un diciannovenne. Nuoto? Boxe? Neanche per scherzo. C'è qualcosa di veramente strano negli uomini; non solo siamo degli ottimi corridori di resistenza, ma lo siamo anche per un periodo di tempo incredibilmente lungo. Siamo macchine progettate per correre; e delle macchine che per di più non si logorano mai.»

«Non si smette di correre perché si invecchia» diceva il Demone di Dipsea. «Si invecchia perché si smette di correre.»

«E questo vale per entrambi i sessi» continuò il professor Bramble. «Gli studi sulle donne danno gli stessi risultati di quelli sugli uomini.» Il che ha senso, visto che da quando siamo scesi dagli alberi siamo andati incontro a una curiosa trasformazione: più diventavamo umani e più i due sessi diventavano simili. Uomini e donne hanno praticamente la stessa stazza, soprattutto se la si paragona alle differenze di sesso negli altri primati: i maschi di gorilla e di orango pesano il doppio delle loro dolci metà; i maschi di scimpanzé sono più grandi delle loro femmine di più di un terzo; mentre tra l'uomo medio e la donna media la differenza si aggira solo attorno a un misero 15 per cento. Evolvendoci abbiamo ridotto la nostra carne e siamo diventati più sinuosi, più solidali... in una parola, più femminili.

«Le donne sono state molto sottovalutate» disse il dottor Bramble. «La teoria dell'evoluzione non ha reso loro giustizia. Siamo inchiodati a quest'idea che se ne stavano sedute in attesa che gli uomini tornassero a casa col cibo, ma non c'è motivo di pensare che le donne non partecipassero alle squadre di caccia.» In realtà, sarebbe stato strano che le donne *non* avessero partecipato alla caccia a fianco degli uomini, dato che sono quelle che hanno più bisogno di carne. Il corpo umano trae maggiori benefici dalle proteine animali durante l'infanzia, la gravidanza e l'allattamento, quindi perché le donne non avrebbero dovuto avvicinarsi il più possibile alle fonti di carne? I nomadi cacciatori-raccoglitori spostano i loro accampamenti seguendo le mandrie, e perciò, anziché portare il cibo nell'accampamento, trovano più sensato spostare l'accampamento vicino al cibo.

E occuparsi dei bambini stando in movimento non è molto difficile, come dimostra l'ultramaratoneta americana Kami Semick, che ama correre su sentieri di montagna attorno a Bend, in Oregon, con la figlia di quattro anni, Baronie, nello zaino. Neonati? Nessun problema: nella Hardrock 100 del 2007 (una corsa di 160 chilometri) Emily Baer arrivò ottava tra i quasi cento partecipanti ambosessi fermandosi a ogni stazione di sosta per allattare al seno suo figlio appena nato. I Boscimani non sono più nomadi, ma la tradizione della caccia senza distinzione di genere esiste ancora tra i pigmei Mbuti del Congo, dove mariti e mogli, fianco a fianco, cacciano gli ilocheri con le reti.

«Dato che sono perfettamente in grado di mettere al mondo un bambino mentre sono a caccia, e poi tornare a cacciare la mattina seguente» nota l'antropologo Colin Turnbull, che ha passato diversi anni tra gli Mbuti, «le neomadri non vedono ragione per smettere di partecipare pienamente alle operazioni.»

L'affresco del passato dipinto dal professor Bramble cominciava a prendere vividezza e colore. Riuscivo ormai a immaginare un gruppo di cacciatori – giovani e vecchi, maschi e femmine – che correvano infaticabili per le praterie. Le donne erano in prima linea, ad aprire la strada verso le tracce fresche che avevano trovato raccogliendo del cibo, dietro di loro c'erano i vecchi, con gli occhi a terra e la testa nella mente del cudù che li precedeva di settecento metri. Alle loro calcagna stavano gli adolescenti, ansiosi di imparare i segreti di quell'arte. Le vere forze muscolari restavano nelle retrovie; i ragazzi sui vent'anni, i corridori e i cacciatori più forti, seguivano gli altri e risparmiavano le energie per quando sarebbe stato il momento di finire l'animale. E chi c'era a chiudere il gruppo? Le Kami Semick della savana, con i figli e i nipoti più piccoli.

Dopo tutto, da cos'altro dipende la nostra forza? Solo da questa folle corsa e da questo senso della comunità. Gli uomini sono tra i primati più socievoli e cooperativi; la nostra unica difesa, in un mondo pieno di zanne e artigli, era la nostra solidarietà, e non c'è motivo di pensare che improvvisamente abbiamo deciso di liberarci di questa difesa durante la nostra sfida più cruciale, la ricerca del cibo. Mi tornò in mente ciò che gli indiani Seri dissero a Scott Carrier quando i loro giorni da cacciatori di persistenza erano ormai tramontati: «Era meglio prima» lamentava un anziano, «quando facevamo tutto come una famiglia. Condividevamo ogni cosa e collaboravamo, mentre adesso non facciamo altro che discutere e bisticciare, e ciascuno sta per i fatti suoi».

La corsa rendeva gli indiani Seri non solo un popolo. Come l'allenatore Joe Vigil avrebbe capito più tardi a proposito dei suoi atleti, li rendeva anche un popolo *migliore*.

«Ma c'è un problema, ed è precisamente quassù» disse il professor Bramble battendosi la fronte. Il nostro più grande talento, mi spiegò, aveva creato anche il mostro che poteva annientarci. «A differenza di ogni altro organismo della storia, gli uomini hanno un conflitto mente-corpo: abbiamo un corpo fatto per la prestazione, ma un cervello che è sempre in cerca di efficienza.» Viviamo o moriamo a causa della nostra resistenza, ma non dobbiamo dimenticare che la resistenza si gioca tutta sulla conservazione dell'energia, e questo è il campo del cervello. «La ragione per cui alcuni popoli usano il loro talento genetico per correre e altri no sta nel fatto che il cervello è un asso della contrattazione.»

Per milioni di anni, abbiamo vissuto in un mondo senza poliziotti, taxi o pizze a domicilio; abbiamo fatto affidamento sulle nostre gambe per garantirci la sicurezza, il cibo e il trasporto, e non ci si poteva certo aspettare di aver finito un lavoro prima di iniziare quello successivo. Pensate alla corsa sfrenata di Nate per portare dell'acqua a Louis; Nate non aveva di sicuro pianificato una corsa veloce di 10 chilometri dopo una giornata di cammino e una caccia ad alta velocità, ma trovò comunque l'energia per salvare la vita a Louis. E i suoi antenati non potevano mai essere certi di non rischiare di diventare a loro volta la cena di un predatore dopo essersi procacciati il proprio cibo; l'antilope che avevano cacciato fin dall'alba poteva attirare degli animali feroci, costringendo i cacciatori a mollare il loro cibo e a fuggire per salvarsi la vita. Il solo modo per sopravvivere era non lasciare mai il serbatoio completamente vuoto, e questo è il punto in cui il cervello entra in gioco.

«Il cervello cerca sempre di tenere il bilancio in attivo, massimizzando i risultati e minimizzando i costi, incamerando energia e tenendola pronta in caso di emergenza» spiegò Bramble. «Hai questa macchina di lusso e a guidarla è un pilota che non fa che pensare: "Ok, com'è che posso far andare questa bellezza senza usare carburante?". Tu e io sappiamo quanto è bello correre perché ci siamo abituati.» Ma se perdi l'abitudine, la voce che risuona nel tuo cervello è quella dell'istinto di sopravvivenza dei tuoi antenati che ti dice di rilassarti. Ed ecco l'amara ironia: la nostra fantastica resistenza ha dato al nostro cervello il cibo che gli serviva per crescere, e adesso il cervello sta mettendo a repentaglio la nostra resistenza.

«Viviamo in un mondo in cui l'esercizio estremo è considerato una follia» dice il professor Bramble «perché è ciò che ci dice il nostro cervello: perché far andare la macchina a pieno regime se non ce n'è bisogno?»

A essere onesti, il nostro cervello aveva svolto egregiamente il suo lavoro per il 99 per cento della nostra storia: starsene seduti senza fare nulla era un lusso, quindi ogni volta che si presentava l'occasione di riposare e recuperare, bisognava coglierla al volo. Solo di recente ci siamo inventati una tecnologia che permette di elevare la pigrizia a stile di vita, e così abbiamo preso i nostri corpi fibrosi e resistenti di cacciatori-raccoglitori e li abbiamo gettati in un mondo di svaghi artificiali. E cosa succede quando si porta una forma di vita in un ambiente alieno? Gli scienziati della NASA si ponevano lo stesso problema prima di mandare l'uomo nello spazio. Il corpo umano, riflettevano, era stato concepito per prosperare sotto la forza di gravità, quindi togliere la gravità avrebbe magari sortito l'effetto di una specie di fonte di giovinezza, rendendo gli astronauti più forti, più intelligenti e più sani. Dopo tutto, ogni caloria che incameravano in assenza di gravità andava a nutrire direttamente il corpo e la mente, anziché dover contrastare una continua spinta verso il basso, no?

Neanche per sogno. Tornati sulla terra, gli astronauti erano invecchiati di anni nel giro di pochi giorni. Le loro ossa erano più deboli e i loro muscoli atrofizzati; erano insonni, depressi, esausti e apatici. Perfino le loro papille gustative si erano deteriorate. Se avete mai passato un intero weekend sul divano, conoscete quella sensazione, perché abbiamo creato la nostra bolla a gravità zero anche qui sulla terra; abbiamo privato il nostro corpo degli sforzi che avrebbe dovuto fare e ne stiamo pagando lo scotto. Quasi tutte le cause di morte più diffuse in Occidente – malattie cardiache, ictus, diabete, ipertensione e una dozzina di tumori – erano sconosciute ai nostri antenati. Non avevano la medicina, eppure avevano la loro panacea... o forse due, a giudicare dalle dita che il professor Bramble mi stava mostrando.

«Potremmo letteralmente porre un freno alle epidemie con quest'unico rimedio» disse. Alzò due dita come a fare il segno della pace, e poi le ruotò verso il basso e cominciò a muoverle come se camminassero. L'Uomo Corridore.

«Semplicissimo» disse. «Basta muovere le gambe. Perché se pensi di non essere nato per correre non stai rinnegando solo la tua storia. Stai rinnegando ciò che sei.»

# XXIX

Il passato non è mai morto. Non è nemmeno passato.
**WILLIAM FAULKNER**, *Requiem per una monaca*

Ero già sveglio e stavo fissando il buio quando Caballo venne a grattare alla mia porta.

«Oso?» sussurrò.

«Entra» gli sussurrai in risposta. Diedi un'occhiata all'orologio: le quattro e mezzo.

Dopo mezz'ora avremmo dovuto metterci in cammino per andare a incontrare i Tarahumara. Mesi prima, Caballo si era messo d'accordo per trovarci con loro in una piccola valle alberata sul sentiero che porta al monte Batopilas. Il piano era raggiungere insieme la vetta del monte e poi discendere dalla parte opposta, attraversare il fiume e arrivare al villaggio di Urique. Non sapevo cosa avesse intenzione di fare Caballo qualora i Tarahumara non si fossero presentati – e neppure cosa avrei fatto io nel caso si fossero presentati.

I viaggiatori a cavallo impiegano tre giorni per percorrere i 55 chilometri che separano Batopilas da Urique; Caballo aveva in progetto di farli in un solo giorno. Se stavolta fossi rimasto indietro, avrei continuato a vagare da solo per il canyon? E se i Tarahumara non si fossero presentati, Caballo ci avrebbe portati in giro a cercarli in quella terra di nessuno? Aveva una qualche idea di dove stava andando?

Erano quelli i pensieri che mi tenevano sveglio. Ma anche Caballo, scoprii, aveva le sue preoccupazioni. Entrò e si sedette sul bordo del mio letto.

«Credi che i Ragazzini siano pronti?» chiese.

Sorprendentemente, sembravano stare bene nonostante il giorno prima fossero quasi morti nei canyon. Si erano fatti una scorpacciata di *tortillas* e *frijoles*, quella sera, e non avevo udito praticamente nessun segno di sofferenza provenire dal bagno quella notte.

«Quanto ci vuole perché si manifestino i sintomi della giardia?» chiesi. I parassiti della giardia, a quanto ne sapevo, dovevano passare un periodo di incubazione nell'intestino prima di sfociare in diarrea, febbre e crampi allo stomaco.

«Una settimana o due.»

«Allora, se entro stamani non mostrano sintomi di qualche altra malattia, dovrebbero essere a posto fino a dopo la gara.»

«Mmm» mormorò Caballo. «Sì.» Fece una pausa: ovviamente aveva qualcos'altro per la testa. «Senti» proseguì, «credo che dovrò prendere a pugni Ted lo Scalzo.» Il problema stavolta non erano i piedi nudi di Ted, ma la sua lingua inarrestabile. «Se arriva davanti ai Rarámuri e comincia a fare come al solito, finirà per metterli veramente a disagio» disse Caballo. «Penseranno che sia un nuovo Fisher e se la squaglieranno.»

«Cos'hai intenzione di fare?»

«Gli dirò di tenere la bocca sigillata. Non mi piace dire alla gente cosa deve fare, ma è assolutamente necessario che recepisca il messaggio.»

Mi alzai dal letto e lo aiutai a svegliare gli altri. La notte prima un amico di Caballo aveva caricato i nostri bagagli su un mulo ed era partito per Urique, in modo che a noi non restasse da portare nient'altro che il cibo e l'acqua necessari per arrivare a destinazione. Bob Francis, la vecchia guida delle montagne, si era offerto di dare un passaggio sul suo fuoristrada al padre di Luis per risparmiargli la fatica del viaggio. Tutti gli altri si prepararono alla svelta e alle cinque del mattino eravamo già in cammino sulle pietre che portavano al fiume. La luna del canyon si specchiava nell'acqua e i pipistrelli continuavano a volare rapidi sopra le nostre teste mentre Caballo ci conduceva a un sentiero appena accennato che costeggiava il corso d'acqua. Ci mettemmo in fila indiana e passammo a una corsetta leggera.

«I Ragazzini Festaioli sono incredibili» disse Eric, guardandoli correre senza problemi dietro Caballo.

«Sembrano piuttosto dei Ragazzini Resuscitati» convenni. «Ma quello che preoccupa Caballo è...» e puntai il dito verso Ted lo Scalzo, che correva davanti a noi e la cui tenuta da viaggio era composta da pantaloncini rossi, le sue FiveFingers verdi ai piedi e un amuleto a forma di teschio, anatomicamente impeccabile, attorno al collo. Al posto della maglietta aveva un impermeabile, il cui cappuccio era annodato sotto il mento mentre il resto svolazzava dietro le sue spalle come un mantello. Dalla caviglia gli penzolavano dei campanellini che si era procurato dopo aver letto da qualche parte che i Tarahumara anziani ne portano di simili.

«Perfetto» sorrise Eric. «Abbiamo anche noi il nostro stregone.»

All'alba avevamo lasciato il fiume per cominciare a salire sulle montagne. Caballo andava veloce, ancora più veloce del giorno prima. Mangiammo senza fermarci, buttando giù piccoli bocconi di *tortilla* e barrette energetiche, sorseggiando dalle nostre borracce con moderazione, nel caso fossero dovute durare tutto il giorno. Quando ci fu abbastanza luce per vedere, mi voltai e guardai indietro per provare a orientarmi. Il villaggio era sparito, inghiottito dalla foresta come Atlantide dall'oceano. Anche il sentiero sembrava dissolversi dietro di noi nel folto del bosco subito dopo il nostro passaggio. Mi sentivo come se stessimo affondando in uno sterminato mare di vegetazione.

«Non troppo lontano» sentii dire a Caballo. Stava indicando qualcosa che non riuscivo ancora a vedere. «Vedi quel gruppo di alberi? È lì che dobbiamo incontrarli.»

«*Quell'*Arnulfo» disse Luis, con una voce sognante. «Preferirei incontrare lui piuttosto che Michael Jordan.»

Mi avvicinai e vidi gli alberi. Ma non c'era nessuno.

«C'è in giro un po' di influenza» disse Caballo, rallentando e inclinando la testa per cercare qualche segno di vita sulla collina sopra di noi. «C'è la possibilità che alcuni corridori arrivino un po' in ritardo. Se sono malati. O se devono prendersi cura dei familiari.»

Eric e io ci scambiammo un'occhiata. Caballo non aveva mai parlato di influenza, prima. Io mi tolsi la sacca dell'acqua dalle spalle e feci per sedermi. «Meglio farsi un riposino ora, prima di sapere cosa ci aspetta» pensai, lasciando cadere la sacca ai miei piedi. Quando rialzai lo sguardo, mi accorsi che eravamo circondati da una mezza dozzina di uomini con gonnellini bianchi e bluse da pirata. Si erano materializzati dalla foresta in un batter d'occhio.

Restammo tutti in silenzio, sorpresi, in attesa di un cenno da parte di Caballo.

«Lui c'è?» sussurrò Luis.

Diedi un'occhiata ai Tarahumara che ci circondavano e individuai quel familiare sorriso eccentrico sullo splendido viso color mogano. Wow, era venuto veramente! E, cosa altrettanto incredibile, dietro di lui vidi anche suo cugino Silvino.

«È lui» mormorai. Arnulfo ci sentì e guardò verso di noi. Le sue labbra si aprirono in un mezzo sorriso quando mi riconobbe.

Caballo era travolto dall'emozione. Pensai che fosse semplicemente sollievo, finché non si diresse con entrambe le braccia tese verso un corridore tarahumara con un volto addolorato che ricordava quello di Geronimo. «Manuel...» disse Caballo.

Manuel non rispose con un sorriso, ma prese le mani di Caballo nelle sue. Io feci un passo avanti. «Conoscevo tuo figlio» dissi. «Era stato molto buono con me, un vero *caballero*.»

«Mi aveva parlato di te» disse Manuel. «Avrebbe voluto essere qui, oggi.»

Il commovente incontro di Caballo e Manuel ruppe il ghiaccio per tutti gli altri. Il resto della truppa di Caballo si muoveva tra gli indios, dispensando le strette di mano tarahumara che Caballo aveva insegnato loro, quel leggero strofinio di polpastrelli che è allo stesso tempo meno violento e più intimo della vecchia e virile stretta di mano.

Caballo cominciò a presentarci. Non per nome, però; a dire il vero credo di non averlo più sentito pronunciare i nostri nomi. Ci aveva studiati nei tre giorni precedenti e, dopo avere visto un *oso* in me e aver accettato lo spirito di scimmia che Ted lo Scalzo si era autoconferito, Caballo sentì di aver identificato uno spirito animale per ognuno di noi.

«El Coyote» disse, mettendo una mano sulla spalla di Luis. Billy divenne El Lobo Joven, il giovane lupo. Eric, silenzioso e guardingo, era El Gavilán, il falco. Quando fu il turno di Jenn, intravidi un guizzo di interesse divertito lampeggiare negli occhi di Manuel Luna. «La Brujita Bonita» la chiamò Caballo. Per i Tarahumara, immersi nelle storie dei loro due meravigliosi anni a Leadville e della battaglia epica tra Juan Herrera e Ann «La bruja» Trason, chiamare una giovane ragazza «La bella streghetta» era esattamente come dire di un giocatore di calcio che è «il nuovo Maradona».

«*¿Hija?*» chiese Manuel: Jenn era davvero la figlia di Ann Trason?

«*Por sangre, no. Por corazón, sí*» rispose Caballo. Non figlia di sangue, ma figlia nello spirito.

Infine Caballo si voltò verso Scott Jurek. «El Venado» disse, suscitando una reazione perfino nel glaciale Arnulfo. A che gioco stava giocando questo *gringo* folle? Perché Caballo aveva chiamato quel tizio alto, magro e dall'aria così sicura di sé «il cervo»? Stava dando ai Tarahumara un colpetto sotto il tavolo, un piccolo consiglio su come affrontarlo il giorno della gara? Manuel ricordava molto bene il modo in cui Caballo aveva consigliato ai Tarahumara a Leadville di restare pazientemente alle calcagna di Ann Trason per «cacciarla come un cervo». Ma stavolta Caballo avrebbe cercato di favorire i Tarahumara oppure i suoi compatrioti? Che fosse una trappola? Forse stava tentando di ingannare i Tarahumara facendoli restare indietro mentre gli americani prendevano un vantaggio irrecuperabile...

Tutto era misterioso e complicato e profondamente divertente agli occhi dei Tarahumara, il cui amore per le strategie di gara rivaleggiava solo con il loro gusto per la birra di mais. Silenziosamente, cominciarono a scherzare tra loro, finché Ted lo Scalzo non si intromise. Non si sa se per errore o come misura di profilassi, Caballo aveva saltato Ted nelle presentazioni e così Ted si presentò da solo.

«*¡Yo soy El Mono!*» annunciò. «La Scimmia!»

«Aspetta un attimo» pensò Ted, «ce le avranno le scimmie, in Messico? Magari i Tarahumara non sanno cos'è un *mono*.» Nel caso lo avessero ignorato, cominciò a fare versi e a grattarsi come uno scimpanzé, mentre i campanellini alle caviglie suonavano e le maniche dell'impermeabile rosso gli sbattevano sulla faccia; per qualche motivo pensava che se avesse recitato la parte di una cosa che i Tarahumara non avevano mai visto, avrebbe spiegato loro di cosa si trattasse.

I Tarahumara lo fissarono. Nessuno di loro, tra parentesi, indossava campanellini.

«Bene» disse Caballo, cercando di far calare il sipario il prima possibile su quella rappresentazione. «*¿Vámonos?*»

Ci rimettemmo gli zaini in spalla. Avevamo camminato in salita per cinque ore filate, ma dovevamo comunque fare in fretta per riuscire a guadare il fiume prima del buio. Caballo andò avanti, mentre il resto di noi lo seguiva in fila indiana mescolandosi ai Tarahumara. Io mi piazzai in ultima posizione per non rallentare la spedizione, ma Silvino non ne volle sapere: non si sarebbe mosso se non fossi andato prima di lui.

«*¿Por qué?*» domandai.

Abitudine, disse Silvino; dato che era uno dei migliori corridori con la palla, era abituato a tenere d'occhio i compagni di squadra da dietro e lasciare che fossero loro a dare il passo fino al momento in cui bisognava fare il rush finale negli ultimi chilometri. Io ero solleticato dall'idea di far parte di un *dream team* misto di ultracorridori tarahumara e americani, fino a che non tradussi a Eric quello che Silvino aveva appena detto.

«Forse è così» disse Eric. «O forse la gara è già iniziata.» Fece un cenno col capo indicando qualcosa davanti a noi. Arnulfo stava camminando subito dietro Scott, e lo osservava con estrema attenzione.

# XXX

Poesia, musica, foreste, oceani, solitudine: sono stati loro a sviluppare un'enorme forza spirituale. Sono arrivato alla conclusione che prima di una corsa bisogna coltivare lo spirito almeno quanto la condizione fisica.

HERB ELLIOT, *campione olimpico e detentore del titolo mondiale sul miglio. Si allenava scalzo, scriveva poesie e si ritirò imbattuto*

«*Oye, Oso*» mi chiamò un negoziante, facendomi cenno di entrare.

Due giorni dopo essere arrivati a Urique, tutti ci conoscevano con i soprannomi degli spiriti animali che Caballo ci aveva affibbiato. Quando dico «tutti» intendo, naturalmente, tutti quelli che si trovavano in un raggio di circa cinquecento metri; Urique è un minuscolo villaggio del Mondo Perduto che se ne sta completamente isolato in fondo a un canyon, come un ciottolo in fondo a un pozzo. Dopo aver fatto colazione la prima mattina, eravamo già perfettamente inseriti nel tessuto sociale locale. Quando i soldati dell'esercito messicano accampati alla periferia del villaggio passavano in perlustrazione, salutavano Jenn dicendole «*¡Hola, Brujita!*». I bambini salutavano Ted lo Scalzo al grido di «*¡Buenos días, Señor Mono!*», Buongiorno signor Scimmia.

«Ehi, Orso» continuò il negoziante, «sai che Arnulfo non è mai stato battuto? Sai che ha vinto la corsa dei 100 chilometri tre volte di fila?»

Nessun Derby del Kentucky, nessuna elezione presidenziale, nessun omicidio di celebrità era stato seguito con la passione e il trasporto che la gente di Urique tributava alla corsa organizzata da Caballo. Essendo un villaggio minerario i cui periodi di splendore erano finiti più di un secolo prima, a Urique non restavano che due cose di cui andare fieri: il paesaggio brutalmente selvaggio e i vicini Tarahumara. Adesso, per la prima volta, un gruppo di esotici corridori stranieri avevano fatto tutta quella strada per mettersi alla prova con entrambi, e la cosa aveva assunto dimensioni che andavano ben al di là della semplice gara: per la gente di Urique era l'unica possibilità nella loro vita di mostrare al mondo esterno di che pasta erano fatti.

Perfino Caballo era sorpreso nello scoprire che la sua corsa aveva superato le sue più rosee aspettative e stava diventando la Massima Competizione delle ultramaratone clandestine. Nei due giorni precedenti, i corridori tarahumara avevano continuato ad arrivare uno o due alla volta da ogni direzione. Quando ci svegliammo la mattina dopo la nostra camminata da Batopilas, vedemmo un gruppo di Tarahumara locali scendere dalle colline che circondavano il villaggio. Caballo non era nemmeno sicuro che quelli di Urique corressero ancora; aveva temuto che, come nel drammatico caso dei Tarahumara di Yerbabuena, gli interventi stradali del governo avessero trasformato i Tarahumara di Urique da corridori in autostoppisti. Di sicuro avevano l'aria di essere un popolo in fase di transizione; i Tarahumara di Urique usavano ancora bastoni di legno *palia* (la loro versione della corsa con la palla era più simile all'hockey su pista che al calcio), ma al posto dei tradizionali gonnellini bianchi e dei sandali indossavano pantaloncini da corsa e scarpe da ginnastica ricevute in dono dalle missioni cattoliche.

Quello stesso pomeriggio, Caballo fu felicissimo di vedere un uomo di cinquantun anni di nome Herbolisto arrivare di corsa da Chinivo, accompagnato da Nacho, un campione quarantunenne che veniva da uno degli insediamenti vicini a quello di Herbolisto. Come Caballo aveva temuto, Herbolisto era stato colpito dall'influenza. Ma era uno dei più vecchi amici tarahumara di Caballo e non sopportava l'idea di perdersi la gara, perciò non appena si era sentito un po' meglio aveva preso una borsa di *pinole* e si era fatto un viaggio di 100 chilometri, fermandosi lungo il cammino per invitare Nacho a condividere quel divertimento.

Alla vigilia della gara, il numero dei partecipanti era triplicato da otto a venticinque. Su e giù per la via principale di Urique, il dibattito su chi fosse adesso il vero uomo da battere si era fatto incandescente: era Caballo Blanco, lo scaltro veterano che aveva carpito i segreti sia degli americani sia dei Tarahumara? Oppure erano i Tarahumara di Urique, che giocavano in casa e quindi avevano l'orgoglio da difendere, una conoscenza approfondita dei sentieri del posto e il pubblico tutto dalla loro parte? Alcuni puntavano su Billy Testa di Legno, il Giovane Lupo, che con il suo fisico da divinità del surf rubava sguardi d'ammirazione ogniqualvolta andava a fare un bagno nel fiume di Urique. Ma le due tifoserie più nutrite per le strade del villaggio erano quelle che sostenevano le due star: Arnulfo, il re dei Copper Canyon, e El Venado, il misterioso sfidante straniero.

«*Sí, señor*» risposi al negoziante. «Arnulfo ha vinto una gara di 100 chilometri nei canyon per tre volte di fila, ma il Cervo ne ha vinta una di 160 sulle montagne per *sette* volte.»

«Ma fa molto caldo da queste parti» ribatté il negoziante. «I Tarahumara se lo mangiano, il caldo.»

«Vero. Ma il Cervo ha vinto una gara di 217 chilometri nel deserto della Death Valley in piena estate. Nessuno è mai andato più veloce di lui.»

«Nessuno batte i Tarahumara» insistette lui.

«L'ho sentito dire anch'io. Allora, su chi punterà?»

Scrollò le spalle. «Sul Cervo.»

Gli abitanti del villaggio erano cresciuti con la venerazione per i Tarahumara, ma questo *gringo* alto con le sue sgargianti scarpe arancioni era diverso da chiunque altro avessero visto fino a quel momento. Era inquietante vedere Scott correre fianco a fianco con Arnulfo; anche se Scott non aveva mai visto un Tarahumara prima di quel momento e Arnulfo non aveva mai visto il mondo di fuori, in qualche modo questi due uomini separati da duemila anni di cultura avevano sviluppato lo stesso stile di corsa. Si accostavano alla loro arte dalle estremità opposte della storia e si incontravano precisamente a metà strada.

Me ne accorsi la prima volta sul monte Batopilas, quando eravamo finalmente arrivati in cima e il sentiero diventava pianeggiante e girava intorno alla vetta. Arnulfo aveva preso un po' di vantaggio sfruttando il passaggio sul piano. Scott si mise subito alle sue spalle. Mentre il sentiero curvava verso occidente, i due scomparvero nel bagliore del tramonto. Per qualche istante non riuscii a distinguerli: erano due infuocate silhouette che si muovevano con il medesimo ritmo e la medesima grazia.

«Ho capito!» disse Luis, tornando indietro per mostrarmi le immagini sulla sua fotocamera. Aveva fatto uno scatto in avanti per mettersi di fronte a loro e catturare in un'immagine tutto quello che avevo imparato sulla corsa negli ultimi due anni. Non erano tanto le figure di Arnulfo e Scott a essere simili, ma i loro sorrisi; stavano sorridendo di puro piacere muscolare, come delfini che saltellano tra le onde. «Questa immagine mi farà commuovere, quando saremo tornati a casa» disse Luis. «È come veder giocare uno accanto all'altro Pelé e Maradona.» Se Arnulfo aveva un vantaggio, non riguardava né lo stile né lo spirito.

Ma io avevo un'altra ragione per puntare su Scott. Durante l'ultimo, durissimo miglio prima di arrivare a Urique, restò indietro accanto a me, e io mi domandai perché. Era venuto fin qui per vedere i migliori corridori al mondo, allora come mai perdeva tempo con uno dei peggiori? Ce l'aveva con me perché stavo rallentando tutti gli altri? Sette ore di discesa giù per quel monte diedero alla fine una risposta ai miei quesiti.

Ciò che l'allenatore Joe Vigil sentiva riguardo al carattere, ciò che il professor Bramble congetturava con i suoi modelli antropologici, per Scott era la sua stessa vita. Aveva compreso che la ragione per cui corriamo non è tanto che vogliamo battere tutti gli altri, ma che vogliamo *stare con* tutti gli altri. Scott l'aveva imparato prima di avere una scelta, quando ancora correva con Dusty e gli altri ragazzi per i boschi del Minnesota. Non era bravo e non aveva motivo di credere che lo sarebbe mai diventato, ma la gioia che ricavava dalla corsa era di mettere la sua energia in comune con quella del gruppo. Altri corridori provano a dissociarsi dalla fatica alzando al massimo il volume dell'iPod o immaginando il boato della folla in uno stadio gremito alle Olimpiadi, ma Scott aveva un metodo più semplice: è facile uscire da se stessi quando si pensa agli altri.*

È per questo motivo che i Tarahumara scommettevano come pazzi prima di una corsa con la palla: le scommesse li rendevano partner paritari nel gioco, facendo sapere ai corridori che erano tutti insieme nella mischia. Allo stesso modo, gli Hopi considerano la corsa una forma di preghiera; offrono ogni passo come una specie di sacrificio all'amato e in cambio chiedono al Grande Spirito di concedere loro un po' della sua forza. Alla luce di tutto questo, è facile capire perché ad Arnulfo non interessava correre fuori dai canyon e perché Silvino non aveva intenzione di farlo mai più: se non correvano per la loro gente, qual era lo scopo? Scott, con la malattia della madre che non aveva mai abbandonato i suoi pensieri, era ancora un adolescente quando aveva interiorizzato la connessione tra compassione e competizione.

Compresi che i Tarahumara traevano forza dalla loro tradizione, ma Scott traeva forza da tutte le tradizioni della corsa. Era allo stesso tempo un archivista e un innovatore, uno studente onnivoro che teneva in uguale conside-

* Ogni dubbio residuo su questa teoria venne fugato l'anno seguente, quando andai a fare da battistrada a Luis Escobar alla Badwater. Alle tre di notte esatte, andai avanti per vedere cosa faceva Scott e lo trovai nel bel mezzo di una salita di 6 chilometri. Aveva già corso 130 chilometri a 50 gradi di temperatura e aveva un ritmo che poteva portarlo a battere un nuovo record, ma quando mi vide le prime parole che uscirono dalla sua bocca furono: «Come sta il Coyote?».

razione il folklore dei Navajo, dei Boscimani del Kalahari e dei monaci maratoneti del Monte Hiei come pure i livelli aerobici, la soglia del lattato e la ricostruzione di tutti e tre i tipi di fibre muscolari (e non due, come crede la maggior parte dei corridori).

Arnulfo non avrebbe corso contro un americano veloce. Stava per correre contro l'unico Tarahumara del XXI secolo.

Mentre io e il negoziante eravamo impegnati a stabilire qualità e difetti dei vari corridori, vidi Arnulfo che passeggiava. Presi un paio di ghiaccioli per ripagarlo delle limette che mi aveva offerto a casa sua e insieme cercammo un posto all'ombra dove metterci comodi. Vidi Manuel Luna seduto sotto un albero, ma sembrava così solo e perduto nei suoi pensieri che pensai fosse meglio non disturbarlo. La Scimmia Scalza, invece, la pensava diversamente.

«MANUEL!» gridò Ted lo Scalzo dall'altra parte della strada.

Manuel alzò la testa.

«*Amigo*, sono contento di vederti» disse Ted lo Scalzo. Aveva cercato in giro qualche pneumatico usato per ricavarci un paio di sandali tarahumara, ma aveva pensato di chiedere prima consiglio a un esperto. Afferrò lo sconcertato Manuel per il braccio e lo portò in un minuscolo negozio. Venne fuori che Ted aveva ragione: non tutti gli pneumatici sono uguali. Ciò di cui aveva bisogno, gli mostrò Manuel con le sue mani, era una striscia con una scanalatura esattamente al centro, dove il nodo del laccio potesse essere alloggiato e non venisse consumato dal terreno.

Pochi minuti dopo, Ted lo Scalzo e Manuel Luna erano fuori, con le teste una accanto all'altra, che prendevano le misure del piede di Ted e tagliavano la forma dello pneumatico con il mio grosso coltello Victorinox. Lavorarono tutto il pomeriggio a rifinire e misurare le suole, finché, poco prima di cena, Ted fu in grado di fare una corsa di prova per la strada con le sue nuove fiammanti Luna

Air. Da quel momento, Ted e Manuel divennero inseparabili. Arrivavano a cena insieme e cercavano nel ristorante strapieno un posto per sedersi vicini.

Urique aveva un solo ristorante ma, dato che a gestirlo era Mamá Tita, era più che sufficiente. Dall'alba a mezzanotte, per quattro giorni filati, questa sorridente donna ultrasessantenne tenne accesi a tutto gas i suoi quattro vecchi fornelli a propano, affaccendandosi in una cucina calda come una sauna e dalla quale non smettevano mai di uscire montagne di cibo destinate ai corridori di Caballo: pollo e capra stufata, pesci di fiume in pastella, manzo grigliato, fagioli rifritti e *guacamole*, il tutto condito con salse piccanti o al gusto di menta e accompagnato da limette, olio piccante e coriandolo fresco. Per colazione serviva uova strapazzate con formaggio caprino e peperoni dolci, accompagnati da ciotole di *pinole* e frittelle che sembravano di pan di spagna; una mattina mi offrii volontario per darle una mano e imparare le sue ricette segrete.*

Una volta, dopo che i corridori americani e i Tarahumara si erano stretti attorno ai lunghi tavoli nel cortile di Tita, Caballo batté dei colpi su una bottiglia di birra e si alzò in piedi. Pensai che ci avrebbe dato le ultime istruzioni per la gara, ma in realtà aveva qualcos'altro in mente.

«C'è qualcosa che non va in voi» cominciò. «Ai Rarámuri non piacciono i messicani. Ai messicani non piacciono gli americani. Agli americani non piace nessuno. Ma voi siete tutti qui. E continuate a fare cose che in teoria non dovreste fare. Ho visto Rarámuri che aiutavano *chabocis* a guadare il fiume. Ho visto messicani che trattavano i Rarámuri come grandi campioni. Guardate questi *gringos* che trattano gli altri con rispetto. I messicani normali, gli americani normali e i Rarámuri non si comportano così.»

* Il segreto di Tita (non vi preoccupate, non si offenderà se ve lo dico) è questo: per fare la pastella mescola riso bollito, banane molto mature, un po' di farina di mais e latte di capra fresco. Semplicemente perfetto.

# XXXI

Spesso mi immagino un corridore più veloce, quasi un fantasma, davanti a me con un passo più veloce del mio.

GABE JENNINGS, *Vincitore dei 1500 metri nelle gare di qualificazione per le Olimpiadi del 2000*

Alle cinque del mattino, Mamá Tita aveva messo sulla tavola dei pancake, delle papaie e del *pinole* caldo. Per il loro pasto pre-gara, Arnulfo e Silvino avevano chiesto di avere del *pozole* – un sostanzioso brodo di manzo con pomodori e grossi chicchi di mais – e Tita, allegra come un uccellino nonostante avesse dormito solo tre ore, lo preparò al volo. Silvino si era cambiato e si era messo in tenuta da gara, una stupenda blusa turchese e un gonnellino *zapate* bianco con una fantasia floreale sull'orlo.

«*Guapo*», ti dona, disse Caballo con ammirazione. Silvino chinò timidamente la testa. Caballo andava nervosamente su e giù per il cortile sorseggiando caffè. Aveva sentito dire che alcuni pastori stavano pensando di trasferire le mandrie su uno dei sentieri prescelti per la gara, cosa che lo aveva tenuto sveglio tutta la notte per escogitare deviazioni del percorso all'ultimo minuto. Quando si alzò e scese per fare colazione, scoprì che il padre di Luis Escobar era già accorso in suo aiuto con la collaborazione del vecchio Bob, l'altro viandante *gringo* di Batopilas amico di Caballo. Si erano imbattuti nei *vaqueros* la sera prima, mentre erano in giro a fare foto dei dintorni, e li avevano avvertiti della corsa. Quindi ora, non avendo più nessun fuggi fuggi di cui preoccuparsi, Caballo si mise in cerca di qualcos'altro. Non dovette attendere a lungo.

«Dove sono i Ragazzini?» chiese.

Scrollate di spalle.

«Sarà meglio che vada a cercarli» disse. «Non voglio che cerchino di uccidersi di nuovo saltando la colazione.»

Quando Caballo e io ci fermammo fuori, fui sorpreso di scoprire che tutta la città era venuta a salutarci. Mentre noi eravamo dentro a fare colazione, ghirlande di fiori freschi e festoni di carta erano stati appesi per le strade e una band di mariachi con sombreri e vestiti da torero aveva cominciato a strimpellare qualche melodia di riscaldamento. Le donne e i bambini stavano già ballando per le strade, mentre il sindaco provava a puntare una pistola al cielo, cercando di capire come sparare il colpo d'inizio senza distruggere i festoni.

Guardai l'orologio e improvvisamente cominciai a respirare a fatica: trenta minuti alla partenza. I 60 chilometri di cammino per arrivare a Urique, come aveva pronosticato Caballo, mi avevano «mangiato e digerito» e tra mezz'ora avrei dovuto farne altrettanti, più altri venti. Caballo aveva architettato un percorso diabolico; saremmo saliti e discesi per 2 chilometri di dislivello in 80 di percorso, lo stesso dislivello della prima metà della gara di Leadville. Caballo non era un fan degli organizzatori della Leadville Trail, ma quando si trattava di scegliere un terreno su cui correre, era altrettanto spietato.

Io e Caballo salimmo sulla collina e raggiungemmo il piccolo hotel. Jenn e Billy erano ancora nella loro stanza e stavano discutendo se Billy avrebbe dovuto portare con sé una bottiglia d'acqua in più, che comunque non riusciva a trovare. Io ne avevo una di scorta che usavo per il caffè, quindi scivolai nella mia stanza, la svuotai del caffè e la offrii a Billy.

«Ora mangiate qualcosa! E datevi una mossa!» li rimproverò Caballo. «Il sindaco sparerà con quell'arnese alle sette spaccate.»

Io e Caballo prendemmo la nostra attrezzatura – io la

sacca d'acqua, del gel e delle barrette energetiche, e lui una bottiglia d'acqua e una minuscola borsa di *pinole* – poi tornammo a valle. Quindici minuti alla partenza. Svoltammo l'angolo verso il ristorante di Tita e scoprimmo che la festa di strada si era evoluta fino a diventare un minicarnevale. Luis e Ted stavano facendo piroettare delle anziane donne, tagliando fuori il padre di Luis, che cercava di buttarsi nella mischia. Scott e Bob Francis stavano battendo le mani e cantando canzoni assieme ai mariachi, cercando di fare del loro meglio. I Tarahumara di Urique avevano formato il loro gruppo di percussionisti e battevano il tempo sul marciapiede con le loro bacchette di *palia.*

Caballo era al settimo cielo. Si gettò tra la folla e cominciò a esibirsi in una danza in stile Mohammed Alì, volteggiando, ondeggiando e dando pugni al vento. La folla fece un boato. Mamá Tita gli mandò dei baci.

«*¡Ándale!* Abbiamo tutto il giorno per ballare!» gridò Caballo con le mani attorno alla bocca a mo' di altoparlante. «Ma solo se non muore nessuno. Fate attenzione, là fuori!» si voltò verso i mariachi e si passò un dito attorno alla gola. Fine della musica. Che lo spettacolo abbia inizio.

Caballo e il sindaco cominciarono a radunare le mandrie di ballerini sulla strada e a spingere i corridori verso la linea di partenza. Ci accalcammo tutti insieme, una specie di mantello di arlecchino di facce, corpi e indumenti assortiti. I Tarahumara di Urique avevano i loro pantaloncini e le loro scarpe da corsa, e reggevano ancora in mano le loro bacchette di *palia.* Scott si strappò via la maglietta. Arnulfo e Silvino, con le loro bluse colorate portate apposta per la gara, stavano appiccicati a Scott: i Cacciatori non avrebbero lasciato che il Cervo uscisse dal loro campo visivo neanche per un istante. Per una sorta di tacito accordo, tutti quanti ci mettemmo dietro una linea immaginaria sull'asfalto.

Io mi sentivo stringere il petto. Eric si fece strada tra la gente e venne al mio fianco. «Senti, ti devo dare una brutta notizia» disse. «Non vincerai la gara. Qualsiasi cosa succeda, dovrai stare là fuori tutto il giorno. Quindi ti conviene rilassarti, andare con calma e godertela. Tieni bene a mente questa cosa: se ti sembra di faticare, vuol dire che stai andando troppo forte.»

«Li coglierò di sorpresa e prenderò io l'iniziativa, allora» dissi con voce roca.

«Non prendere iniziative!» mi avvertì Eric, temendo che un pensiero del genere potesse affacciarsi nel mio cervello anche solo per scherzo. «Ci possono essere quaranta gradi, là fuori. Il tuo obiettivo è tornare a casa sulle tue gambe.»

Mamá Tita venne con gli occhi lucidi a stringere la mano a tutti i corridori. «*Ten cuidado, cariño*» raccomandò a ciascuno. Abbi cura di te, mio caro.

«*¡Diez!... ¡Nueve!...*»

Il sindaco cominciò a fare il conto alla rovescia assieme alla folla.

«*¡Ocho!... ¡Siete!...*»

«Dove sono i Ragazzini?» gridò Caballo. Mi guardai intorno. Di Jenn e Billy non c'era traccia. «Digli di aspettare un attimo!» gridai a Caballo. Lui scosse la testa. Si voltò e si mise in assetto da gara. Aveva aspettato anni e rischiato la vita per arrivare a questo momento. Non l'avrebbe rimandato per nessun motivo.

«¡BRUJITA!» gridarono i soldati indicando un punto alle nostre spalle.

Jenn e Billy schizzarono giù per la collina mentre la folla stava scandendo il «*Cuatro*». Billy aveva solo i pantaloncini ed era senza la maglietta, mentre Jenn aveva degli scaldamuscoli e un reggiseno sportivo, entrambi neri, e i capelli legati in due trecce alla Pippi Calzelunghe. Distratta dal suo fan club militare, Jenn lanciò la borsa con il cibo e i calzini di riserva, che avrebbe dovuto recuperare a metà gara, dalla parte sbagliata della strada. Gli spettatori, sorpresi, ci saltarono sopra mentre scivolava tra le loro gambe e scompariva. Io corsi a recuperarlo, lo raccolsi e lo posai sul tavolo della stazione di sosta nel momento stesso in cui il sindaco premeva il grilletto.

BUM!

Scott saltò e gridò, Jenn ululò, Caballo nitrì. I Tarahumara si misero semplicemente a correre. La squadra di Urique schizzò via compatta e scomparve sulla strada sterrata nelle ombre che precedevano l'alba. Caballo ci aveva avvertiti che i Tarahumara ci sarebbero andati pesante, ma non pensavamo fino a questo punto... Era bestiale. Scott li tallonò, a sua volta seguito da vicino da Arnulfo e Silvino. Io correvo a passo leggero lasciando che il gruppo mi superasse, e rimasi in ultima posizione. Sarebbe stato bello avere un po' di compagnia, ma a questo punto mi sentivo più sicuro a starmene da solo. Il peggior errore che potessi fare era seguire il ritmo di qualcun altro.

I primi tre chilometri erano una semplice passeggiata in pianura per uscire dalla città, lungo la strada sterrata che portava al fiume. I Tarahumara di Urique arrivarono per primi alla riva, ma anziché gettarsi direttamente a guadare quei 50 metri di acque basse, si fermarono di colpo e cominciarono a rovistare sulla sponda, capovolgendo alcune pietre.

«Cosa diavolo stanno facendo?» si chiese Bob Francis, che si era appostato dall'altra parte del fiume col padre di Luis per fare delle foto. Guardava i Tarahumara di Urique che tiravano fuori dei sacchetti di plastica precedentemente nascosti sotto le pietre del fiume. Mettendosi le bacchette di *palia* sotto le ascelle, infilarono i piedi nei sacchetti e, tenendoli per i manici, cominciarono a guadare il fiume, dimostrando cosa accade quando le nuove tecnologie sostituiscono qualcosa che ha funzionato a dovere per diecimila anni: temendo di bagnare le loro preziose scarpe da corsa dell'Esercito della Salvezza, i Tarahumara di Urique stavano avanzando indossando stivali impermeabili fatti in casa.

«Oddio» mormorò Bob, «non ho mai visto niente del genere.»

I Tarahumara di Urique stavano ancora camminando con passo malfermo sulle pietre scivolose quando Scott arrivò sulla riva del fiume, e si buttò diretto nell'acqua con Arnulfo e Silvino alle calcagna. I Tarahumara di Urique raggiunsero l'altra riva, si tolsero i sacchetti dai piedi e li ficcarono nei pantaloncini per usarli di nuovo in seguito. Cominciarono ad arrampicarsi sulla ripida duna mentre Scott si avvicinava rapidamente, alzando la sabbia con i piedi. Quando i Tarahumara di Urique arrivarono al sentiero sterrato che portava sulla montagna, Scott e i due Quimare li avevano raggiunti.

Jenn, nel frattempo, aveva già un problema. Lei, Billy e Luis avevano attraversato il fiume fianco a fianco con un gruppo di Tarahumara, ma quando Jenn affrontò la duna di sabbia, la mano destra cominciò a darle fastidio. Gli ultramaratoneti usano delle «borracce a mano», ovvero delle borracce che si fissano alla mano del corridore grazie a una cinghia, facilitando di gran lunga il trasporto. Jenn aveva dato a Billy una delle sue borracce a mano, e ne aveva fabbricata una per sé applicando del nastro adesivo a una bottiglietta di acqua minerale. Mentre combatteva per scalare la duna di sabbia, cominciò a sentire scomoda e appiccicosa la sua borraccia a mano fatta in casa. Una scocciatura minuscola, ma che sarebbe durata per le successive otto ore, minuto per minuto. Avrebbe fatto bene a tenerla? O avrebbe dovuto ancora una volta rischiare di correre nei canyon con solo una dozzina di sorsi d'acqua a disposizione?

Jenn cominciò ad armeggiare col nastro. La sua unica speranza per potersela giocare coi Tarahumara, lo sapeva bene, era rischiare il tutto per tutto. Se puntava tutto e perdeva, bene. Ma se avesse perso la gara della vita per troppa prudenza, se ne sarebbe pentita. Jenn gettò via la bottiglia e si sentì subito meglio. E si sentì anche più audace, cosa che la portò alla sua seconda decisione arrischiata. Stava per entrare nel primo tritacarne, una salita scoscesa di 5 chilometri con poca ombra. Una volta che il sole fosse salito, aveva scarse probabilità di restare attaccata ai Tarahumara, che, come mi aveva detto il commerciante di Urique, il caldo se lo mangiavano.

«Vaffanculo» pensò Jenn. «Devo dare tutto adesso che non fa ancora troppo caldo.» Nel giro di cinque falcate, si era lasciata dietro il gruppo. «A più tardi, zii» gridò voltandosi.

I Tarahumara immediatamente cominciarono a inseguirla. I due astuti veterani, Sebastiano e Herbolisto, ingabbiarono Jenn mettendosi davanti a lei, mentre gli altri la circondarono ai lati. Jenn cercò un varco, poi fece uno scatto e si liberò. Istantaneamente i Tarahumara sciamarono attorno a lei e la ingabbiarono di nuovo. I Tarahumara saranno anche degli amanti della pace domestica, ma quando si tratta di gareggiare affilano le loro armi senza guardare in faccia a nessuno.

«Mi dispiace dirlo, ma Jenn scoppia se continua così» disse Luis a Billy vedendo che Jenn usciva di scatto dalla gabbia umana per la terza volta. Erano solo i primi 5 chilometri di una gara che ne durava 80, e lei stava già dando battaglia con un gruppo di cinque Tarahumara. «Se vuoi arrivare alla fine della gara non puoi correre così.»

«In qualche modo riesce sempre a cavarsela» disse Billy.

«Non in questa gara» disse Luis. «Non contro questa gente.»

Grazie al genio organizzativo di Caballo, tutti noi partecipanti potevamo assistere costantemente alla battaglia in tempo reale. Caballo aveva disegnato per questa gara un percorso a Y, con la partenza esattamente al centro. In questo modo gli abitanti del villaggio avrebbero visto passare i corridori diverse volte, mentre i corridori potevano sempre sapere a che distanza si trovavano dal gruppo di testa. Questo schema a Y offrì anche un altro vantaggio insperato: in quel preciso momento stava dando a Caballo numerosi motivi per essere sospettoso nei confronti dei Tarahumara di Urique.

Caballo era indietro di circa 400 metri, il che gli consentiva di avere una visuale perfetta su Scott e i Cacciatori, che sulla salita dopo il fiume stavano riducendo lo svantaggio nei confronti dei Tarahumara di Urique. Quando però vide questi ultimi tornare indietro verso di lui dopo il primo giro di boa, restò senza parole: in appena 6 chilometri la truppa di Urique aveva preso un vantaggio di *quattro minuti*. Non stavano solo surclassando i due migliori corridori tarahumara della loro generazione, ma anche il miglior scalatore nella storia dell'ultramaratona occidentale.

«Impossibile, dannazione» mugugnò Caballo, che stava correndo nello stesso gruppo in cui si trovavano anche Ted lo Scalzo, Eric e Manuel Luna. Quando arrivarono al giro di boa degli 8 chilometri nel piccolo insediamento tarahumara di Guadalupe Coronado, Caballo e Manuel cominciarono a fare agli spettatori tarahumara qualche domanda e non ci volle molto per capire cosa stava succedendo: i Tarahumara di Urique stavano prendendo dei sentieri secondari per tagliare il percorso. Anziché arrabbiarsi, Caballo provò un pizzico di pietà. I Tarahumara di Urique non sapevano più correre come correvano una volta, si rese conto, e di conseguenza avevano perso anche la fiducia in se stessi. Non erano più il Popolo Corridore: erano solo individui che provavano disperatamente a essere le ombre di ciò che erano un tempo.

Caballo li perdonò come amico, ma non come direttore di gara. Emise la sentenza su due piedi: i Tarahumara di Urique erano squalificati.

Anch'io ebbi un trauma quando arrivai al fiume. Ero stato così concentrato nel fare attenzione a dove mettevo i piedi nel buio e a ripassare di continuo la lista di cose da tenere sotto controllo («piega le ginocchia... passi da uccellino... non lasciare tracce...»), che quando cominciai a guadare le acque che mi arrivavano al ginocchio improvvisamente mi resi conto di avere corso 3 chilometri senza neanche accorgermene. Anzi, meglio: mi sentivo leggero e sciolto, perfino più molleggiato ed energico di quanto fossi prima di partire.

«Così si fa, Oso!» mi urlò Bob Francis dalla riva opposta. «Salita piccolina davanti a te, ma niente di cui preoccuparsi.»

Uscii un po' barcollante dall'acqua e cominciai a salire sulla duna di sabbia, e a ogni passo che facevo cresceva dentro di me la speranza di potercela fare. Certo, mancavano ancora 77 chilometri, ma per come stava andando la corsa pensavo che avrei potuto percorrere ancora 20 chilometri prima di cominciare a fare uno sforzo vero e proprio. Cominciai a salire sul sentiero sconnesso nel momento in cui il sole spuntava dal bordo del canyon. Istantaneamente, tutto si illuminò: il fiume scintillava, la foresta verde risplendeva, un serpente corallo faceva capolino da sotto i miei piedi...

Lanciai un grido e saltai fuori dal sentiero, scivolando giù per il ripido pendio e afferrando un arbusto per arrestare la caduta. Riuscivo ancora a vedere il serpente sopra di me, silenzioso e raggomitolato, pronto ad attaccare. Se fossi risalito, rischiavo un morso mortale, se continuavo a scendere verso il fiume rischiavo una caduta dall'alto. L'unica via d'uscita era di lato, aggrappandomi a un arbusto dopo l'altro.

Il primo arbusto resse, e così il secondo. Quando avevo percorso circa tre metri in questo modo, mi riportai di nuovo con circospezione sul sentiero. Il serpente era ancora lì, a bloccare il passaggio, e aveva un ottimo motivo per non essersi ancora mosso: era morto. Qualcuno lo aveva già spezzato in due con un bastone. Mi tolsi la polvere dagli occhi e controllai i danni subiti: avevo dei graffi su entrambi gli stinchi, delle spine conficcate nelle mani e il cuore in gola. Mi tolsi le spine con i denti, poi diedi una pulita alla meglio ai tagli con qualche spruzzo d'acqua. Dovevo rimettermi in cammino. Non volevo che qualcuno mi vedesse sanguinante e in preda al panico per un serpente in putrefazione.

Il sole diventava più caldo a mano a mano che salivo, ma, dopo il freddo della prima mattina, più che spossare dava energia. Continuai a pensare al consiglio di Eric – «Se ti sembra di faticare, vuol dire che stai andando troppo forte» – e decisi di smettere di fissarmi in modo ossessivo sul passo che stavo tenendo. Cominciai a colmarmi della vista del canyon attorno a me, guardando il sole che indorava la collina oltre il fiume. Mi resi conto che la vetta non era ormai molto lontana.

Poco dopo, Scott apparve all'improvviso da dietro una curva. Mi fece un sorriso e mi mostrò un pollice alzato; poi scomparve. Arnulfo e Silvino erano immediatamente dietro di lui, con le bluse ondeggianti come vele al vento. Stimai di essere a circa 8 chilometri dal giro di boa. Salii ancora e, subito dietro alla curva successiva, lo vidi: Guadalupe Coronado. Era poco più di una scuola imbiancata, qualche piccola casa e un minuscolo negozio che vendeva bibite tiepide e scatole di biscotti impolverate, ma anche a un miglio di distanza riuscivo già a udire grida di acclamazione e colpi di tamburo.

Un gruppo di corridori stava uscendo da Guadalupe lanciandosi all'inseguimento di Scott e dei Quimare. In testa al gruppo, da sola, c'era la Brujita.

Nell'attimo in cui Jenn intravide una possibilità di fuga, si lanciò senza pensarci due volte. Nella strada da Batopilas aveva notato che i Tarahumara corrono in discesa nello stesso modo in cui corrono in salita, con un ritmo controllato e costante. Jenn, invece, in discesa adorava spingere. «È l'unica forza che ho» si disse «e la devo sfruttare al massimo.» Così, invece di spomparsi lottando contro Herbolisto, lasciò che fosse lui a fare il passo per la salita. Non appena però raggiunsero il giro di boa e cominciarono ad andare in discesa, evase dalla gabbia e accelerò.

Questa volta i Tarahumara la lasciarono andare. Si spinse così avanti che quando arrivò alla salita successiva – uno stretto sentiero roccioso che si arrampicava sul secondo braccio della Y al chilometro 25 – Herbolisto e il resto del gruppo non riuscirono ad avvicinarsi abbastanza da ingabbiarla di nuovo. Jenn si sentiva così sicura di sé che quando raggiunse il secondo giro di boa si fermò a riprendere fiato e a riempire la bottiglia. Finora aveva avuto una fortuna sfacciata con l'acqua: Caballo aveva chiesto agli abitanti di Urique di sparpagliarsi per i canyon con caraffe di acqua e ogni volta che Jenn buttava giù l'ultimo sorso della bottiglia, immediatamente incontrava uno di questi volontari per riempirla.

Stava ancora trangugiando dalla sua bottiglia quando Herbolisto, Sebastiano e il resto del gruppo d'inseguitori la raggiunsero. Fecero il loro giro di boa senza fermarsi e Jenn li lasciò andare. Quando si fu reidratata a dovere, cominciò a correre per la discesa. Nel giro di 3 chilometri li aveva di nuovo riacciuffati e superati. Cominciò a passare in rassegna mentalmente la strada che aveva davanti per calcolare per quanto tempo avrebbe potuto continuare ad accelerare e tenerli a distanza. Vediamo... aveva davanti 3 chilometri di discesa, poi 6 chilometri in pianura per arrivare al villaggio e poi...

*Bam!* Improvvisamente Jenn cadde di faccia sulle rocce, rimbalzando e scivolando sul petto prima di riuscire a fermarsi, sconvolta. Restò ferma, accecata dal dolore. La rotula sembrava rotta e un braccio sanguinava. Prima di trovare le forze per rimettersi in piedi, Herbolisto e il gruppo degli inseguitori arrivarono come uno stormo di uccelli sul sentiero. Uno dopo l'altro scansarono Jenn e scomparvero, senza guardarsi indietro. «Staranno pensando che è quello che succede a chi non sa come si corre su un sentiero roccioso» pensò Jenn. «Be', non hanno tutti i torti.» Con cautela, si rimise in piedi e cercò di stimare i danni. Gli stinchi sembravano delle pizze, ma la rotula era solo ammaccata e quello che aveva sulla mano non era sangue ma una sostanza appiccicosa e cioccolatosa fuoruscita da un pacchetto di PowerGel che teneva in mano. Jenn mosse qualche passo circospetto, poi cominciò a correre piano e tutto sommato si sentiva meglio di quanto credesse. Si sentiva così bene, a dire la verità, che quando arrivò in fondo alla discesa aveva ripreso e superato ognuno dei Tarahumara che l'avevano saltata mentre era a terra.

«¡BRUJITA!» La folla di Urique impazzì quando vide Jenn tornare al villaggio, insanguinata ma sorridente, e passare il segnale che indicava i 32 chilometri di corsa. Fece una pausa alla stazione di sosta per tirare fuori un gel fresco dallo zaino mentre una Mamá Tita pazza di gioia le tamponava gli stinchi coperti di sangue con il grembiule senza smettere di gridare: «*¡Cuarto! ¡Estás en cuarto lugar!*».

«Cos'è che sono? Una stanza?» Jenn era già praticamente fuori dal villaggio quando il suo traballante spagnolo le fece capire di cosa stava parlando Mamá Tita: era in quarta posizione. Solo Scott, Arnulfo e Silvino erano ancora davanti, e lei stava costantemente recuperando terreno. Caballo aveva scelto il suo nome spirituale in maniera ineccepibile: dodici anni dopo quella famosa gara di Leadville, la Bruja era tornata per vendicarsi.

Ma ci sarebbe riuscita solo se avesse saputo gestire il fattore caldo. La temperatura sfiorava i 40 gradi quando Jenn si apprestava a entrare nella zona-fornace: il continuo saliscendi che portava all'insediamento di Los Alisos. Il percorso costeggiava una parete di roccia nuda che scendeva, si innalzava e scendeva ancora, con un dislivello complessivo di circa 900 metri. Ognuna delle salite nella zona di Los Alisos si sarebbe classificata tra le salite più dure che Jenn avesse mai affrontato in vita sua e ce n'erano almeno una mezza dozzina, una dopo l'altra. Il calore emesso dalle rocce sembrava ustionarle la pelle, ma doveva comunque restare il più vicino possibile alla parete per evitare di scivolare nel precipizio.

Jenn era appena arrivata in cima a una di queste salite quando improvvisamente dovette addossarsi alla parete rocciosa: Arnulfo e Silvino stavano arrivando come fulmini verso di lei, correndo fianco a fianco. I Cacciatori avevano colto tutti di sorpresa; ci aspettavamo che i Tarahumara restassero per tutta la gara alle calcagna di Scott per poi cercare di staccarlo verso la fine del percorso, e invece avevano dato un'accelerata ed erano andati in testa.

Jenn aveva dovuto incollare la schiena alla roccia incandescente per farli passare. Prima però che avesse il tempo di chiedersi dov'era Scott, si trovò di nuovo premuta contro la parete. «Scott stava correndo su questa dannata salita con la più grande energia che abbia mai visto in un essere umano» disse in seguito Jenn. «Andava a manetta, ansimando. Mi chiedevo perfino se sarebbe riuscito a riconoscermi, tanto sembrava in trance. Poi alzò lo sguardo e cominciò a gridare: "Ehiii, Brujita, *yu-huuu!*".»

Scott si fermò per informare Jenn del percorso che l'aspettava e dirle dove avrebbe trovato dell'acqua. Poi le chiese di Arnulfo e Silvino: quanto erano distanti? Jenn stimò che avessero circa 3 chilometri di vantaggio e che stavano andando forte.

«Bene» annuì Scott. Le diede una pacca sulla spalla e schizzò via.

Jenn lo guardò partire e notò che stava correndo vicino al bordo del sentiero e prendeva le curve molto strette. Era il trucco di Marshall Ulrich: serviva a rendere più difficile per quelli che erano davanti, guardando indietro, vedere l'avversario avvicinarsi. Scott non era rimasto molto sorpreso della mossa di Arnulfo, dopo tutto. Il Cervo stava dando la caccia ai Cacciatori.

«Il tuo unico obiettivo è concludere la gara» mi ripetevo. «Non devi battere nessuno, solo arrivare al traguardo.»

Prima di affrontare la salita per arrivare a Los Alisos, mi fermai per darmi una controllata. Immersi la testa nel fiume e ce la tenni per un po', sperando che l'acqua mi rinfrescasse e il debito di ossigeno mi facesse tornare alla realtà. Avevo appena raggiunto la metà del percorso e mi ci erano volute all'incirca quattro ore. Quattro ore, per una difficile maratona in una calura da deserto! Ero così avanti rispetto al programma che cominciai a diventare competitivo: «Quanto potrà mai essere difficile recuperare Ted lo Scalzo? Lo staranno torturando, quelle pietre sotto i piedi. E Porfilio aveva proprio un'aria esausta...».

Per fortuna, l'immersione della testa funzionò. Compresi che la ragione per cui quel giorno mi sentivo tanto più forte di quando avevamo fatto la lunga strada da Batopilas, era che stavo correndo come un Boscimano del Kalahari. Non stavo cercando di battere un'antilope; stavo semplicemente tentando di tenerla nel mio campo visivo. Quello che mi aveva messo KO durante la strada di Batopilas era stato cercare di tenere il passo di Caballo & Co. Fino a quel momento, durante la gara non avevo mai cercato di battere gli avversari, ma solo di fare la mia corsa.

Prima di diventare troppo ambizioso, era venuto il momento di provare un'altra tattica dei Boscimani ed effettuare un completo controllo delle mie funzioni vitali. Quando lo feci, notai che le mie condizioni erano peggiori di quanto credevo. Ero assetato, affamato e non mi restava che una mezza bottiglia d'acqua. Non facevo pipì da più di un'ora, il che non era un buon segno, considerando tutta l'acqua che stavo bevendo. Se non mi fossi reidratato alla svelta e non avessi buttato giù un po' di calorie, sulle montagne russe di saliscendi che stavo per affrontare mi sarei trovato in guai seri. Quando cominciai ad attraversare i 50 metri del fiume, riempii d'acqua la mia sacca e ci buttai dentro qualche pastiglia di iodio. Lasciai che si purificasse per una mezz'ora, mentre mandavo giù una barretta energetica (un gommoso mix di nutrienti composto da fiocchi d'avena, uva passa, datteri e sciroppo di riso integrale) insieme all'acqua che mi restava.

Un'ottima mossa. «Preparati al peggio» mi gridò Eric quando ci incrociammo, ognuno su un lato del fiume. «Quassù è molto più dura di quanto ricordi.» Le salite erano così faticose, ammise Eric, che lui stesso era stato sul punto di abbandonare la gara. Una notizia di quel genere poteva avere l'effetto di un pugno nello stomaco, ma Eric è convinto che la cosa peggiore che tu possa fare a un corridore a metà di una gara è dargli una falsa speranza. Quello che crea tensione è l'inatteso, mentre finché sei in grado di prevedere ciò che ti aspetta puoi rilassarti e fare il tuo lavoro un passo per volta. Eric non aveva esagerato. Per più di un'ora salii e scesi su quei pendii, convinto di essermi perso e di essere sul punto di scomparire in quelle lande selvagge. C'era un solo sentiero e io lo stavo percorrendo, ma dove diavolo erano le piccole vigne di Los Alisos? In teoria dovevano essere solo a 6 chilometri dal fiume, ma a me sembrava di averne già percorsi 16 e ancora non le vedevo. Alla fine – con le gambe ormai in fiamme e così contratte che ero certo di essere sul punto di crollare – avvistai un gruppo di vigne su una collina di fronte a me. Arrivai in cima e mi imbattei in un gruppo di Tarahumara di Urique. Avevano saputo di essere stati squalificati e avevano deciso di rinfrescarsi un po' all'ombra prima di tornare a piedi al villaggio.

«*No hay problema*» disse uno di loro. «Non c'è problema. In ogni caso ero troppo stanco per proseguire la gara.» Mi porse una piccola tazza di latta che io immersi nel catino comune del *pinole*, alla faccia della giardia. Era fresco e deliziosamente granuloso, come un gelato di popcorn. Ne buttai giù una tazza intera, poi un'altra, mentre osservavo il percorso appena fatto. Molto lontano, in basso, il fiume si vedeva appena, come un segno di gesso sul marciapiede. Non riuscivo a credere di essere riuscito a correre da laggiù fino al punto dove mi trovavo adesso. E neanche che stavo per farlo di nuovo.

«È *incredibile*!» esclamò Caballo boccheggiando.

Era madido di sudore e aveva gli occhi spalancati dall'eccitazione. Mentre si dava da fare per riprendere fiato, si tergeva il petto grondante, spruzzandolo verso di me con una pioggia di goccioline che scintillavano nel rovente sole messicano. «Questo è un evento di livello mondiale!» ansimò. «Qui, nel bel mezzo del nulla.»

Al chilometro 68, Silvino e Arnulfo erano ancora davanti a Scott, mentre Jenn si stava avvicinando silenziosamente ai tre. Al suo secondo passaggio a Urique, Jenn si era lasciata cadere su una sedia per bere una Coca-Cola, ma Mamá Tita la prese per le ascelle e la rimise in piedi.

«*¡Puedes, cariño, puedes!*» gridò Tita. Ce la puoi fare, tesoro!

«Non sto mollando» provò a protestare Jenn. «Ho solo bisogno di bere una cosa.»

Ma le mani di Tita erano già sulla schiena di Jenn e la spingevano verso la strada. Appena in tempo, per di più; Herbolisto e Sebastiano avevano approfittato della pianura che precedeva il villaggio per avvicinarsi a 400 metri da Jenn, mentre Billy Testa di Legno si era liberato di Luis ed era arrivato a 400 metri da *loro*.

«Potrebbe vincere chiunque, oggi!» disse Caballo. Era a mezz'ora di distanza dal gruppo di testa, e questo fatto gli stava dando al cervello. Non perché stava perdendo, ma perché rischiava di perdersi il momento dell'arrivo. La suspense era così insopportabile che Caballo alla fine decise di mollare la sua gara e di tornare a Urique per cercare di rientrare in tempo per lo spettacolo finale.

Lo vidi partire, con una voglia disperata di raggiungerli. Ero così stanco che non riuscivo più a trovare la strada per arrivare al fragile ponte sospeso sopra il fiume e alla fine mi ci trovai sotto, il che mi costrinse a buttarmi nel fiume per la quarta volta. Avevo i piedi fradici, troppo pesanti da sollevare quando raggiunsi l'altra sponda sabbiosa del fiume. Stavo correndo da un giorno intero e ora mi trovavo ai piedi della stessa arrampicata senza fine dalla quale avevo rischiato di cadere quella mattina dopo essermi spaventato per un serpente morto. Non c'era modo di arrivare a destinazione prima del tramonto, quindi stavolta sarei tornato indietro incespicando al buio.

Cominciai a camminare a fatica e a testa bassa. Quando

alzai di nuovo la testa, vidi dei bambini tarahumara attorno a me. Chiusi gli occhi, poi li aprii di nuovo. I bambini erano ancora lì. Ero così felice che non fossero allucinazioni che mi vennero quasi le lacrime agli occhi. Da dove fossero usciti e perché avessero scelto di seguire me restava un mistero. Facemmo insieme la strada in salita.

Dopo circa 800 metri, s'infilarono in un sentiero secondario quasi invisibile e mi fecero segno di seguirli.

«Non posso» dissi con rammarico.

Loro scrollarono le spalle e scomparvero nella vegetazione. «*¡Gracias!*» ansimai, e già sentivo la loro mancanza. Continuai a spingere sulla salita, correndo con il mio passo dinoccolato a un ritmo non superiore a quello di una camminata. Quando arrivai su un breve tratto in pianura, trovai i bambini che mi aspettavano, seduti. Ecco come i Tarahumara di Urique riuscivano a guadagnare quei vantaggi enormi. I bambini saltarono in piedi e corsero al mio fianco fino a quando, di nuovo, scomparvero tra gli arbusti. Poi, un chilometro dopo, rieccoli schizzare fuori. Stava diventando un incubo: continuavo a correre e a correre, ma non cambiava niente. La salita continuava all'infinito e ovunque guardassi saltavano fuori quei Figli del Grano.

«Cosa avrebbe fatto Caballo?» mi chiesi. Si cacciava sempre in situazioni disperate, quando si avventurava nei canyon, e riusciva sempre a trovare il modo di cavarsela. «Tanto per cominciare avrebbe cercato di correre con facilità» mi dissi. «Se già riesci a fare quello, non c'è male. Poi avrebbe lavorato sulla leggerezza. Avrebbe corso senza sforzo, come se non gli importasse quanto durava la salita o quanta strada aveva ancora da fare per giungere a destinazione...»

«Oso!» Vidi Ted lo Scalzo venirmi incontro, con un'aria affranta.

«Dei ragazzi mi hanno dato dell'acqua, ma era così fredda che ho pensato di usarla per rinfrescarmi» disse Ted lo Scalzo. «Quindi me la sono spruzzata addosso, dappertutto.»

Facevo fatica a seguire la storia di Ted lo Scalzo, perché la sua voce andava e veniva come quella di una radio che non prende il segnale. Capii di avere così pochi zuccheri nel sangue che ero sul punto di svenire.

«... e così mi trovo a pensare: "Merda, merda! Ho finito l'acqua"...»

Da quello che riuscivo a ricostruire dai borbottii intermittenti di Ted lo Scalzo, mancava circa un chilometro e mezzo al giro di boa. Lo ascoltai con impazienza, con un bisogno disperato di raggiungere la stazione di sosta dove rimediare una barretta energetica e fare una pausa prima di affrontare gli ultimi 8 chilometri.

«... allora mi sono detto che se dovevo pisciare era meglio farlo in una bottiglia, nel caso mi trovassi in una situazione di emergenza, capisci, di *vera* emergenza. Allora faccio pipì in questa bottiglia ed è, tipo, *arancione*. Non ha un bell'aspetto. Ed è *caldissima*. Penso che la gente che mi ha visto pisciare in una bottiglia abbia pensato qualcosa come: "Wow, questi *gringos* sono davvero tosti".»

«Aspetta» dissi, cominciando a capire. «Non avrai bevuto la pipì!»

«Era terribile! La peggiore urina che avessi mai assaggiato in vita mia. Potevi imbottigliarla e venderla per resuscitare i morti. So che si può bere l'urina, ma non se ti si è scaldata e rimescolata nei reni per 40 chilometri. Era un esperimento fallito. Non avrei potuto bere quell'urina neanche se fosse stato l'ultimo liquido sulla terra.»

«Tieni» dissi, offrendogli l'acqua che mi restava. Non avevo idea del perché non fosse semplicemente tornato indietro alla stazione di sosta a riempire la bottiglia, se era così preoccupato, ma ero troppo esausto per porre altre domande. Ted lo Scalzo buttò l'urina, riempì la bottiglia e si rimise in marcia. Per quanto fosse strambo, non si poteva certo dire che fosse privo di risorse o di determinazione; era a meno di 8 chilometri dal termine di una corsa di 80 fatta indossando le sue babbucce di gomma ed era ancora deciso a bere liquidi corporei di scarto pur di arrivare in fondo. Solo quando giunsi al giro di boa di Guadalupe la mia mente stordita riuscì a penetrare il motivo per cui Ted lo Scalzo era rimasto a secco: l'acqua era finita. E alla stazione di sosta non c'era più nessuno. Tutti gli abitanti del villaggio erano andati a Urique per i festeggiamenti post-gara, chiudendo il piccolo negozio e non lasciando nessuno al villaggio che prendesse l'acqua dal pozzo. Crollai su una roccia. Mi girava la testa e avevo la bocca troppo impastata per riuscire a masticare qualcosa. Anche se fossi riuscito a buttare giù qualche boccone, ero troppo disidratato per riuscire a correre ancora un'ora e giungere a Urique. Potevo arrivare a Urique solo camminando, ma per camminare ero troppo distrutto.

«Ecco a che serve la compassione» mormorai. «Do qualcosa a qualcuno e cosa ottengo in cambio? Che rimango fregato.»

Mentre sedevo sconfitto, l'affanno dovuto alla salita cominciò ad attenuarsi abbastanza da permettermi di udire un altro suono: uno strano fischio canoro che sembrava avvicinarsi. Mi misi in piedi per dare un'occhiata e lì, su quella sperduta salita, vidi Bob Francis.

«Ehi, *amigo*» disse Bob, pescando due lattine di succo di mango dal suo zaino e agitandole sopra la testa. «Pensavo che avessi voglia di bere qualcosa.»

Ero sconvolto. Il vecchio Bob si era sciroppato 8 chilometri in salita con una temperatura di 35 gradi per portarmi del succo di frutta? Poi mi ricordai di un fatto: qualche giorno prima, Bob aveva ammirato il coltello che avevo prestato a Ted lo Scalzo per farsi i suoi sandali. Era un ricordo delle mie spedizioni in Africa, ma Bob era stato così gentile con tutti noi che avevo deciso di regalarglielo. Forse quel miracoloso gesto di Bob era solo una fortunata coincidenza, ma mentre tracannavo il succo e mi preparavo a finire la corsa, non potevo fare a meno di sentire che l'ultimo tassello del puzzle dei Tarahumara era appena andato al suo posto.

Caballo e Tita erano tra la folla assiepata al traguardo, e allungavano il collo per veder spuntare i corridori al comando. Caballo estrasse dalla tasca un vecchio orologio Timex con il cinturino rotto e controllò il tempo. Sei ore. Era probabilmente troppo presto, ma c'era comunque una possibilità che...

«*¡Vienen!*» gridò qualcuno. Stanno arrivando!

La testa di Caballo si sollevò. Strizzò gli occhi in direzione della strada, cercando di vedere attraverso le teste ondeggianti dei ballerini. Un falso allarme. Solo una nube di polvere e... no... un attimo... eccolo lì! Capelli neri al vento e blusa cremisi. Arnulfo era ancora in testa.

Silvino era in seconda posizione, ma Scott si stava avvicinando a gran velocità. Quando mancava circa un chilometro e mezzo, Scott superò Silvino, ma anziché passargli davanti e basta, gli diede una pacca sulla spalla. «Andiamo!» gridò, facendogli segno di seguirlo. Sorpreso, Silvino raccolse le forze e riuscì a tenere il passo di Scott. Insieme si diedero da fare per raggiungere Arnulfo.

Grida e incitazioni coprirono la band dei mariachi quando i tre corridori arrivarono allo sprint finale. Silvino perdeva colpi, poi recuperava, ma non riusciva a tenere il passo di Scott. Scott proseguì. Si era trovato in questa situazione altre volte, ed era sempre riuscito a scovare qualche energia residua. Arnulfo gettò uno sguardo indietro e vide l'uomo che aveva battuto i migliori corridori del mondo avvicinarsi a tutta birra. Quando Arnulfo arrivò al centro di Urique, un muro di grida si levò, crescendo all'avvicinarsi del Tarahumara al nastro d'arrivo. Quando tagliò il traguardo, Tita scoppiò in lacrime.

La folla aveva già inghiottito Arnulfo, quando Scott arrivò in seconda posizione. Caballo si lanciò verso di lui per congratularsi, ma Scott lo evitò senza dire una parola. Non era abituato a perdere, specialmente contro un signor nessuno in una corsa amichevole in mezzo al nulla. Non gli era mai successo prima, ma sapeva comunque cosa doveva fare.

Andò da Arnulfo e fece un inchino.

La folla impazzì di gioia. Tita corse ad abbracciare Caballo e lo trovò che si strofinava gli occhi. In mezzo a questo pandemonio, Silvino arrivò a tagliare il traguardo, seguito da Herbolisto e Sebastiano.

E Jenn? La sua decisione di giocarsela con una strategia «vincere o morire» alla fine l'aveva sconfitta.

Quando arrivò a Guadalupe, Jenn era sul punto di svenire. Crollò a terra contro un albero e mise la testa tra le ginocchia, in preda alle vertigini. Un gruppo di Tarahumara le fece capannello attorno tentando di incoraggiarla a rimettersi in piedi. Lei sollevò la testa e fece il segno di bere.

«*¿Agua?*» chiese. «*¿Agua purificada?*»

Qualcuno le mise in mano una Coca-Cola calda.

«Anche meglio» disse con un sorriso affaticato.

Stava ancora sorseggiando la lattina quando sentì un grido. Sebastiano e Herbolisto stavano arrivando al villaggio. Jenn li perse di vista quando la folla andò loro incontro per congratularsi e offrire del *pinole*. Poi Herbolisto le si parò davanti e le tese una mano. Con l'altra indicava il percorso come a chiederle se voleva andare con loro. Jenn scosse la testa. «Non ancora» disse. Herbolisto cominciò a correre, poi si fermò e tornò indietro. Le tese di nuovo la mano. Jenn sorrise e lo salutò. «Andate avanti, sbrigatevi!» Herbolisto la salutò a sua volta e se ne andò definitivamente.

Poco dopo che era scomparso dalla vista, si levò un nuovo grido. Qualcuno diede la notizia a Jenn: il Lupo stava arrivando.

Testa di Legno! Jenn conservò per lui un grosso sorso di Coca e mentre lui beveva trovò la forza di rimettersi in piedi. Nonostante tutte le volte che avevano fatto da battistrada l'uno all'altra e tutti i chilometri fatti insieme a Virginia Beach, non avevano mai concluso una gara fianco a fianco.

«Pronta?» disse Billy.

«Tu sei fuori, zio.»

Corsero insieme giù per la lunga discesa e sfrecciarono sul ponte traballante. Arrivarono a Urique tra grida e schiamazzi, riscattandosi alla grande; nonostante le gambe insanguinate di Jenn e l'approccio narcolettico di Billy alla preparazione pre-gara, avevano battuto tutti i Tarahumara tranne quattro, oltre a Luis ed Eric, due ultramaratoneti di grande esperienza.

Manuel Luna aveva abbandonato a metà strada. Anche se aveva fatto di tutto per partecipare e far felice Caballo, il dolore per la morte del figlio lo aveva prostrato troppo per riuscire a gareggiare. Ma anche se non era riuscito a essere dell'umore giusto per partecipare, si era però affezionato molto a uno dei corridori. Manuel si aggirava su e giù per la strada in cerca di Ted lo Scalzo.

Presto Arnulfo si unì a lui... e poi anche Scott... e Jenn e Billy. Accadde qualcosa di strano: più tardi arrivavano i corridori, più le grida al loro arrivo erano entusiastiche e incontrollate. Ogni volta che un corridore arrancava sul traguardo – Luis, Porfilio, Eric, Ted lo Scalzo – immediatamente si univa agli altri e incitava i corridori che ancora dovevano arrivare.

Dall'alto, potevo vedere il luccichio delle luci rosse e verdi sulla strada per Urique. Il sole era calato, lasciandomi a correre in quel crepuscolo argentato nelle profondità dei canyon, un bagliore lunare che persiste, immutato, finché non ti sembra che tutto attorno a te sia bloccato nel tempo e che tu sia l'unica cosa ancora in movimento. Fu allora, tra quelle ombre lattee, che vidi emergere il viandante solitario della Sierra Madre.

«Cerchi compagnia?» chiese Caballo.

«Ne sarei felice.»

Attraversammo insieme il ponte traballante, e l'aria fresca che saliva dal fiume mi faceva sentire curiosamente privo di peso. Mentre percorrevamo l'ultimo tratto prima di arrivare al villaggio, le trombe cominciarono a squillare. Fianco a fianco, passo dopo passo, io e Caballo entrammo a Urique.

Non so se ho mai veramente tagliato il traguardo. Tutto quello che vidi fu l'immagine indistinta delle trecce di Jenn che balzò fuori dalla folla e mi saltò addosso. Eric mi prese prima che cadessi a terra e mi posò una bottiglia d'acqua fredda sulla nuca. Arnulfo e Scott, con gli occhi già arrossati, mi misero ciascuno una birra in mano.

«Sei stato incredibile» disse Scott.

«Già» dissi. «Incredibilmente lento.» Mi ci erano volute dodici ore, il che significava che Arnulfo e Scott avrebbero potuto fare un'altra volta lo stesso percorso e arrivare comunque prima di me.

«È proprio questo che dico» insistette Scott. «È capitato anche a me; mi è capitato un mucchio di volte. Si fa molta più fatica che ad andare veloci.»

Zoppicai verso Caballo, che si era spaparanzato sotto un albero mentre attorno a lui infuriava la festa. Tra poco si sarebbe rimesso in piedi e avrebbe fatto uno splendido discorso nel suo stravagante spagnolo. Avrebbe chiamato Bob Francis, rientrato in città giusto in tempo per omaggiare Scott con una cintura tarahumara da cerimonia e Arnulfo con uno dei suoi coltelli. Caballo avrebbe distribuito i premi in denaro e si sarebbe quasi strozzato nel vedere i Ragazzini Festaioli, che avevano a malapena i soldi per pagarsi il biglietto dell'autobus da El Paso, dare immediatamente i loro premi ai Tarahumara arrivati dopo di loro. Caballo poi si sarebbe sbellicato dalle risate vedendo Herbolisto e Luis cimentarsi nel passo di danza del Robot.

Ma quello sarebbe successo dopo. Per il momento Caballo era felice di starsene seduto da solo sotto un albero, sorridendo, sorseggiando una birra e guardando il suo sogno realizzarsi davanti ai suoi occhi.

# XXXII

> La sua mente è stata occupata a lungo dai problemi insolubili della società contemporanea, e lui sta ancora combattendo, col suo buon cuore e la sua energia sconfinata. I suoi sforzi non sono stati vani, ma probabilmente non vivrà abbastanza per vederne i frutti.
>
> THEO VAN GOGH, *1889*

«Questa la devi sentire» disse Ted lo Scalzo afferrandomi il braccio.

Dannazione. Mi aveva acciuffato proprio nel momento in cui stavo cercando di svignarmela dalla follia della festa in strada per trascinarmi fino all'hotel e lasciarmi andare completamente in santa pace. Avevo già sentito l'intero commento post-gara di Ted lo Scalzo, compresa la sua osservazione che l'urina umana è ricca di nutrienti oltre che un efficace sbiancante per i denti, e non riuscivo a immaginare nessun argomento di conversazione con lui più interessante di una bella dormita su un letto morbido. Ma questa volta la storia che mi stava dicendo di ascoltare non era di Ted: era di Caballo.

Ted lo Scalzo mi spinse di nuovo nel cortile di Mamá Tita, dove Caballo stava incantando Scott, Billy e alcuni altri raccontando la sua storia. «Vi siete mai svegliati in un pronto soccorso» stava dicendo Caballo «chiedendovi se avreste mai voluto rialzarvi?» Con queste parole cominciò a raccontare la storia che avevo tanto desiderato ascoltare per quasi due anni. Non mi ci volle molto per capire perché aveva scelto proprio quel momento. All'alba ci saremmo separati e saremmo tornati a casa. Caballo non voleva che dimenticassimo l'esperienza che avevamo condiviso, così per la prima volta ci stava rivelando chi era in realtà.

Il suo nome all'anagrafe era Michael Randall Hickman, figlio di un sergente di artiglieria del corpo dei marines, i cui incarichi militari l'avevano costretto a trasferire la famiglia su e giù per la Costa Occidentale degli Stati Uniti. Bambino solitario e magrolino, Mike era costretto dai continui cambiamenti di scuola a stare sempre sulla difensiva, e la sua principale priorità quando si trasferiva era trovare il più vicino circolo atletico della polizia e iscriversi alle lezioni di boxe.

I ragazzini muscolosi sorridevano e sbattevano i guantoni quando vedevano quello sfigato coi lunghi capelli da hippy salire sul ring, ma i loro sorrisi svanivano non appena il suo lungo braccio sinistro cominciava a sferrare diretti sui loro volti. Mike Hickman era un ragazzo sensibile che odiava far male agli altri, ma questo non gli impediva di essere bravissimo a farlo. «Mi piacevano di più quelli belli grossi e muscolosi, che continuavano a farsi sotto» ricordò. «Però la prima volta che ho messo uno al tappeto ho pianto. Per molto tempo, dopo di allora, non ho più steso nessuno.»

Dopo le superiori, Mike andò alla Humboldt State a studiare religioni orientali e storia dei nativi americani. Per pagarsi le tasse universitarie cominciò a fare incontri di boxe clandestini, con il nome d'arte di Cowboy Gitano. Dato che non aveva paura di andare in palestre in cui di rado si vedeva una faccia bianca (e ancor meno una faccia bianca vegetariana che faceva discorsi sull'armonia universale e il succo di erba di grano), il Cowboy trovò rapidamente tutta l'azione che cercava. I modesti organizzatori d'incontri messicani amavano prenderlo in disparte e proporgli qualche accordo all'orecchio.

«*Oye, compay*» dicevano. «Senti, amico. Stiamo per diffondere un *chisme*, una voce di corridoio, che tu sei uno dei migliori pugili amatoriali arrivati dall'Est. I *gringos* andranno pazzi per questa storia. Tutti i *gabachos* presenti punteranno su di te anche le loro madri.»

Il Cowboy Gitano scrollava le spalle. «Per me va bene.»

«Non smettere di zampettare per il ring, così eviti di farti macellare prima del quarto round» lo avvertivano (ma poteva essere il terzo, il settimo, o qualsiasi altro round avessero scelto per far terminare l'incontro). Il Cowboy era capace di restare in piedi contro dei giganteschi pesi massimi neri schivando i colpi e abbracciando l'avversario fino a che non arrivava il momento di andare al tappeto, ma contro i rapidi pesi medi latinoamericani doveva lottare sul serio per evitare di farsi ammazzare. «A volte dovevano trascinare il mio culo insanguinato fuori dal ring» disse. Continuò con la boxe anche dopo aver lasciato l'università. «Andavo in giro per il paese e combattevo. Finendo al tappeto, vincendo qualche incontro, perdendo (ma in realtà vincendo) qualche altro incontro, e per lo più mettendo in piedi un buono spettacolo e imparando a combattere senza farmi male.»

Dopo qualche anno in cui si era fatto strada nel mondo delle lotte clandestine, il Cowboy prese i soldi messi da parte con gli incontri e se ne andò nell'isola di Maui. Arrivato lì, voltò le spalle alle spiagge e si diresse a est, nella zona oscura e umida dell'isola, dove si trovano i santuari nascosti di Hana. Stava cercando uno scopo da dare alla sua vita. E invece trovò Smitty, un eremita che viveva in una caverna. Smitty mostrò a Mike una grotta dove sistemarsi e cominciò a guidarlo nei luoghi sacri segreti di Maui.

«Smitty è stato il primo a farmi correre» ci disse Caballo. A volte uscivano in piena notte per correre 30 chilometri sul cammino di Kaupo e arrivare alla Casa del Sole in cima al monte Haleakala, a 3000 metri di altezza. Restavano seduti in silenzio mentre i primi raggi del mattino scintillavano sull'oceano Pacifico e poi tornavano indietro di corsa, nutrendosi solo delle papaie selvatiche che facevano cadere dagli alberi lungo la strada. Il lottatore clandestino Mike Hickman gradualmente scomparve, lasciando il posto a Micah True, un nome ispirato allo «spirito coraggioso e temerario» di Michea, il profeta dell'Antico Testamento, e alla lealtà di un vecchio bastardino di nome True Dog. «Non sempre riesco a vivere seguendo l'esempio di True Dog» disse Caballo, «ma vale la pena averlo come modello.»

Durante una delle corse alla ricerca di visioni nella foresta pluviale, il da poco rinato Micah True incontrò una bella e giovane donna di Seattle che si trovava lì in vacanza. Non avrebbero potuto essere più diversi – Melinda era dottoranda in psicologia e figlia di un facoltoso banchiere, mentre Micah era, piuttosto alla lettera, un uomo delle caverne – eppure si innamorarono. Dopo un anno di vita selvatica, Micah decise di tornare nel mondo.

*Bam!* Il Cowboy Gitano mise al tappeto il suo terzo avversario...

... e il quarto...

... e il quinto...

Con Melinda al suo angolo e le gambe irrobustite dalle corse nella foresta pluviale, Micah era praticamente inattaccabile; poteva danzare e schivare colpi fino a che l'avversario non sentiva più le braccia. E una volta che l'avversario abbassava la guardia, Micah attaccava e lo metteva al tappeto. «Ero ispirato dall'amore» disse Micah. Lui e Melinda si sistemarono a Boulder, in Colorado, dove lui poteva correre sui sentieri di montagna e combattere nelle arene di Denver.

«Di sicuro non aveva l'aspetto di un lottatore» mi disse in seguito Don Tobin, il campione di pesi leggeri di kickboxing delle Montagne Rocciose. «Aveva i capelli lunghissimi e indossava questo vecchio paio di guanti disfatti che sembravano essere appartenuti a Rocky Graziano.» Don Tobin divenne amico del Cowboy e suo avversario occasionale, e, dopo tutto quel tempo, ancora oggi era stupito dall'etica professionale del Cowboy. «Si allenava in maniera impressionante. Per il suo trentesimo compleanno corse 50 chilometri. *Cinquanta chilometri!*» Pochi maratoneti americani riuscivano a coprire quelle distanze.

Nel periodo in cui Caballo fece una serie positiva di 12 a 0, la reputazione del Cowboy divenne così formidabile da valergli la copertina di un settimanale di Denver, «Westworld». Sotto il titolo di *Fist City* (Città dei pugni) c'era una foto a tutta pagina di Micah, a petto nudo e sudato, coi pugni chiusi e i capelli sciolti, e negli occhi lo stesso bagliore che avrei visto vent'anni dopo incontrandolo a Creel. «Combatto contro chiunque, per la cifra giusta» diceva Caballo nell'articolo.

*Chiunque?* Quell'articolo finì tra le mani di un'organizzatrice di incontri di kickboxing della ESPN, che subito rintracciò il Cowboy e gli fece un'offerta. Anche se Micah era un pugile e non un kickboxer, lei gli proponeva di salire sul ring per un incontro trasmesso sulla tv nazionale contro Larry Shepherd, quarto classificato negli Stati Uniti per la categoria dei pesi mediomassimi. A Micah piacque sia l'idea di avere pubblicità sia l'offerta economica, ma subodorava una trappola. Solo pochi mesi prima era un hippy senzatetto che meditava in cima a una montagna e adesso lo stavano mettendo contro un atleta di arti marziali capace di rompere blocchi di cemento con la testa. «Per loro era un modo di divertirsi» dice Micah. «Ero un hippy capellone che volevano mettere sul ring per farsi quattro risate.»

Quello che accadde in seguito racchiude tutta la vita di Caballo: le scelte più facili per lui erano sempre state quelle tra prudenza e orgoglio. Quando suonò il gong sulla Superfight Night della ESPN, il Cowboy Gitano abbandonò la sua strategia collaudata di danzare e schivare. Si buttò diretto su Shepherd con una furiosa gragnola di destri e sinistri. «Lui non riusciva a capire cosa stavo facendo, e quindi si rifugiò nell'angolo per farsi un'idea della situazione.» Micah caricò il braccio destro per stenderlo con un diretto, ma poi gli venne un'idea migliore. «Gli sferrai un calcio in faccia così forte che mi ruppi un dito del piede» dice Micah. «E ruppi anche il suo naso.»

*Ding-ding-ding!*

Il braccio di Micah fu alzato al cielo, mentre un medico andò subito a controllare gli occhi di Shepherd, per verificare che le retine fossero ancora intatte. Un altro KO a favore del Cowboy Gitano. Non vedeva l'ora di tornare a casa a festeggiare con Melinda. Ma Melinda, avrebbe scoperto, aveva lei stessa un KO da mettere a segno. E molto prima che quella conversazione fosse finita – molto prima che lei avesse finito di parlargli della sua storia con un altro uomo e dei suoi progetti di lasciarlo e tornare a Seattle – il cervello di Micah ribolliva di domande. E non riguardavano lei, ma lui.

Aveva appena spaccato la faccia a un tizio in diretta nazionale e tutto questo perché? Per farsi bello agli occhi di qualcuno? Per essere un campione i cui successi si misuravano sull'affetto che riceveva? Non era stupido; poteva unire i puntini che portavano dal ragazzino nervoso con il padre soldato esemplare al vagabondo assetato d'amore che era diventato. In altre parole: era un grande pugile, o solamente un pugile bisognoso d'affetto?

Poco dopo lo chiamò la rivista «Karate». Stavano per uscire le classifiche annuali, disse il giornalista, e il risultato del Cowboy Gitano lo aveva messo al quinto posto della classifica dei pesi mediomassimi di kickboxing. La carriera del Cowboy era pronta a decollare; una volta che «Karate» fosse arrivata nelle edicole e le offerte avessero cominciato a fioccare, avrebbe avuto un sacco di occasioni molto remunerative per scoprire se davvero amava combattere o se invece stava combattendo per essere amato.

«Mi dispiace» disse Micah al giornalista «ma ho appena deciso di ritirarmi.»

Far scomparire Micah True fu perfino più semplice che liberarsi di Mike Hickman. Tutto ciò che Micah non riuscì a mettersi in spalla fu scartato. Il telefono fu staccato, l'appartamento abbandonato. La sua casa divenne un furgone Chevrolet del '69, nel cui retro dormiva, coperto da un sacco a pelo. Di giorno si faceva assumere per tagliare i prati e traslocare mobili. Appena aveva un'ora libera, correva. Se non poteva avere Melinda, allora preferiva sfinirsi. «Mi alzavo alle quattro e mezzo del mattino e correvo 30 chilometri. Fin lì sarebbe anche stato bello» disse Micah. «Poi lavoravo tutto il giorno e volevo di nuovo sentirmi sfinito, quindi rientravo, bevevo una birra, mangiavo un po' di fagioli e correvo ancora.»

Non aveva idea se fosse veloce o lento, se avesse talento o fosse una frana, finché, nell'estate del 1986, andò a Laramie, in Wyoming, per farsi un giro alla Doppia Maratona delle Montagne Rocciose. Sorprese anche se stesso quando vinse la gara in sei ore e dodici minuti, liquidando due maratone di fila con un tempo di tre ore ciascuna. Partecipare alle ultramaratone, scoprì, era perfino più pesante che combattere per denaro. Sul ring è l'avversario a decidere quanto picchiare duro, mentre nelle ultramaratone ciò che ti viene inflitto dipende esclusivamente da te. Per uno che cercava di annullarsi nello sfinimento, la corsa estrema poteva essere uno sport terribilmente attraente.

«Forse potrei perfino diventare un professionista, se riuscissi a superare questi fastidiosi infortuni...» Questo pensiero ronzava nella testa di Micah mentre percorreva in bicicletta una ripida discesa a Boulder. Subito dopo si trovò in mezzo alle luci accecanti di un pronto soccorso del Boulder Community Hospital, con gli occhi incrostati di sangue e la fronte piena di punti. Tutto quello che riusciva a ricordare era di essere scivolato sulla ghiaia e aver oltrepassato in volo il manubrio della bicicletta.

«Sei fortunato a essere ancora vivo» gli disse il medico; era una delle prospettive da cui si poteva considerare la faccenda. Un'altra prospettiva era che la morte era ancora un problema irrisolto. Micah aveva appena compiuto quarantun anni e, nonostante le sue prodezze nell'ultramaratona, le sue condizioni, viste da quella barella del pronto soccorso, non erano delle più rosee. Non aveva un'assicurazione sanitaria, né una casa, né parenti stretti, né un lavoro stabile. Non aveva abbastanza soldi per restare in osservazione quella notte e non aveva un letto dove riprendersi se lasciava l'ospedale.

Aveva scelto di vivere povero e libero, ma era così che voleva morire? Un'amicapermise a Micah di recuperare le forze concedendogli il suo sofà e lì, per i giorni successivi, lui meditò sul suo futuro. Solo i ribelli fortunati possono uscire di scena in un alone di gloria, come Micah sapeva molto bene. Fin dalla seconda elementare idolatrava Geronimo, il coraggioso Apache che sfuggiva alla cavalleria statunitense correndo a piedi nelle terre ostili dell'Arizona. Ma come era finito Geronimo? Da prigioniero, morendo ubriaco in un fosso di una polverosa riserva indiana.

Quando Micah si fu ripreso, andò a Leadville. E lì, durante una magica notte in cui aveva corso nelle foreste al fianco di Martimano Cervantes, trovò le risposte che cercava. Geronimo non poteva correre libero per sempre, ma forse un «*gringo* indiano» poteva. Un «*gringo* indiano» che non possedeva niente, che non aveva bisogno di nessuno e a cui non dispiaceva di sparire dalla faccia della terra senza lasciare tracce.

«Ma allora di che vivi?» chiesi.

«Di sudore» disse Caballo. Ogni estate Caballo lasciava la sua capanna e tornava in autobus a Boulder, dove lo aspettava il suo vecchio furgone, parcheggiato dietro la casa di un contadino molto disponibile. Per due o tre mesi riprendeva l'identità di Micah True e si procurava qualche lavoro come traslocatore di mobili. Non appena aveva abbastanza denaro per sopravvivere un altro anno, se ne andava, scompariva in fondo ai canyon e rivestiva i panni e i sandali del Caballo Blanco.

«Quando sarò troppo vecchio per lavorare farò quello che avrebbe fatto Geronimo se lo avessero lasciato in pace» disse Caballo. «Camminerò nelle profondità dei canyon e troverò un posto dove distendermi.» Non c'era niente di melodrammatico né autocommiserazione nel modo in cui Caballo disse queste parole, ma solo la consapevolezza che un giorno la vita che aveva scelto gli avrebbe chiesto di sparire un'ultima volta.

«Quindi può darsi che vedrò di nuovo tutti voi» concluse Caballo, mentre Tita spegneva le luci e ci spediva tutti a letto. «Ma può darsi anche di no.»

Al sorgere del sole, la mattina successiva, i soldati aspettavano accanto al vecchio minibus fuori dal ristorante di Tita. Quando arrivò Jenn, si misero sull'attenti.

«*Hasta luego, Brujita*» dissero.

Jenn mandò loro dei baci con un ampio e teatrale gesto del braccio, poi salì a bordo. Ted lo Scalzo salì dopo di lei, muovendosi con cautela. I suoi piedi erano avvolti in uno strato di bende così spesso che entravano a malapena nelle vecchie infradito giapponesi. «Non mi fanno male, sul serio» insistette, «sono solo un po' sensibili.» Si schiacciò accanto a Scott, che si spostò volentieri per fargli posto.

Poi salimmo tutti, cercando di mettere i nostri corpi doloranti il più a loro agio possibile in vista del poco rilassante viaggio che ci aspettava. Il venditore di *tortillas* del villaggio (che era anche il barbiere, il calzolaio e l'autista dell'autobus) si mise al volante e avviò il motore, che partì con un rantolo. Fuori, Caballo e Bob Francis percorsero tutta la lunghezza dell'autobus, premendo le mani contro ciascun finestrino.

Manuel Luna, Arnulfo e Silvino rimasero accanto a loro mentre l'autobus partiva. Il resto dei Tarahumara si erano già incamminati verso casa, ma questi tre, anche se dovevano arrivare in posti più lontani degli altri, aspettarono di vederci partire. Per molto tempo, in seguito, rividi quell'immagine: i tre Tarahumara in piedi sul ciglio della strada che ci salutavano, fino a che l'intera città di Urique non scomparve alle nostre spalle in una nube di polvere.

# Ringraziamenti

Nel 2005 Larry Weissman lesse alcuni miei articoli usciti su una rivista e sintetizzò il tutto in una domanda molto intelligente. «Al cuore delle tue storie c'è sempre la resistenza» disse, più o meno. «Non c'è una storia sulla resistenza che non hai ancora raccontato?»

«Be', sì. Ho sentito parlare di questa gara in Messico...»

Da allora, Larry e la sua brillante moglie Sascha sono diventati i miei agenti e hanno sostituito le mie funzioni cerebrali fondamentali. Mi hanno insegnato come trasformare un caos di spunti in un testo leggibile e hanno dato delle belle strattonate al guinzaglio ogni volta che non rispettavo le scadenze. Senza di loro, questo libro sarebbe ancora una storia che racconto tra una birra e l'altra.

La rivista «Runner's World» e in particolare l'allora direttore Jay Heinrichs mi mandarono per la prima volta nei Copper Canyon e per un breve periodo (un *brevissimo* periodo) presero in considerazione la mia idea di dedicare un intero numero della rivista ai Tarahumara. Devo molto a James Rexroad, grande fotografo, per la sua compagnia e per le splendide foto che ha fatto durante quel viaggio. Per essere un uomo con un cervello così enorme e una tale capacità polmonare, il direttore emerito di «Runner's World» Amby Burfoot è stato nei miei confronti estremamente generoso, mettendomi a disposizione il suo tempo, la sua esperienza e la sua biblioteca. Gli devo ancora restituire venticinque libri, e prometto che glieli restituirò non appena mi concederà di fare un'altra corsa insieme.

Ma soprattutto sono grato alla rivista «Men's Health». Se non la leggete, vi state perdendo una delle migliori e più affidabili riviste in assoluto degli Stati Uniti. Tra le sue file militano redattori come Matt Marion e Peter Moore, che incoraggiano idee assurde come inviare scrittori che soffrono di strambi infortuni in una terra selvaggia per delle gare di corsa con degli indiani invisibili. «Men's Health» mi ha autorizzato ad allenarmi per la corsa a sue spese, e in seguito mi ha dato una mano a tirarne fuori un libro. Come ogni cosa che ho scritto per Matt, questa storia è giunta nelle sue mani come un letto sfatto e ne è uscita come un letto di ospedale appena rifatto e senza una grinza.

La comunità degli ultramaratoneti, così trascurata dai grandi media, è stata straordinariamente solidale con le mie ricerche e con la mia sperimentazione personale. Ken, Pat e Cole Chlouber mi hanno sempre fatto sentire a casa a Leadville e mi hanno insegnato più di quanto avessi mai sperato di sapere sulle corse degli asini. Allo stesso modo, il direttore della gara di Leadville Merilee O'Neal ha esaudito ogni richiesta che riuscissi a immaginare e mi ha dato l'abbraccio riservato a coloro che finiscono la gara anche se non me lo ero meritato. David «il Selvaggio» Horton, Matt «Skyrunner» Carpenter, Lisa Smith-Batchen e suo marito Jay, Marshall e Heather Ulrich, Tony Krupicka: tutte queste persone hanno condiviso con me delle storie notevoli e degli importanti segreti sul percorso. Sunny Blende, la maga dei nutrizionisti degli ultramaratoneti, evitò dei disastri nel deserto quando Jenn, Billy, Ted lo Scalzo e io accettammo a occhi chiusi di fare da battistrada a Luis Escobar nella gara di Badwater nel 2006, regalandoci anche la miglior definizione dell'ultramaratona che abbia mai sentito: «Le ultramaratone sono gare che ruotano intorno al mangiare e al bere, condite con un po' di esercizio fisico e di scenografia».

Se questo libro non trabocca di strambe digressioni, dobbiamo ringraziare (sia voi che io) Edward Kastenmeier, il mio editor della casa editrice Knopf, e il suo assistente Tim O'Connell. E anche Lexy Bloom, senior editor della Vintage

Book, che mi ha prodigato le sue intuizioni e i suoi utili commenti nel rush finale. In qualche modo, tutte queste persone sono state in grado di eliminare il grasso superfluo dal mio scritto senza toglierne il sapore. Analogamente, il mio amico Jason Fagone, autore dell'eccellente *Horsemen of the Esophagus* (Cavalieri dell'Esofago), mi ha aiutato a capire la differenza tra il narrare e l'essere autoindulgenti. Max Potter è stato il primo a permettermi di scrivere un pezzo sulla gara di Leadville per la rivista «5280» ed è anche uno dei rari casi di scrittore dall'animo abbastanza nobile da fare il tifo per un altro scrittore. Patrick Doyle, l'incredibile documentalista di «5280», ha confermato molti fatti circa la misteriosa vita di Caballo ed è stato lui a dissotterrare quella foto di giornale perduta risalente ai giorni in cui il «Cowboy Gitano» combatteva per denaro. Anni fa, Susan Linnee mi diede un lavoro che non meritavo per la Associated Press, e poi mi insegnò come farlo. Se un maggior numero di persone avessero la fortuna di conoscere Susan, ci sarebbe in giro molta meno gente che massacra il giornalismo.

Per essere grandi atleti, dovete scegliere con saggezza i vostri genitori. Per sopravvivere come scrittore, dovete scegliere ancor meglio la vostra famiglia. I miei fratelli, sorelle e nipoti mi hanno dato costantemente un grande sostegno e mi hanno spesso perdonato di aver dimenticato di far loro gli auguri per il compleanno o di rispettare qualche altro impegno che mi ero preso con loro. Devo moltissimo, più che a chiunque altro, a mia moglie Mika, e alle mie stupende figlie, Sophie e Maya, per la gioia che mi danno e che mi auguro traspaia in queste pagine.

Adesso so perché i Tarahumara e i Más Locos vanno così meravigliosamente d'accordo. Sono persone rare e stupende, e passare del tempo con loro è stato uno dei grandi privilegi della mia vita. Mi sarebbe piaciuto avere il tempo per farmi un ultimo succo di mango con quel grande *gringo* indio che era Bob Francis, ma purtroppo poco dopo la gara Bob è morto. Non so in che modo. Come molte delle morti che avvengono nei Copper Canyon, anche la sua è rimasta un mistero.

Mentre stava ancora elaborando il lutto per la scomparsa

di un vecchio e leale amico, Caballo ricevette l'offerta della sua vita. La North Face, il famoso marchio di abbigliamento sportivo di montagna, gli propose di sponsorizzare la sua gara. Il futuro di Caballo, e quello della gara, sarebbero stati finalmente al sicuro.

Caballo ci pensò su. Per circa un minuto.

Alla fine decise. «No, grazie. Non voglio che nessuno faccia qualcosa che non sia correre, far festa, ballare, mangiare e stare insieme. La corsa non deve far comprare delle cose a delle persone. La corsa deve essere libera, *amigo.*»